Fille d'Avalon - 2
La Chasse Infernale

*Du même auteur
aux Éditions J'ai lu*

Fille d'Avalon - 1
Derrière le voile
N° 10225

Jenna Black

Fille d'Avalon - 2
La Chasse Infernale

Traduit de l'anglais (États-Unis)
par Paola Appelius

Titre original :
SHADOWSPELL

Éditeur original :
St. Martin's Press
All rights reserved

© Jennifer Barlow, 2011

Pour la traduction française :
© Éditions J'ai lu, 2013

À Dan, mon mari, ma source d'inspiration depuis toujours.

Remerciements

Merci à toute la merveilleuse équipe de St Martin's qui a participé à la naissance de ce livre, et notamment (mais pas seulement) à Jenifer Weis, Anne Bensson et Hilary Teeman. Merci à mon agent, Miriam Kriss, pour son aide et ses conseils, ainsi qu'aux Deadline Dames pour leur soutien sans faille. Merci, enfin, à ma fabuleuse partenaire de critique constructive, Kelly Gay, dont les suggestions pour améliorer mes livres font mouche chaque fois.

Chapitre 1

Sortir avec un garçon accompagnée d'un garde du corps qui vous suit comme un toutou, c'est vraiment nul à chier.

D'accord, techniquement, je ne sortais pas vraiment avec un garçon. C'est ce que je ne cessais de me répéter. Ethan n'était qu'un ami. Un ami super canon et foutrement sexy qui faisait danser la gigue à mes hormones, mais rien de plus qu'un ami. Et si je tenais à préserver mes propres intérêts, je ne changerais rien à cette situation.

Après deux ou trois vilaines trahisons qui m'avaient blessée plus que je ne voulais l'admettre, Ethan avait risqué sa vie pour sauver la mienne, et j'avais accepté de passer l'éponge et de remettre les compteurs à zéro. Seul problème : la confiance trahie n'est pas si simple à restaurer, d'autant que les raisons de ne pas me fier totalement à lui étaient légion. Trois semaines durant, après mon sauvetage, je m'étais efforcée de garder mes distances, mais ça n'avait pas semblé le décourager. Il m'avait inondée de tant d'appels, de mails et de messages instantanés pour me demander de sortir avec lui que j'avais fini par capituler. Il voulait m'emmener au restaurant et au cinéma. Ça sentait trop le rencard à mon goût, et j'avais marchandé à la baisse pour une simple séance de cinéma.

Assise près de lui dans la salle obscure, je compris que mes talents de négociatrice laissaient à désirer. Le restaurant aurait été un choix plus sûr. Je vérifiai, l'air de rien, par-dessus mon épaule, que Finn, mon garde du corps, était en vue.

À mon grand soulagement, je découvris qu'il avait eu la courtoisie de s'installer trois rangs derrière – suffisamment loin pour m'octroyer une impression de liberté, mais suffisamment près pour intervenir en cas de besoin.

Je constatai sans surprise qu'il me consacrait toute son attention, malgré le film. En tant que Chevalier de la cour des Lumières de Faëry, Finn prenait son boulot très, très au sérieux. Ce qui était une bonne chose, vu que les deux reines de Faëry en voulaient à ma vie.

Je me retournai vers l'écran. Ethan me tendit le seau de pop-corn, dont je pris une poignée, les doigts poisseux de sel et de beurre fondu.

— Serviette ! réclamai-je en tendant l'autre main.

— Désolé, s'excusa-t-il, mais le coin de sa bouche était relevé pour former ce petit sourire ironique qui était sa marque de fabrique. J'ai oublié les serviettes.

Je lui décochai un regard noir de chez noir, ne gobant pas une seule seconde la mine faussement contrite qu'il me servait. Ça le branchait peut-être de me voir me lécher les doigts, mais je ne lui ferais pas ce plaisir. J'étais prête à retourner dans le hall pour trouver des serviettes, mais il m'aurait fallu déranger trois personnes. Et le film était commencé. Pour ce que j'en avais suivi. Je plongeai la main dans le pop-corn avec un grognement résigné et m'enfonçai plus profondément dans mon siège.

Ethan s'était débrouillé, je ne sais comment, pour glisser son bras derrière mon dos. Je tentai de m'en débarrasser d'un coup d'épaule – même si une partie de moi aurait plutôt eu tendance à se lover contre lui.

— On ne sort pas ensemble, tu te rappelles ? sifflai-je entre mes dents en faisant de mon mieux pour paraître ennuyée plutôt que haletante.

J'avais été très claire à ce sujet au téléphone, et Ethan avait accepté mes conditions. Évidemment, ça ne voulait pas forcément dire qu'il avait l'intention de les respecter.

Même dans l'obscurité de la salle de cinéma, le sourire d'Ethan était étincelant.

— Je me souviens. Mais tu n'as jamais dit que je n'avais pas le droit de tenter ma chance.

— Chut ! nous intima une voix depuis le rang de derrière sans me laisser le temps de répondre.

J'enrageai comme le bras d'Ethan m'enserrait plus étroitement les épaules. Il aurait été bien plus facile de lui résister s'il n'était pas aussi… irrésistible. Il était vraiment beau, même pour un faë, avec ses longs cheveux blonds et ses yeux magnifiques, d'un bleu turquoise presque fluorescent. La légère bosse sur son nez, sans doute le vestige d'une ancienne fracture, l'empêchait d'avoir l'air trop parfait… et ne l'en rendait que plus sexy.

Je me souvins qu'Ethan ne pouvait pas aller beaucoup plus loin avec Finn et ses yeux de faucon braqués sur nous – mon garde du corps ayant une forte tendance à jouer les chaperons. Ethan avait beau être d'une impudence incroyable, il avait toujours fait preuve d'un grand respect pour le Chevalier.

Je tâchai de m'intéresser au film tout en mastiquant mon pop-corn. Ethan entreprit alors de me caresser négligemment l'épaule du bout des doigts, ce qui ne me facilita pas les choses. Je savais que j'aurais dû lui intimer l'ordre d'arrêter, mais ce contact me procurait des frissons fort agréables. Il se rapprocha de moi et je perçus une bouffée épicée de son après-rasage, mêlée à l'odeur du pop-corn et du beurre. Sans avoir le temps de dire « ouf », ma tête se retrouva sur son épaule.

Si c'était de cette façon que j'espérais lui faire comprendre qu'on ne sortait pas ensemble, je me débrouillais extrêmement mal.

Le pop-corn ne me disait plus rien et je ne protestai guère lorsque Ethan posa le seau à terre. Je n'avais pas le cran de m'essuyer les mains sur mon jean, mais me sucer les doigts me semblait trop... salace. Et j'avais décidé que je ne lui accorderais pas ce plaisir.

Ethan résolut mon dilemme en me prenant la main, qu'il guida vers sa bouche. Je ne réalisai ce qu'il avait l'intention de faire que lorsque ses lèvres se refermèrent sur mon index. J'émis un son entre le hoquet et le couinement.

Mon cerveau ordonna à ma main de se retirer fissa de la bouche d'Ethan. Ma main ne voulut rien entendre.

Ethan me suça délicatement le doigt, faisant glisser sa langue chaude et douce tout du long pour en retirer le sel et le beurre. J'avais la bouche sèche et je respirai avec difficulté. Jusque-là, j'aurais trouvé ça dégoûtant qu'un garçon avec qui je ne sortais même pas entreprenne de me lécher les doigts. C'est vous dire si je n'y connaissais rien.

Lorsque Ethan en eut terminé avec l'index, il passa au majeur. Je me sentais sur le point de connaître une combustion spontanée. J'avais le visage empourpré et le cœur qui me cognait dans la gorge. Je n'étais plus du tout certaine de trouver ça répugnant.

La vilaine partie soupçonneuse de mon cerveau se mit en alerte rouge, et me souffla que je ne pouvais plus me fier à Ethan depuis qu'il avait employé sur moi un équivalent magique de la drogue du violeur. Je guettai les signes qui m'indiqueraient que ma réaction était due à un sort plutôt qu'à mes propres désirs. Pourtant, même si les sensations fourmillaient sur ma peau, il s'agissait bien de frissons de plaisir et non du picotement électrique de la magie.

Ethan me lâcha la main et je levai malgré moi la tête vers lui, dans l'espoir qu'il m'embrasserait. Ses lèvres étaient luisantes de beurre, et je savais d'avance que je me noierais dans leur goût délicieux. Il entrouvrit la bouche et se pencha vers moi.

Mais avant que ses lèvres touchent les miennes, un grain de pop-corn rebondit sur le bout de son nez. Nous nous retournâmes de concert.

Je n'avais pas remarqué que Finn avait acheté du pop-corn – et quelque part, ça ne me paraissait pas coller avec l'image d'un Chevalier de la Faëry – mais le fait était qu'il brandissait un second grain de maïs soufflé en nous toisant d'un air sévère. J'imagine qu'il n'avait pas pu voir les manigances d'Ethan jusqu'à cette ébauche de baiser, ou nous aurions finis ensevelis sous le pop-corn.

Le rouge me monta aux joues, mais Ethan se contenta d'un petit rire avant de s'adosser à son siège. Je pense que les grains de pop-corn ne l'auraient pas empêché de m'embrasser s'il l'avait vraiment voulu, mais Finn avait en quelque sorte pourri l'ambiance.

Tant mieux, me rabrouai-je intérieurement.

Dans le passé, je m'étais déjà laissé déposséder de tout bon sens par Ethan, et je m'y étais brûlé les ailes. Il prétendait être attiré par moi, mais j'avais encore du mal à le croire. Un type comme lui n'avait aucun problème pour séduire des filles plus jolies – et plus faciles. Il n'y avait aucune raison qu'il ait jeté son dévolu sur moi, entre toutes les filles. À moins d'avoir une idée derrière la tête.

Fut un temps où je me trouvais très ordinaire, même si l'alcoolisme de ma mère m'avait empêchée de l'être autant que je l'aurais voulu. Un jour, j'en avais eu assez de son ivrognerie et j'avais fugué pour retrouver mon père elfique ici, en Avalon – le seul endroit sur terre où le royaume de Faëry et le monde des mortels coexistent. Suite à quoi j'avais découvert que j'étais une Passemonde, l'un de ces rares individus capables de se mouvoir librement entre les deux mondes, et, cadeau Bonux, doués du pouvoir d'apporter la magie dans le monde des mortels et la technologie en Faëry. Le dernier Passemonde en date s'étant éteint voilà soixante-quinze ans, je me retrouvais, impuissante, au beau milieu d'une partie de tir à la corde dans l'arène politique des faës. Et je jouais le rôle de la corde, à un bout de laquelle se trouvaient Ethan et son père.

Il était donc très opportun que Finn joue les chaperons autant que les gardes du corps. Tomber amoureuse d'Ethan était bien le dernier truc dont j'avais besoin, si séduisant fût-il. Du moins tant que je ne saurais pas avec certitude ce qu'il voulait de moi.

Je passai le reste de la séance à repousser les subtiles avances d'Ethan. Ses yeux étincelaient de malice chaque fois que je le foudroyais d'un regard noir, et je compris que c'était devenu un jeu pour lui. Qu'espérait-il donc faire à l'insu de Finn ? J'aurais pu m'offusquer de son refus de me laisser tranquille, si je n'avais été tellement consciente des signaux confus que je lui envoyais. Certes, je finissais toujours par le repousser, mais il voyait bien que je mettais un certain temps à m'y résoudre.

— Tu es vraiment un sale type, lui dis-je alors que j'interceptais sa main sur ma cuisse en l'agrippant par le poignet.

Elle était tout en haut. Ma voix paraissait trop fébrile pour être convaincante, et j'avais laissé sa main monter beaucoup plus haut que je n'en avais eu l'intention.

Il m'enserra l'épaule de son bras – resté indéfectiblement à son poste sur le dossier de mon siège.

— Je me conduis en parfait gentleman, me chuchota-t-il à l'oreille. Je ne ferai rien que tu ne désires pas.

Ouais, et c'était bien le problème. Je désirais des trucs que je n'avais aucun droit de vouloir. Ou qui n'étaient certainement pas bons pour moi. Et tout ce que je laissais passer lui donnait une raison supplémentaire de retenter sa chance à la première occasion.

Quand arriva la fin du film, j'étais tellement chauffée que c'était un petit miracle si je n'avais pas commencé à me déshabiller devant tout le monde. Sans la présence de Finn, là derrière nous, je n'aurais eu que ma volonté pour garde-fou, et qui pouvait savoir à quelles bêtises je me serais laissée aller. J'avais le sentiment d'être totalement dépassée avec Ethan, et je ne savais pas trop comment y remédier.

Nous quittâmes le cinéma main dans la main. Je suis sûre qu'Ethan n'aurait pas demandé mieux que de me raccompagner chez moi, mais j'habitais désormais un abri souterrain sécurisé au cœur de la montagne sur laquelle était bâtie la cité d'Avalon. Ceux qui connaissaient son emplacement se comptaient sur les doigts d'une main, et Ethan n'en faisait pas partie.

À l'abri de l'auvent, il porta ma main à ses lèvres et déposa un baiser sur mes doigts. Le crachin faisait luire les pavés de la route, où se reflétait la lumière des lampadaires.

Il me lâcha la main pour m'aider à enfiler mon manteau de pluie, et la chaleur de son contact me manqua aussitôt. Ses yeux filèrent au-dessus de ma tête, sans doute en direction de Finn, qui me suivait de près.

— Allez-vous me ratatiner si je l'embrasse pour lui souhaiter bonne nuit ?

— Probable, répondit Finn, laconiquement.

Il n'était pas du genre causant.

J'aurais pu me débarrasser de lui. Après tout, Finn n'était pas mon père, et le « chaperonnage » ne faisait pas partie de ses attributions officielles. Je crois qu'il n'aimait pas beaucoup Ethan, mais je savais aussi qu'il m'avait plutôt à la bonne, et un baiser de bonne nuit n'était pas bien méchant. Cependant, j'avais déjà laissé Ethan aller trop loin et il était plus que temps d'y mettre le holà.

— On ne sort pas ensemble, lui répétai-je pour la millionième fois. Je ne t'embrasserai pas, même si Finn décide finalement de ne pas te ratatiner.

Ethan me gratifia d'un petit sourire contrit, quoique légèrement dubitatif.

— C'est vrai, répondit-il. J'ai tendance à l'oublier. On ne sort pas ensemble. Faut que ça rentre.

Il releva la capuche de mon imperméable et ses doigts frôlèrent « accidentellement » ma joue quand il retira sa main. Je ne pus réprimer un frisson de plaisir.

— On peut arranger ça pour la prochaine fois, suggéra-t-il. Veux-tu être ma cavalière à la soirée de Kimber ?

Kimber, la sœur d'Ethan, était ma meilleure amie. Elle donnait une fête pour son anniversaire vendredi soir, et j'en trépignais d'avance.

— Bien tenté, Roméo, répliquai-je d'une voix qui se voulait sophistiquée, même si je ne me faisais guère d'illusion. Kimber sera le centre d'attraction de cette soirée, pas toi.

Ethan leva les yeux au ciel.

— On voit que tu ne connais pas encore les soirées de la famille Leigh. Mais je vois ce que tu veux dire. Réserve-moi seulement une danse, d'accord ?

Il me balança un autre de ses petits sourires.

— Des amis ont bien le droit de danser ensemble, non ?

Je poussai un grognement intérieur. Cette danse promettait une nouvelle bataille de volonté : l'ange contre le démon qui se disputaient en moi.

— D'accord, acceptai-je. À condition que tu gardes tes mains dans tes poches.

Il haussa un sourcil, et je me souvins que j'avais été très laxiste avec cette règle ce soir. Je crois bien que je rougis encore une fois, mais je soutins son regard de défi au mieux de mes capacités.

Les yeux brillants de malice, il me fit un clin d'œil et me pinça le bout du nez comme si j'étais une petite fille, avant de s'élancer sous la pluie sans paraître se soucier le moins du monde de n'avoir ni manteau ni parapluie. Je le regardai s'éloigner, incapable de détourner les yeux, jusqu'à ce qu'il disparaisse à l'angle de la rue.

Chapitre 2

Ethan était à coup sûr pour moi la promesse d'ennuis à venir, mais si je n'avais eu que ce seul problème à gérer depuis mon arrivée en Avalon, je suis certaine que je m'en serais accommodée bien plus facilement.

J'étais venue ici en me berçant d'illusions, espérant que la vie avec mon père serait plus normale que celle que je menais avec ma mère. Grossière erreur ! Au terme de quelques semaines à peine, je me retournais déjà avec regret sur le bon vieux temps où j'étais sous la garde de Maman. Que je trouvais pourtant à l'époque pourri de chez pourri.

J'avais eu une enfance solitaire, non par inclination naturelle, mais parce que ma mère nous imposait un déménagement tous les deux ans pour empêcher mon père de retrouver notre trace, et que je ne pouvais pas prendre le risque de laisser mes camarades de classe et amis potentiels découvrir l'alcoolisme de ma génitrice. Je l'avais appris à mes dépens dans l'école que je détestais le plus, celle où les élèves n'avaient eu de cesse de me tourner en ridicule.

Je devais également jouer le rôle de l'adulte de la famille, ma mère étant souvent trop à l'ouest pour se soucier de détails aussi triviaux que le règlement des factures ou les courses au supermarché. Sans compter que je devais aussi m'assurer qu'elle ne prenne pas le volant quand elle était ivre morte.

Jamais je n'aurais imaginé que je regretterais un jour cette existence. Pourtant, aucun aspect de ma nouvelle vie en Avalon ne répondait aux espoirs que j'avais nourris en décidant de venir ici.

Au lieu de résider dans une jolie maison de ville de la belle cité d'Avalon, j'occupais ce qui n'était qu'une caverne améliorée, creusée à même la montagne. Mon bunker offrait tout le confort moderne : électricité, eau courante et une connexion Internet. L'endroit était joliment décoré, et si l'on faisait abstraction de l'absence totale de fenêtres, on aurait même pu le qualifier de douillet. Mais pour moi ce n'était qu'une prison, comportant même un poste de garde entre mes appartements et l'entrée principale.

Je crois que mon père aurait préféré que je reste dans ma cage dorée vingt-quatre heures sur vingt-quatre et sept jours sur sept, mais il semblait comprendre – Dieu merci – que je deviendrais folle s'il ne me laissait pas prendre l'air à intervalles réguliers. Je ne sortais jamais seule, accompagnée en toutes circonstances de mon père ou de Finn, mais au moins n'étais-je pas assignée à résidence. La réclusion me rendait quand même dingue la moitié du temps. Je comprenais la prudence de Papa, et je ne voulais pas risquer de me faire tuer, mais je détestais l'isolement dans lequel il me faisait vivre. J'avais parfois du mal à ne pas haïr mon père de m'infliger ça, même si j'en comprenais les raisons.

En dépit de mes sentiments mitigés, je fus tellement heureuse lorsque mon père se pointa sans prévenir un dimanche pour m'emmener bruncher avec ma mère que je lui aurais sauté au cou. Je m'en abstins cependant. Il possédait cette réserve glaciale typique des faës plus âgés, et une tape sur l'épaule représentait pour lui le summum du témoignage d'affection. Il ne saurait sans doute pas comment réagir si je me jetais dans ses bras.

Avec ma mère, c'était une tout autre histoire. Dès qu'elle m'aperçut, elle me prit dans ses bras et me serra contre elle comme si on ne s'était pas vues depuis des années. Alors que ça ne faisait que trois jours. Elle était comme moi prisonnière de mon père, qui avait acheté ou manipulé les tribunaux d'Avalon pour obtenir son incapacité juridique. C'était un vrai coup bas qu'il lui avait joué là, mais il y avait un bon côté : tant que ma mère se trouvait sous la tutelle de mon père, il ne lui autorisait pas la moindre goutte d'alcool. D'aussi loin qu'il m'en souvienne, elle n'était jamais restée sobre sur une si longue période et je pouvais difficilement en vouloir à mon père.

Il nous conduisit dans l'un des meilleurs restaurants d'Avalon, où il avait réservé une table en terrasse. Pour une fois, la journée était ensoleillée, claire et dégagée, et nous jouissions d'une vue splendide depuis notre table. Enfin, j'imagine que la vue aurait été splendide si je l'avais contemplée. Comme je suis une Passemonde, je vois une surimposition des paysages de la campagne anglaise et de la forêt de Faëry chaque fois que je porte mon regard au-delà des frontières d'Avalon. Un phénomène troublant qui donne la nausée, et que l'on appelle la Moire. Je m'efforçai donc de garder les yeux sur la ville, qui offrait suffisamment d'attraits.

Le réseau des rues pittoresques d'Avalon s'étalait à mes pieds. La grand-route qui serpentait depuis la base de la montagne et déroulait ses lacets jusqu'à la cime était proprement goudronnée, mais toutes les rues adjacentes étaient pavées. Les lampadaires imitaient les becs de gaz d'autrefois, et la plupart des bâtiments existaient sous leur forme actuelle depuis plusieurs siècles. Tout cela conférait à la ville un cachet désuet, malgré quelques enseignes commerciales de grandes chaînes.

La densité de population était très importante sur la montagne. Les habitants y avaient entassé autant de maisons que possible sur l'espace limité dont ils disposaient, mais, malgré cette concentration, la nature y était luxuriante. La plus petite fenêtre possédait sa jardinière débordante de fleurs, et le lierre profitait du moindre grain de terre pour prendre racine et gagner la façade de la maison suivante. Chaque centimètre carré de la cité était une carte postale vivante.

La vue dégagée me permettait de contempler jusqu'aux douves qui cerclaient Avalon, traversées par le pont menant à la Porte de l'Ouest. Vues de là-haut, les douves étaient tout aussi pittoresques que le reste en dépit de leur couleur brunâtre. Et pourtant, quelques semaines auparavant, ma tante Grace m'y avait précipitée et j'avais découvert à mes dépens qu'elles étaient peuplées de Sorcières d'eau, des monstres aquatiques malfaisants. Je ne pourrais plus jamais voir ces douves sans me souvenir de la sensation de leurs mains agrippées à mes jambes pour m'entraîner au fond de l'eau. Je ne crois pas que tante Grace ait réellement eu l'intention de me tuer en me jetant à la flotte. Elle avait ourdi un plan machiavélique dans le but d'utiliser mes pouvoirs de Passemonde pour assassiner Titania, la reine de la cour des Lumières, et, lorsqu'il avait échoué, elle m'avait jetée à l'eau pour faire diversion le temps de s'enfuir en Faëry.

Mon père savait choisir les restaurants. Ce qu'on nous servit était délicieux. L'ambiance beaucoup moins. Je savais que mes parents avaient été amoureux l'un de l'autre… dans un lointain passé. Même s'il comprenait les raisons qui avaient poussé ma mère à lui cacher mon existence, mon père ne semblait pas près de lui pardonner. Et Maman lui faisait grief d'un certain nombre de choses, dont sa sobriété forcée n'était pas la moindre. À ce stade, ils étaient incapables de s'accorder sur la couleur du ciel, et encore moins sur un sujet important comme celui dont ils débattaient en ce moment.

Maman voulait que je retourne au lycée à la rentrée, comme une fille normale. Papa décréta que le lycée présentait un trop grand risque pour ma sécurité, et que je devais être scolarisée à domicile. Ni l'un ni l'autre ne semblait se soucier de mon avis sur la question – ils ne me l'avaient même pas demandé. Mais je savais qu'au bout du compte mon père aurait le dernier mot. C'était lui mon tuteur légal, après tout. Ce qui n'empêchait pas ma mère de faire valoir ses arguments.

Je les zappai tous les deux et m'efforçai de profiter du repas, du beau temps et de la vue. Mon regard était irrésistiblement attiré par les douves et le pont qui les enjambait en dépit des mauvais souvenirs que cela ranimait. Je m'obligeais à détourner les yeux, mais ils y revenaient sans cesse.

Je matais les douves une fois de plus quand j'aperçus quelqu'un qui s'enfuyait du poste de garde à toutes jambes. C'était un faë, vêtu d'une tunique et de collants verts comme le figurant d'un film de Robin des Bois. Même à cette distance, je distinguais la terreur sur son visage, et le sang sur son front. Cette vision me coupa le souffle. D'autres personnes autour de moi avaient dû suivre mon regard, car des murmures commencèrent à s'élever parmi les dîneurs.

Le faë avait parcouru un tiers de la longueur du pont et courait toujours comme un dératé en bousculant au passage les piétons quand je compris ce qu'il fuyait. Une haute porte s'ouvrit à la volée dans le corps de garde, livrant passage à une créature de cauchemar.

L'homme était entièrement vêtu de noir, le visage dissimulé derrière un monstrueux masque noir pourvu d'une bouche grimaçante munie de crocs, et d'andouillers acérés. Son corps était couvert d'une armure noire brillante hérissée de pointes. Il était monté sur un énorme cheval noir, également habillé d'une armure de plaques. C'était peut-être une illusion d'optique, mais j'aurais juré avoir vu des flammes s'échapper des naseaux de la bête.

Autour de moi, les gens se levaient dans le crissement des chaises sur le gravier, et le murmure était devenu un brouhaha inquiet. Le cavalier tira une épée étincelante du fourreau qu'il portait en travers du dos, et le bourdonnement des conversations monta d'un cran.

— Oh, non, crus-je entendre dire mon père, mais difficile d'en être sûre avec le vacarme des voix qui s'amplifiait. À la suite de l'homme en noir, plusieurs autres cavaliers franchirent la porte – dont je compris après coup qu'il devait s'agir du passage vers le royaume de Faëry –, tous revêtus des mêmes atours que leur chef, mais dans une version plus sobre. Ils se déployèrent en « V » et s'engagèrent à bride abattue sur le pont à la poursuite du premier faë. Plusieurs voitures s'y trouvaient, mais les cavaliers de Faëry semblaient n'en avoir cure. Leurs montures les évitaient en galopant à une vitesse surnaturelle, ou sautaient par-dessus comme si c'était des jouets, dans les grincements de freins et un concert d'avertisseurs.

— La Chasse Infernale ! cria quelqu'un.

— L'Elferoi... dit un autre, la voix glacée d'effroi.

Je me retrouvai debout, les mains agrippant la rambarde de la terrasse, sans me souvenir de m'être levée. J'entendis mon père m'appeler, mais j'étais trop captivée par ce que je voyais pour lui répondre.

Le chef des cavaliers gagnait promptement du terrain sur le faë en fuite. Les gens s'écartaient devant eux, et je ne vis aucun signe que la police des frontières fît même mine de lever le petit doigt pour l'arrêter, lui ou les autres cavaliers. L'homme en noir arriva à hauteur du faë. Il se dressa sur ses étriers, en parfait équilibre malgré l'allure phénoménale de sa monture. Quelqu'un cria quand l'épée étincela dans le soleil et s'abattit en tournoyant en direction du faë.

Je ne vis pas ce qui se passa ensuite, car ma mère, arrivée par-derrière, me plaqua une main sur les yeux. Mais les cris et les hoquets horrifiés qui s'élevèrent m'en donnèrent une assez bonne idée.

Maman me fit pivoter, dos à la rambarde. Papa jeta une poignée de billets sur la table, puis nous prit par le bras, Maman et moi, et nous entraîna vers la sortie.

— Nous devons partir, nous pressa-t-il, et je ne saurais vous dire la terreur que m'inspira la peur que je lus dans ses yeux.

Pour autant que je sache, mon père n'avait peur de rien, et, si c'était le cas, il était passé maître dans l'art de le dissimuler. Que signifiait donc l'épouvante qui l'habitait en cet instant ?

Les clients de la salle sortaient à présent sur la terrasse pour voir ce qui se passait. Mon père se fraya un chemin dans la foule en mouvement, usant d'une magie quelconque pour nous ouvrir la voie. J'aurais pu lui faire remarquer qu'il me faisait mal mais, à la seule pensée du cavalier noir brandissant son épée, je n'avais qu'une envie, c'était de courir me cacher.

Mon père passa un million de coups de fil en me ramenant sans ménagement à mon abri sécurisé. Maman, qui marchait à ma hauteur, me tenait par les épaules. Elle était pâle comme la mort, et ses pupilles un peu trop dilatées.

— Qu'est-ce qui se passe ? lui demandai-je alors que mon père était pendu au téléphone. Qui sont ces types ?

J'espérais vraiment qu'ils avaient fait demi-tour pour rentrer au triple galop en Faëry après leur… Je tâchai de ne pas songer à ce qui venait de se produire.

Ma mère secoua la tête.

— C'était la Chasse Infernale, répondit-elle dans un souffle, comme si les nommer à haute voix allait les faire apparaître.

J'attendis des explications, qui ne vinrent pas. Sans doute étais-je supposée savoir en claquant des doigts ce qu'était la Chasse Infernale, mais il y avait tant de choses que j'ignorais à propos du royaume de Faëry. Maman était née et avait grandi en Avalon, et elle avait un peu tendance à oublier qu'Avalon était un endroit très spécial.

— Qu'est-ce que la Chasse Infernale ? demandai-je.

Nous avions pénétré le réseau de galeries où se trouvait mon bunker, et j'imagine que mon père n'avait plus de signal, car il rangea son téléphone.

— Le cauchemar de la Faëry, répondit-il d'une voix sèche et tendue. Une horde de cavaliers dont l'unique raison d'être est de Chasser et de tuer, les faës comme les humains. Leur chef, l'Elferoi, est le seul homme dont on dit qu'il est redouté par les deux reines de Faëry.

— C'était le type avec l'épée ? demandai-je d'une voix blanche.

Mon père hocha brièvement la tête.

— Oui, les Chasseurs sont dangereux, mais aucun davantage que lui.

Je fronçai les sourcils, comprenant les implications de ce qu'avait dit mon père.

— Attends une minute. Tu as dit qu'il était craint des deux reines de Faëry. Mais il appartient à la cour des Ténèbres, non ?

Le royaume de Faëry est divisé en deux cours, sur chacune desquelles règne une reine. Les faës de la cour des Lumières ont la réputation d'être les gentils (mais vu que tante Grace appartient à la cour des Lumières, on peut dire que leur réputation est surfaite). La cour des Ténèbres est connue pour accueillir les monstres et les faës maléfiques, mais là aussi, c'est une généralité. Ethan et Kimber appartenaient à la cour des Ténèbres, et se comportaient plutôt correctement la plupart du temps. L'Elferoi, quant à lui, semblait en incarner tous les stéréotypes.

— Et dans ce cas, la reine de la cour des Ténèbres ne devrait pas le craindre.

— Il n'est assujetti à aucune des deux cours, répondit mon père. Il est une puissance en lui-même. Il se considère comme un roi, bien qu'il soit sans royaume.

— Et il a le droit de charger à cheval sur Avalon quand l'envie lui en prend pour aller trucider des gens en pleine journée ?

J'avais déjà eu l'occasion de me rendre compte que la frontière entre Avalon et le royaume de Faëry était dangereusement poreuse, mais j'espérais quand même qu'elle était mieux gardée.

— Non. Il n'a pas le droit de Chasser en Avalon. Mais il est autorisé, quand il a débuté une Chasse dans la Faëry, à poursuivre sa proie de l'autre côté de la frontière si celle-ci vient à la traverser.

Nous avancions si vite que je commençais à être un peu essoufflée, et décidai de réserver mes questions pour plus tard. Lorsque nous quittâmes la partie fréquentée des souterrains pour nous engager dans le labyrinthe obscur qui menait à ma chambre forte, mon père créa magiquement une boule de lumière, qui flotta au-dessus de nous pour nous indiquer le chemin. Les petits cheveux sur ma nuque se hérissaient toujours et je ne cessais de me retourner. Non pas que je m'attende réellement à voir l'Elferoi et son terrible cheval noir fondre sur moi là tout de suite, mais j'étais complètement flippée. Je ne l'admettrais pour rien au monde, mais j'étais bien contente que ma mère m'ait caché les yeux. J'avais déjà vu assez d'horreurs susceptibles de hanter mon sommeil, et je n'avais pas besoin d'un cauchemar supplémentaire.

Quand nous arrivâmes enfin dans mon bunker, Papa demanda à ma mère de nous préparer du thé pendant que nous attendions l'arrivée de Finn dans la salle de garde. C'était un ordre plus qu'une requête, mais ma mère n'y fit pas d'objection.

La salle de garde n'était pas aussi douillette que le salon de ma suite, mais il y avait de quoi s'installer confortablement. Je me laissai tomber lourdement sur le canapé. Mon père était trop agité pour s'asseoir.

— D'accord, me lançai-je. Que dois-je savoir sur l'Elferoi ? Pourquoi devons-nous filer nous cacher dans la montagne dès qu'on l'aperçoit ? Tu disais qu'il n'avait pas le droit de Chasser en Avalon.

— C'est compliqué.

Je ricanai.

— Comme si quoi que ce soit était simple, ici. Allons, Papa. Raconte-moi ce qu'il en est. N'ai-je pas le droit de savoir ?

Il poussa un soupir de frustration qui parut alléger sa tension, puis il prit la parole, les yeux rivés au plancher et la mâchoire crispée.

— Autrefois, l'Elferoi et sa Chasse Infernale étaient le fléau de la Faëry. Je te parle d'un temps très ancien. L'Elferoi Chassait sans vergogne les sujets des deux cours, semant la mort selon son bon vouloir. Il arrivait que la Chasse Infernale fasse une descente en Avalon et répande la terreur parmi les humains. Les mortels enrôlés de force succombaient à coup sûr d'épuisement, exténués par le train de la Chasse.

Ma mère entra dans la salle de garde, le plateau du thé dans les mains. Personnellement, je suis plutôt café, mais les habitants d'Avalon ne peuvent apparemment pas se passer de leur sacro-saint thé. J'apprenais à m'y faire pour les besoins de la politesse. Maman posa le plateau sur la table basse, et versa trois tasses pendant que mon père poursuivait son histoire.

— Au bout du compte, les reines de Faëry finirent par conclure un pacte avec l'Elferoi, un pacte scellé par la magie. L'Elferoi accepta de ne plus Chasser leurs sujets sans l'autorisation de la reine de la cour concernée. Depuis ce temps, l'Elferoi et sa Chasse Infernale sont devenus les assassins et le bras armé des reines. C'est toujours un cauchemar, mais un cauchemar sous contrôle.

Je fronçai les sourcils en réfléchissant à ce qu'il venait de dire.

— Et qu'est-ce que l'Elferoi a gagné dans ce pacte ?

Papa tourna la cuillère dans sa tasse de thé avec une application étudiée.

— Le droit de Chasser les parias des deux cours.

J'étais de plus en plus perplexe.

— Mais il les Chassait déjà, non ?

Mon père ne répondit pas.

— Je crois que ce pacte implique autre chose, intervint ma mère, me prenant par surprise. L'Elferoi ne vit que pour Chasser. La Chasse fait partie de sa nature élémentaire. Pourtant, il a laissé les reines lui imposer une limite. Il en a forcément retiré un avantage. Mais il semble que tous les faës en âge de s'en rappeler sont liés par une *geis* qui les empêche d'en parler.

— Qu'est-ce qu'une *geis* ?

— Un interdit magique. Une incantation qui a été prononcée par les deux reines et lie chaque membre de leurs cours respectives. Les faës en âge de s'en souvenir ne peuvent littéralement pas en parler.

Papa continuait de tourner sa cuillère dans son thé, inlassablement. Mon regard fit la navette entre Maman et lui.

— Es-tu en âge de t'en souvenir ? demandai-je à mon père.

Il acquiesça en silence.

— Et tu ne peux pas en parler ?

Il tourna la tête pour me regarder, toujours sans dire un mot. Mais cette fois, il ne fit aucun signe de dénégation ni d'acquiescement.

— Ce doit être une *geis* très puissante, dit ma mère. Ils ne peuvent même pas tourner autour du pot. Ils sont tout bonnement incapables d'aborder le sujet. Ils n'admettent même pas l'existence d'une *geis*, alors que tout le monde sait pertinemment qu'il ne peut en être autrement.

— Et ils ne savent pas ce qu'ils protègent ainsi ?

Maman secoua la tête.

— Il existe de nombreuses théories à ce sujet, aussi farfelues les unes que les autres à mon avis.

Je ruminai tout ça pendant un moment, frustrée de ne pas connaître le fin mot de l'histoire. J'en avais assez vu pour comprendre que l'Elferoi était un type redoutable. Mais je ne saisissais toujours pas pourquoi mon père avait réagi comme s'il constituait une menace directe pour moi.

— Si l'Elferoi n'a pas le droit de Chasser en Avalon, lui demandai-je, qu'est-ce qui t'inquiète tant ?

Papa but finalement une gorgée de son thé parfaitement remué.

— Il n'a pas le droit de Chasser, en effet. Mais rien ne l'empêche de tuer. Ou pire encore. Il est lui-même lié par une *geis* qui lui interdit d'attaquer quiconque à l'intérieur des frontières de la ville – sauf dans le cadre d'une Chasse commencée dans la Faëry. Cet interdit ne l'empêche cependant pas de se défendre et de faire ce que bon lui semble de celui qui serait assez fou pour s'en prendre à lui ou aux membres de sa Chasse.

— Je ne comprends toujours pas. Qui serait assez stupide pour aller l'asticoter sachant que ça lui donne le droit de tuer ?

Certainement pas moi, en tout cas, ce qui devait vouloir dire qu'il ne représentait pas une menace personnelle.

— Et puis, ne va-t-il pas rentrer en Faëry maintenant que sa… euh… Chasse est finie ?

Une fois de plus, je dus repousser l'image du cavalier noir sur son sinistre destrier, qui levait son épée contre un homme désarmé et sans défense.

— L'Elferoi n'a pas son pareil pour provoquer les gens et les pousser à agir à l'encontre de leurs intérêts. Et non, je ne crois pas qu'il va retourner tout de suite en Faëry. Chaque fois qu'il a pourchassé quelqu'un jusqu'en Avalon, il est ensuite resté au moins plusieurs semaines. Il entretient même une maisonnée ici.

Je secouai la tête. Il y avait beaucoup de choses que j'aimais en Avalon (parfois en me forçant un peu), mais le détail de leurs traités plus que bizarres avec le royaume de Faëry n'en faisait pas partie.

— Pourquoi l'avoir autorisé à venir en ville ? demandai-je. Vous interdisez aux spriggans et autres monstres de la cour des Ténèbres de franchir la frontière, et il a l'air mille fois plus dangereux que tous ceux-là réunis.

Le sourire de Papa se fit amer.

— Il l'est, en effet. C'est pourquoi la ville a dû conclure un accord avec lui. Nous avions le choix entre déterminer les conditions de sa venue en Avalon et entrer en guerre contre lui. On dit que les faës sont immortels, en ce sens qu'ils ne meurent pas de mort naturelle. Mais l'Elferoi serait quant à lui réellement immortel. À l'époque lointaine où il était en guerre ouverte contre les deux cours, un Chevalier de la cour des Lumières parvint à lui trancher la tête au combat. L'Elferoi a ramassé sa tête, l'a remise sur ses épaules et a occis le Chevalier. Il va de l'intérêt même d'Avalon de ne pas se faire un ennemi d'un homme qu'il est impossible de tuer.

Je percevais la logique de mon père, mais je ne pouvais pas franchement dire qu'elle me plaisait. J'avais l'impression qu'il devait exister une meilleure solution. Même si j'étais incapable d'imaginer laquelle. Je suppose que compte tenu de la puissance de l'Elferoi, on devait déjà s'estimer heureux qu'il se soit laissé imposer une limitation quelconque.

Mais qu'avaient bien pu lui accorder les reines de Faëry pour mettre leurs sujets à l'abri de ses Chasses ? Ce devait être énorme. Et je doutais fort que ce fût une bonne chose.

Papa reposa sa tasse et se tourna vers moi. Son visage n'était pas des plus expressifs, mais je saisis la gravité de ce qu'il allait dire avant qu'il ouvre la bouche. Ma main se crispa sur ma propre tasse et je retins mon souffle.

— Il n'est pas impossible que l'une ou les deux reines aient envoyé l'Elferoi en Avalon pour te tuer, déclara mon père, et mon estomac pesa soudain cent tonnes.

OK, je savais déjà que les reines voulaient me voir morte. Enfin, disons que Titania, la reine de la cour des Lumières à laquelle j'étais techniquement affiliée – je me refusais à dire que je lui « appartenais » –, se serait satisfaite que je quitte Avalon pour toujours. Mais puisque Mab, la reine des Ténèbres, me pourchasserait jusqu'à la fin de mes jours où que je me trouve, mon père avait décrété que j'étais plus en sécurité ici. Les reines craignaient que mes pouvoirs de Passemonde – ma capacité à transporter une arme à feu en état de fonctionnement dans la Faëry, par exemple – ne représentent une menace pour leurs trônes respectifs. Le fait que ma tante Grace ait tenté de m'utiliser pour assassiner Titania et occuper son trône était la preuve qu'elles n'étaient pas seulement paranoïaques.

Pourtant, même en sachant que les reines voulaient me faire la peau, ça me fit un choc d'entendre qu'elles avaient peut-être envoyé cette créature immortelle terrifiante et sa horde de Chasseurs à mes trousses. Je n'étais encore qu'une enfant, pour l'amour du ciel ! C'était comme d'employer un canon pour tuer une mouche.

Malheureusement, Papa n'en avait pas terminé.

— Je suis conscient que ce sera un… désagrément, mais je crois qu'il vaut mieux pour tout le monde que tu ne quittes pas ton abri sécurisé pendant toute la durée du séjour de l'Elferoi en Avalon.

— Non !

Le mot était sorti sans que je prenne le temps de réfléchir ou de tempérer ma réaction. Je bondis sur mes pieds pour mettre une certaine distance entre mon père et moi.

— Seamus, tenta timidement ma mère. Nous devrions peut-être…

Sa voix mourut sous le regard glacial qu'il lui lança. Je commençais à croire que c'était dans l'alcool qu'elle puisait son courage. En cet instant précis, j'aurais aimé retrouver la femme saoule et butée que je connaissais.

Je secouai la tête et croisai les bras sur ma poitrine.

— Il est hors de question que tu me gardes enfermée tout le temps qu'il plaira à l'Elferoi de rester ici ! m'exclamai-je en réussissant tout juste à m'empêcher de hurler.

— C'est pour ta propre sécurité, répondit-il en tentant avec moi le coup du regard glacial qu'il venait d'employer sur ma mère.

J'avais toujours eu plus de volonté qu'elle, et ce n'était pas un regard qui me ferait reculer.

— Hors de question ! répétai-je. Tu as dit toi-même qu'il lui est interdit de s'en prendre aux gens à moins qu'ils ne l'aient attaqué. Si tu crois que je vais agresser ce type, tu es tombé sur la tête. Il ne peut rien me faire, et tu n'as pas le droit de m'enfermer dans ces oubliettes comme une prisonnière.

Ses yeux brillaient de colère, mais c'est d'une voix mesurée qu'il me répondit.

— J'en ai le droit et je vais le faire.

Il se leva, me dominant de toute sa hauteur.

— Quand tu auras calmé tes ardeurs juvéniles, tu comprendras que c'est la meilleure solution.

— Tu peux toujours courir pour que je me calme !

D'habitude, je me maîtrise bien mieux que ça en sa présence. Il est lui-même toujours si calme. Et puis il a beaucoup trop d'autorité sur moi pour risquer de me le mettre à dos. Mais là, c'était trop.

— Tu as dit toi-même que tu n'aurais plus aucun contrôle juridique sur moi le jour de mes dix-huit ans. Et tu veux que je reste ici jusqu'à la fin de mes jours. Si tu m'enfermes, je jure que je quitterai Avalon à la seconde où je serai majeure.

Je ne suis pas une grande pleureuse, mais je ne reculais pas devant une légère manipulation. Au lieu de refouler les larmes qui me brûlaient les yeux comme à mon habitude, j'en laissai couler quelques-unes sur mes joues. Mon père avait fait tout ce qui était en son (considérable) pouvoir pour transformer mon bunker en appartement douillet et accueillant, mais c'était toujours une foutue prison, et toutes les déco du monde n'y pourraient rien changer.

Je n'avais certes pas envie de me faire dézinguer. Je ne suis pas une débile totale. Et je ne me plaignais pas – trop – de devoir vivre ici. Je ne me plaignais pas – trop – non plus de faire l'objet d'une protection rapprochée. En revanche, je ne pensais honnêtement pas être capable de supporter la détention forcée jusqu'à ce que l'Elferoi décide de rentrer chez lui, et je ne pensais pas non plus que l'Elferoi représente une réelle menace pour moi.

Mon père n'est pas le type le plus facile en matière de négociations. Il a des siècles – au minimum – d'entraînement, et une telle confiance en lui et en ses décisions qu'il n'envisage pas de revenir dessus. Jamais.

Il me dévisagea un long moment, et c'était presque comme si je pouvais voir ses pensées s'agiter sous son crâne. Il cherchait peut-être l'argument parfait à m'opposer pour me faire changer d'avis. Ou il se demandait si je pensais ce que j'avais dit.

Il finit par lâcher un soupir et ses épaules s'affaissèrent.

— Très bien, capitula-t-il, comme si les mots lui étaient arrachés sous la torture. Je ne t'obligerai pas à rester dans ton abri sécurisé indéfiniment. Mais tu ne quitteras jamais ce lieu sans être accompagnée d'au moins deux puissants gardes du corps, et sans m'en avoir personnellement demandé l'autorisation.

Je commençais à me décrisper, pensant avoir gagné la bataille, quand mon père lâcha une bombe.

— Cependant, étant donné les circonstances, je pense que tu devras faire une croix sur la soirée d'anniversaire de ton amie. Le risque serait beaucoup trop grand.

Je me mordis la langue pour ravaler les protestations qui jaillissaient de ma gorge. Je savais que Papa n'avait jamais été très chaud pour que j'aille à la soirée de Kimber. Non seulement Kimber était un sujet de la cour des Ténèbres alors que mon père appartenait à la cour des Lumières, mais elle était également la fille d'Alistair Leigh, le principal adversaire politique de Papa. La cité d'Avalon est dirigée par un Conseil mixte composé de six humains et de six faës. Le treizième membre du Conseil, appelé le Consul, a le pouvoir de les départager en cas d'égalité des votes, et se trouve ainsi être la personnalité la plus importante d'Avalon. Le Consulat change de main tous les dix ans, passant alternativement des faës aux humains et des humains aux faës. Mon père et celui de Kimber étaient tous deux sur les rangs pour obtenir ce titre. Mon père pensait que ma présence à son anniversaire aurait des implications politiques et il m'avait clairement fait comprendre qu'il aurait préféré que je m'abstienne d'y aller. Je lui avais fait comprendre tout aussi clairement que je ne voulais manquer cette fête pour rien au monde. Et voilà que cette Chasse Infernale de mes deux lui fournissait l'excuse parfaite pour m'en priver.

Il s'attendait à des protestations. Je le voyais dans ses yeux, à la raideur de son maintien. Mon instinct me dit qu'il ne céderait pas un pouce de terrain supplémentaire, et que c'était déjà pratiquement un miracle qu'il ait changé d'avis quant à ma détention.

Avec mon père, je devais choisir mes combats. Autant opter pour ceux que j'avais une chance de gagner.

— Peut-être que la Chasse Infernale sera repartie d'ici vendredi, dis-je, tâchant d'y croire un peu même si je ne m'attendais pas à un chemin de roses au vu des derniers événements.

Remarquez au passage comment j'évitai subtilement de me rendre explicitement à ses conditions...

Papa se détendit, et j'en déduisis qu'il n'avait pas remarqué ma pirouette verbale.

— On peut toujours l'espérer, dit-il du ton qu'il emploierait pour signifier que l'espoir n'existait pas en enfer.

C'est à peine si je l'entendis, déjà occupée à me remuer les méninges pour trouver un moyen d'assister à l'anniversaire de Kimber sans la permission de mon père.

Chapitre 3

Papa fila dès l'arrivée de Finn en expliquant qu'il devait prendre des dispositions supplémentaires pour ma sécurité. Je pensais qu'il allait emmener ma mère avec lui, mais il n'en fit rien.

— Je reviendrai te chercher dans une heure ou deux, lui annonça-t-il. Je me suis dit que Dana et toi aimeriez passer un moment ensemble sans m'avoir sur le dos.

Maman inclina la tête vers lui d'un air soupçonneux.

— Ah oui ? Tu es sûr que ce n'est pas plutôt pour ne pas m'avoir dans les pattes ?

Papa sourit presque, mais si fugacement que je ne l'aurais pas remarqué si j'avais cligné les yeux à ce moment-là.

— Aussi.

Il nous gratifia chacune d'un hochement de tête – sa façon de prendre congé – avant de faire apparaître sa petite boule de lumière et de s'engouffrer dans les souterrains.

Je restai plantée au milieu de la salle de garde, soudain gênée de me retrouver avec Maman et Finn. D'un côté, ça me tentait bien de passer un peu de temps avec ma mère. Papa était généralement présent lorsque j'allais lui rendre visite, et nous étions rarement seules toutes les deux plus de quelques minutes. Mais je n'aimais pas l'idée de laisser Finn dans la salle de garde. Oui, il était mon garde du corps et c'était son boulot, mais je ne possédais pas encore la capacité de mon père à le traiter comme un meuble.

Finn était l'incarnation même du grand musculeux taciturne et on ne tapait pas vraiment la causette, mais après plusieurs semaines de cohabitation, je crois qu'il commençait à comprendre ma mentalité. Sans un mot, il se laissa tomber dans son fauteuil préféré et alluma la télé. Il arrêta son choix sur un match de foot, et s'installa confortablement, nous faisant clairement comprendre qu'il n'avait pas besoin de nous.

Je lui adressai un sourire reconnaissant, rassemblai les reliefs de notre thé et guidai ma mère le long du couloir fortifié qui menait à ma suite. À mon humble avis, le nombre des couches de protection me séparant du monde extérieur était presque ridicule. Quelqu'un qui en avait après moi devait trouver son chemin dans le dédale des souterrains obscurs, déjouer les sorts de la porte d'entrée, et se battre avec Finn. S'il parvenait jusque-là, j'avais toujours la possibilité de me réfugier dans ma chambre forte et d'appuyer sur un bouton d'urgence qui ferait descendre trois portes blindées successives pour condamner le couloir. J'étais mieux gardée que le trésor des États-Unis à Fort Knox.

— Je vais faire du café, dis-je à ma mère, emportant le plateau dans ma minikitchenette. Tu en veux ?

— Non, mais si tu remets la bouilloire à chauffer, je prendrais bien une autre tasse de thé.

Je secouai la bouilloire électrique pour m'assurer qu'il restait assez d'eau, et enclenchai l'interrupteur avant de mettre à passer un mélange de café français. Ma mère patienta au salon le temps que nos boissons soient servies. Le café sentait divinement bon et son goût était encore meilleur. Merci Starbucks ! Le thé était si commun par ici qu'il tombait pratiquement du ciel, mais il était très difficile de trouver du bon café.

Je rejoignis ma mère au salon. Comme toujours depuis que mon père l'avait mise au régime sec, elle était parcourue de tics. Elle se mordillait tellement les lèvres qu'elles étaient à vif, et elle tirait sur les bouloches de son pull de laine. Je ne suis même pas sûre qu'elle s'en rendait compte.

— Alors, lui dis-je en la regardant par-dessus ma tasse. Comment vas-tu ? Sans boire, je veux dire. Est-ce que tu… tiens le coup ?

— Je vais très bien, répondit-elle d'un ton peu convaincant. Je ne vois pas pourquoi ton père et toi en faites toute une histoire.

Elle avala une gorgée de son thé en évitant mon regard.

— Je buvais sans doute un peu trop, mais je ne suis pas alcoolique. J'étais seulement soumise à beaucoup de pression.

Ma main se crispa sur ma tasse et je me mordis la langue pour retenir la réplique cinglante qui me montait aux lèvres. Je pensais qu'elle avait dépassé la phase de déni. Tout en sachant d'avance que c'était une cause perdue, je tâchai néanmoins de la raisonner.

— Maman, tu as eu une crise de delirium tremens quand tu as été privée d'alcool. Si ça ne fait pas de toi une alcoolique, qu'est-ce qu'il te faut ?

Elle balaya mon objection d'un geste.

— Je viens de te dire que je sais que je buvais trop, surtout depuis ton départ. Mais maintenant que je t'ai retrouvée, tout va bien. J'aimerais pouvoir prendre un verre à l'occasion, et je n'apprécie pas d'être traitée comme une enfant.

Ma gorge se noua et je déglutis violemment pour tenter de déloger la boule qui s'y était formée. Papa m'avait prévenue qu'on ne guérirait pas l'alcoolisme de ma mère par la force. Il pouvait l'enfermer à double tour et la priver d'alcool, et elle resterait sobre. Mais ça ne suffirait pas à la guérir.

Je voulais croire qu'il se trompait. Mais si elle n'était toujours pas prête à admettre qu'elle avait un problème, je craignais fort qu'il n'eût raison. Et si elle considérait que s'imbiber d'alcool depuis le moment où elle posait le pied par terre jusqu'à celui où elle allait se coucher – ou plutôt s'écrouler – c'était « prendre un verre à l'occasion », c'est qu'elle était toujours en plein déni.

— Parlons d'autre chose, dit-elle avec un sourire crispé. Tu dois être contente de retourner au lycée à la rentrée prochaine.

Je ne demandais qu'à changer de sujet, même si je soupçonnais qu'elle refusait toujours de voir la vérité en face.

— Je crois que Papa a été très clair à ce sujet et que je n'irai pas au lycée.

Mon cœur se serra à cette idée. Je n'avais jamais été une fana de l'école ; j'étais toujours la nouvelle à cause de nos déménagements à répétition, et tout le monde sait que ce n'est pas très marrant. Mais après tout ce qui m'était arrivé cet été, retrouver des jeunes de mon âge et faire comme si je n'avais à m'inquiéter que des interros surprises me semblait le paradis sur terre.

— Si tu veux aller au lycée, tu iras, affirma-t-elle, et je fus agréablement surprise de découvrir qu'elle s'intéressait à mes désirs. Je ne peux pas reprocher à ton père de vouloir te protéger, mais il se trompe de méthode et il finira par s'en apercevoir.

J'aurais aimé partager sa confiance. Sans le connaître encore très bien, je savais que mon père était remarquablement obstiné. Et tellement sûr de lui. S'il avait décidé que le lycée représentait une menace pour ma sécurité, je ne voyais sincèrement pas comment ma mère ou moi pourrions le faire changer d'avis.

Bien sûr, il restait encore près de huit semaines avant la rentrée. Il était également possible que nous soyons toutes deux bien trop optimistes en présumant que je serais encore de ce monde à ce moment-là.

Je heurtai le tapis avec un bruit mat. L'impact expulsa l'air de mes poumons et je demeurai sur le dos tel un insecte mort à chercher mon souffle. Keane me surplombait de toute sa hauteur en secouant la tête, les lèvres tordues de mépris.

— C'était vraiment minable, me dit-il.

J'adore les encouragements. J'étais encore trop occupée à chercher ma respiration pour lui dire ce que je pensais de lui, mais je suis sûre qu'il pouvait le lire dans mes yeux. Il m'avait expliqué un jour que si je n'avais pas envie de lui mettre mon poing dans la figure pendant nos séances d'entraînement, c'est qu'il ne faisait pas bien son boulot. Eh bien, en l'occurrence, il n'avait rien à se reprocher.

— Si j'étais un de tes ennemis, tu serais morte à l'heure qu'il est, continua-t-il.

C'est ça, retourne le couteau dans la plaie, songeai-je quand je pus enfin aspirer un filet d'air. Je détestais le bruit sifflant que produisait ma respiration, mais pas moyen de le faire cesser, apparemment.

Pourquoi, mais pourquoi avais-je voulu prendre des cours d'autodéfense ? Mes meilleures prises seraient de toute façon parfaitement inutiles face au genre d'ennemi que les reines de Faëry enverraient à mes trousses. Mais après le passage à tabac de Finn par deux Chevaliers sous mes yeux impuissants, j'avais décidé que je voulais au moins avoir l'illusion de pouvoir faire quelque chose. C'est ainsi que j'avais commencé mes entraînements avec Keane, le fils de Finn, ce que je regrettais régulièrement.

Même après avoir finalement repris mon souffle, je restai allongée par terre, peu désireuse de reprendre l'exercice. Nous nous entraînions dans le salon de mon bunker, dont nous avions poussé les meubles contre les murs pour faire de la place aux tapis. Nous aurions eu davantage d'espace dans la salle de garde, mais également trouvé un public en la personne de Finn. Ce qui n'aurait pas dérangé Keane, mais moi oui.

Et pas uniquement parce que je ne voulais pas me ridiculiser sous les yeux de mon garde du corps. J'avais aussi une énorme faveur à demander à Keane, du genre dont

je ne voulais pas qu'elle tombe dans des oreilles indis-
crètes. Restait encore à trouver le cran de le faire...

— Tu comptes roupiller ou tu vas te remuer les fesses
et revenir bosser ? demanda Keane.

Je lui jetai un regard noir. J'avais mal partout à force
d'être projetée au sol, et mes muscles tremblaient de fati-
gue. Keane était censé y aller mollo avec moi, mais ce
n'était pas l'effet que ça me faisait.

— Tu n'es jamais fatigué ? grommelai-je en me redres-
sant péniblement en position assise.

Il renifla avec dédain.

— Pas au bout d'un quart d'heure, non.

Il n'y avait qu'un quart d'heure que nous nous entraînions ? Moi, j'avais l'impression que ça faisait au moins
une heure.

— On va devoir travailler ton endurance, en plus de
tout le reste.

Je savais qu'il ne faisait que le boulot pour lequel on
l'avait engagé, mais son attitude me tapait sur le système.
Il me traitait comme si j'étais une sorte de débile parce
que je ne savais pas me battre aussi bien qu'un combattant entraîné. Ben, je suis désolée, mais avant de venir
en Avalon je ne passais pas mon temps à me bagarrer.

Une pointe de perfidie s'éveilla en moi. Pour une fois,
rien qu'une fois, je voulais avoir le dessus sur ce détes-
table crétin qui me servait de professeur. Et si je devais
le prendre en traître pour arriver à mes fins, c'était de
bonne guerre.

Je fis semblant de me relever en grognant ostensiblement. Je ne pensais pas que Keane tomberait dans le
panneau – il devine généralement ce que je vais faire
avant que je le sache moi-même –, mais peut-être qu'au
bout de plusieurs semaines il commencerait à baisser la
garde. Je vis dans son regard que son attention s'était
relâchée, et j'en tirai parti. Au lieu de me mettre debout,
je me projetai en avant de façon à lui balayer les jambes.

Il poussa un cri de surprise et j'éprouvai l'espace d'une demi-seconde le frisson de la victoire. Rétrospectivement, je compris que j'aurais mieux fait de le prendre de biais pour que mon élan me permette de me dégager pendant sa chute. En l'occurrence, il s'écroula sur moi, et mon visage rencontra brutalement le tapis tandis que mes poumons se vidaient une nouvelle fois. Ses réflexes lui permirent d'amortir sa chute avec ses mains, mais il laissa tout son poids reposer sur moi, m'aplatissant comme une crêpe.

— Joli coup, lâcha-t-il, même pas essoufflé. Tu as vraiment amélioré ta situation.

Et pour bien enfoncer le clou, il m'emprisonna les bras de ses jambes puissantes, puis les chevilles de ses mains.

J'eus beau me tortiller en tous sens après avoir retrouvé mon souffle, je ne pouvais pas faire grand-chose à plat ventre sur le tapis, bras et jambes immobilisés. Je pouvais encore bouger la tête (Keane m'avait appris à l'utiliser comme une arme), mais il était hors de portée, et cela ne me servait donc à rien. J'avais bel et bien perdu ce round.

— Tu peux me lâcher, grommelai-je. J'ai compris la leçon.

— Peut-être bien que je préfère attendre un peu.

Il avait l'air de beaucoup s'amuser. Ravie qu'il prenne autant de bon temps à mes dépens.

Je laissai échapper un grognement sourd de frustration. Quelle idée d'espérer de l'aide d'un trou du cul pareil ? Ou quoi que ce soit, d'ailleurs. Pourtant, je ne voyais personne d'autre susceptible de m'aider à me rendre à la fête de Kimber sans la permission de mon père.

Il me vint à l'esprit que, dans cette position, Keane devait avoir une vue rapprochée de mon postérieur. Je me tordis le cou pour vérifier, et en effet…

Je rougis malgré moi. Je vous accorde qu'il n'y avait pas grand-chose à voir : mes gènes de faë me conféraient une silhouette à peine plus féminine que celle d'un jeune garçon, mais c'était tout de même embarrassant. Pire, je croisai son regard en me retournant, et il me sourit. Ce sourire ne me plut pas davantage que sa mauvaise humeur ou ses petits airs suffisants.

J'aurais voulu trouver quelque chose de spirituel et de bien senti à balancer pour le remettre à sa place et lui faire ravaler ce sourire stupide. Mais tout ce qui me venait à l'esprit ne ferait qu'envenimer les choses. Je me mordis les lèvres et fermai les yeux, décidée à l'avoir à l'usure. J'en profiterais pour récupérer, et quand il aurait fini de me reluquer les fesses, j'aurais un peu plus d'énergie à lui opposer.

Je suppose qu'il avait retrouvé ses talents télépathiques, car il me relâcha et se laissa rouler sur le côté à la seconde où mes muscles se détendirent. Et merde. Adieu le répit escompté. Avec un soupir de résignation, je m'obligeai à me relever une fois encore.

Nous poursuivîmes environ une demi-heure l'entraînement. Si l'on pouvait toutefois parler d'« entraînement » quand l'exercice consistait à me faire cogner sans relâche. À la fin de notre séance, j'étais prête à lâcher l'affaire pour de bon et à laisser le combat rapproché à ceux dont c'était le métier. Qu'est-ce que je m'étais imaginé, de toute façon ? Buffy la tueuse de vampires maîtrisait peut-être l'art de distribuer des baffes à l'âge de seize ans, mais ce n'était pas mon cas.

— Ne fais pas cette tête, me dit Keane en roulant les tapis.

J'aurais sans doute dû l'aider, mais j'étais trop épuisée, et puis oui, je faisais la tête.

— Tu te débrouilles très bien.

Manifestement, nous n'avions pas la même notion de ce que « très bien » voulait dire. Je m'affalai lourdement sur le canapé, quitte à escalader la table basse pour y accéder. Je remettrais les meubles en place plus tard.

— Je suis sérieux, Dana, insista Keane en se relevant après avoir poussé les matelas dans un coin.

Il déplaça la table basse et vint s'asseoir à côté de moi sur le canapé.

Un peu trop près à mon goût, alors je m'écartais pour lui faire de la place. En tant que faë, il était hyper canon de naissance. Je n'arrivais pas à décider si son look pseudo-gothique de bad boy était un plus ou un moins. Je dis « pseudo-gothique » parce qu'il n'avait pas le vrai bon look gothique. Il teignait ses cheveux en noir corbeau, il avait l'oreille gauche percée d'innombrables anneaux, était toujours vêtu entièrement de noir et se peignait parfois aussi les ongles en noir. Mais même avec tout ça, il dégageait bizarrement une impression de... propre sur lui. Si les Jonas Brothers décidaient d'adopter le look gothique, c'est à ça qu'ils ressembleraient.

J'appréciais l'emballage malgré moi, mais l'individu à l'intérieur me tapait sur les nerfs même dans les meilleurs jours.

— Tu prends vraiment ton pied à m'humilier, pas vrai ? lui demandai-je, regrettant aussitôt de ne pas savoir fermer ma gueule.

J'aurais pu faire au moins l'effort de ne pas lui montrer à quel point il m'exaspérait.

Je ne le regardais pas, mais l'entendis hausser les épaules.

— Tu as besoin d'une motivation supplémentaire pour donner tout ce que tu as, même à l'entraînement. Si tu étais un mec, je cognerais beaucoup plus fort. Tu préfères ça ?

Je me retournai pour lui lancer un regard noir.

— Je t'ai déjà dit que tu étais un trou du cul fini ?

Il éclata de rire.

— Une ou deux fois, je crois, oui.

Son sourire disparut et ses yeux émeraude redevinrent sérieux.

— Je pensais ce que j'ai dit. Tu te débrouilles très bien. J'ai appris à me battre pratiquement dès que j'ai su marcher. Tu ne peux pas espérer prendre le dessus. Et si tu le pouvais, ça voudrait dire qu'il te faut un autre professeur.

Chaque fois que je me persuadais de mépriser Keane pour de bon, il sortait un de ces éclairs inespérés d'humanité qui me faisaient dire qu'il n'était peut-être pas un si mauvais bougre, après tout. Et je devais bien avouer que ça me plaisait qu'il ne me traite pas comme une cinglée ou une petite chose fragile parce que j'étais la seule et unique Passemonde venue au monde au cours du dernier siècle. Et il n'avait pas non plus l'intention de m'instrumentaliser pour les besoins de sa stratégie politique. Ce qui faisait de lui quelqu'un de relativement facile à gérer, et c'était pour cette raison que j'avais décidé – en théorie du moins – de lui demander son aide.

Je respirai un grand coup pour me donner du courage, puis me tournai vers lui sur le canapé.

— J'ai un service à te demander, me lançai-je tout de go avant de me dégonfler.

Il eut l'air surpris, puis haussa les sourcils.

— Tu as réussi à me prendre de court, pour une fois.

Je lui donnai une tape sur l'épaule du dos de la main. J'eus de la chance qu'il ne la considère pas comme une attaque et ne se jette pas sur moi.

— Arrête ça. Si tu continues à jouer au con, je ne te dirai pas de quoi il s'agit.

— Et ce serait vraiment si terrible ?

— Laisse tomber.

Je poussai un grognement de frustration et fis mine de me lever. Keane me prit par le bras pour m'en empêcher.

— Je blague, dit-il, en me reservant son sourire imbécile.

Je levai le menton d'un air obstiné, mais me rassis tout de même sur le canapé.

— Je commence à en avoir plus qu'assez de tes bla-
gues. Ce n'est pas drôle.

— Moi, je trouve ça poilant. C'est juste que tu n'as pas
beaucoup d'humour.

— Tous ces gens qui veulent me tuer ne me donnent
pas vraiment envie de me rouler par terre, non. Quelle
surprise !

L'expression du visage de Keane se durcit, la lueur
d'amusement avait quitté ses yeux.

— Le danger sera toujours là, dit-il. Tu dois apprendre
à vivre avec.

Je levai les yeux au ciel. Keane n'avait que deux ans de
plus que moi, ce qui ne lui conférait aucun droit à me
donner des leçons. Même s'il avait raison. Le cours de
ma vie avait changé pour toujours dès l'instant où j'avais
mis les pieds en Avalon. Et j'étais encore en train de tenter d'en assimiler l'énormité des conséquences.

Je ravalai un commentaire acerbe, songeant que j'avais
intérêt à éviter les disputes si je voulais avoir une chance
de demander de l'aide à Keane. Je ne pouvais m'empêcher de repenser à la déception dans la voix de Kimber
quand je lui avais annoncé que mon père ne m'autorisait
pas à assister à sa fête. Elle avait fait de son mieux pour
le dissimuler, et je savais qu'elle comprenait, mais…

— Disons que j'ai besoin de ton aide pour continuer à
vivre malgré ma situation, dis-je en espérant que Keane
verrait les choses sous le même angle.

— Bon. Et si tu me disais de quoi il s'agit ?

Je serrai mes mains sur mes genoux, et les contemplai
longuement. Si Keane décidait de parler à quelqu'un de
cette conversation, j'aurais de gros, de très gros problèmes. Pas les problèmes de vie et de mort avec lesquels
je devais apprendre à composer, mais des problèmes du
genre « mes parents vont me tuer » que j'avais naguère
considérés comme le fin du fin de la normalité.

— Tu sais que Kimber Leigh est mon amie, n'est-ce
pas ? lui demandai-je.

D'après ce que je savais, Keane n'avait jamais été en contact avec Kimber ni son frère Ethan, mais j'étais sûre et certaine qu'il connaissait leur existence.

— Ton amie de la cour des Ténèbres, dit-il, prouvant que je ne m'étais pas trompée.

J'acquiesçai.

— Elle donne une fête vendredi pour ses dix-sept ans.

Keane sourit.

— Et, laisse-moi deviner : ton père ne veut pas que tu y ailles.

Je me renfrognai.

— Non. Il dit que c'est une menace trop grande pour ma sécurité maintenant que la Chasse Infernale est en ville.

Je croisai les bras sur ma poitrine et me renfonçai dans mon siège. J'en voulais toujours à mon père. Je ne me souvenais même pas de la dernière fois que j'avais eu une amie assez proche pour qu'elle m'invite à sa soirée d'anniversaire. L'envie d'y aller était si forte que j'en sentais le goût dans ma bouche.

Keane fronça les sourcils.

— Elle se passe où, cette fête ?

— Dans une boîte qui s'appelle *L'Abysse*, dans les souterrains.

Kimber m'avait expliqué que son père avait privatisé le club pour la soirée. Il avait en effet contraint Kimber à inviter tous les rejetons de ses partisans politiques potentiels, ce qui rendait ma présence d'autant plus importante pour elle. Kimber méritait d'avoir au moins *une* véritable amie à sa soirée.

Keane secoua la tête.

— Je ne vois pas en quoi ce serait plus risqué que tout ce que tu fais d'autre quand tu quittes ta forteresse. Il te fait déjà accompagner d'un second garde du corps quand tu sors, non ?

Je hochai la tête. Chaque fois que je voulais aller quelque part ces derniers temps, il fallait sortir le grand jeu. J'avais une escorte impressionnante. Juste au cas où il resterait encore quelqu'un en Avalon pour s'imaginer que je n'étais qu'une fille ordinaire.

— Je crois que le danger sert d'excuse à mon père, dis-je. Il pense que ma présence à l'anniversaire de Kimber serait interprétée comme un acte politique, comme si je prenais parti pour Alistair.

Keane haussa les épaules.

— C'est la soirée de Kimber, pas d'Alistair.

— Exactement ! Mais mon père a mis son veto.

— Et quel est ce service que tu veux me demander ?

L'éclat malicieux dans ses yeux me dit qu'il avait déjà compris ce que j'attendais de lui.

— Je ne sais pas pourquoi, mais mon petit doigt me dit que tu es le genre de garçon qui a souvent fait le mur...

Chapitre 4

Je ne m'étais pas trompée sur les talents de Keane pour filer en douce. Même si je ne suis pas certaine que « filer en douce » soit le terme approprié pour qualifier le plan que nous avons finalement élaboré.

Finn aurait forcément trouvé bizarre que Keane vienne m'entraîner un vendredi soir. Nos séances avaient généralement lieu le matin, car Keane insistait pour que je combatte à jeun. La seule et unique fois où j'avais réussi à subtiliser un petit déjeuner avant de commencer, j'avais compris très précisément pourquoi il préférait l'option estomac vide. Et laissez-moi vous dire que ce malheureux beignet n'avait pas si bon goût au retour.

Dans l'espoir que Finn ne se pose pas trop de questions, nous l'avions donc informé que son fils viendrait m'entraîner pour me distraire et m'empêcher de penser à cette soirée que j'étais en train de rater. J'étais sûre et certaine qu'il ne goberait jamais un truc pareil, mais Finn était moins soupçonneux que moi.

Fidèle à lui-même dans le genre agaçant, Keane avait refusé de me dire en quoi consistait notre plan d'évasion. Il m'avait seulement conseillé de ranger mes vêtements de soirée dans un sac et de me tenir prête à tout moment.

Nous travaillâmes dans la salle de garde cette fois-ci, juste sous le nez de Finn. Keane avait prétexté vouloir l'avis de son père pour corriger les mauvaises positions qu'il ne pouvait pas repérer dans le feu de l'action.

Finn s'avéra d'excellent conseil, mais plus nos combats duraient, plus j'avais l'impression d'être le dindon de la farce dans cette affaire. Keane n'avait jamais eu l'intention de m'aider, il l'avait seulement prétendu pour m'empêcher de m'enfuir. Mes muscles me faisaient mal, j'étais en nage et physiquement épuisée – et ma patience déjà restreinte avait atteint ses limites –, lorsque Keane me mit au tapis d'un jeté spectaculaire particulièrement renversant, avant de plonger sur moi, la bouche tout contre mon oreille.

— Tiens-toi prête à y aller d'une seconde à l'autre, murmura-t-il avant de se relever d'un bond en me gratifiant d'un de ses petits sourires suffisants.

Je ne voyais pas pourquoi et m'apprêtais à lui dire le fond de ma pensée quand je compris finalement ses intentions.

Ma petite forteresse souterraine possède deux pipi-rooms, dans ma chambre, et dans la salle de garde. Même les faës doivent satisfaire aux besoins de la nature. Du coin de l'œil, je vis Finn se diriger vers les toilettes et compris que c'était la fenêtre de lancement que Keane attendait.

À peine Finn se fut-il enfermé que je filai dans ma chambre chercher mon sac à dos, que j'avais posé près de la porte. Ma robe de soirée était soigneusement pliée à l'intérieur, et j'espérais qu'elle ne serait pas trop froissée. J'enfilai les bretelles de mon sac et revins en courant dans la salle de garde, où je trouvai Keane en train de coincer sans bruit une chaise sous la poignée de la porte des toilettes.

Je m'étais attendue à un stratagème faisant appel à la magie des faës, et pas au coup hyper classique de la poignée bloquée par une chaise. Quelque part, j'étais un peu déçue que ce soit si facile.

— Dépêche-toi, siffla Keane en ouvrant la porte extérieure. Ça ne le retiendra pas longtemps. Mue par une poussée d'adrénaline due à l'excitation tout autant qu'à la peur, je le suivis dans l'immense labyrinthe des souterrains d'Avalon. Nous nous engageâmes au pas de course dans la première galerie, Keane éclairant le chemin avec une lampe torche. Je croisais les doigts pour qu'il sache ce qu'il faisait. Je m'étais déjà perdue une fois dans ces souterrains, et ça n'avait rien de drôle.

Nous bifurquâmes à la première intersection. J'entendis un son étouffé par la distance qui pouvait être le tambourinement des poings de Finn contre la porte des toilettes, et un frisson glacé me parcourut l'échine. Jamais je n'avais vu Finn en colère jusqu'ici, mais j'avais dans l'idée que ce ne serait plus le cas à la fin de la soirée. Le plus tard serait le mieux.

Nous prîmes encore deux ou trois virages, et je commençai à ralentir l'allure, à court de carburant. Keane me tira par le bras pour que j'accélère.

— Ne t'arrête pas, me pressa-t-il. Si mon père devine où nous allons et qu'il suit notre piste, il nous rattrapera en un rien de temps.

Je manquais de souffle pour discuter, aussi me contentai-je d'obliger mes jambes à se mouvoir plus vite. Le martèlement de notre course me paraissait extrêmement bruyant, mais je savais que les parois des galeries creusées dans la roche renvoyaient toutes un tel écho qu'il était impossible de savoir d'où provenait un son.

Mon bunker est situé au cœur de la montagne, loin des sentiers battus – plus facile à défendre, naturellement. Je ne savais pas trop d'où nous venaient l'électricité et l'eau courante à cette profondeur, les souterrains eux-mêmes n'étant pas éclairés, mais je n'avais jamais pris la peine de poser la question. J'étais sans doute parfaitement protégée, mais ça faisait aussi une sacrée trotte jusqu'à la surface.

L'Abysse en était assez proche, dans un quartier marchand habituellement bondé le vendredi soir. Mais l'arrivée de la Chasse Infernale avait incité un certain nombre de gens à se barricader chez eux. Il régnait sur la ville une atmosphère lugubre, et les bulletins d'informations relayaient le départ de touristes écourtant leur séjour pour se réfugier dans la relative sécurité de l'Angleterre.

Keane et moi cessâmes de courir pour adopter une allure moins suspecte dès que nous posâmes le pied dans le premier souterrain éclairé. Comme toujours, Keane semblait frais et dispos, prêt à disputer un cent mètres, alors que j'étais essoufflée et trempée de sueur, les muscles endoloris par l'effort que je venais de fournir. J'espérais que Kimber apprécierait à sa juste valeur ce que j'avais dû faire pour être là ce soir.

Nous fîmes une courte halte dans un salon de thé, où je filai aux toilettes mettre ma robe de soirée, et me rafraîchir un peu. C'était la première fois que j'entendais parler d'une fête d'ado en tenue de soirée, mais Kimber n'avait pas voulu en démordre : c'était son anniversaire et c'était elle qui décidait (si l'on faisait abstraction du fait que son père avait parasité l'événement en invitant des tas de gens qu'elle ne connaissait même pas.)

Je portais la robe que j'avais achetée avec Kimber. C'était une pièce superbe en soie d'un bleu profond qui faisait ressortir celui de mes yeux, et je me sentis instantanément plus femme et plus sophistiquée dès que je l'eus enfilée. Le décolleté était assez profond pour mettre en valeur les rondeurs féminines. Sur ma poitrine plate, on aurait dit que je prenais mes désirs pour la réalité.

Je complétai ma tenue par des pendants d'oreilles et des mules compensées cloutées de faux diamants. Je m'étais laissé persuader par Kimber de porter une robe pour son petit raout, mais pour les talons, pas question !

En sortant des toilettes, je me sentis bizarrement gauche et empruntée. Keane ne m'avait jamais vue autrement qu'en tenue d'entraînement, et même si je n'aurais jamais imaginé me soucier un jour de son opinion, je retins pourtant mon souffle quand il se détourna des feuilles de thé qu'il était en train de renifler pour me regarder.

Ses yeux s'écarquillèrent légèrement, tandis qu'il me détaillait de la tête aux pieds. Il inclina la tête.

— Jolie transformation.

Je me souvins de respirer et résistai à l'envie d'essuyer mes mains moites sur ma belle robe de soie. Je compris qu'il ne fallait pas m'attendre à d'autres compliments de la part de Keane. Je fus pourtant désagréablement surprise de découvrir que ça ne me suffisait pas. J'étais en manque d'approbation à un degré pitoyable.

— Ce qui n'est pas le cas de tout le monde, marmonnai-je, et il éclata de rire.

Il n'avait même pas pris la peine de se changer et portait toujours sa tenue de combat mais, vu qu'il n'avait pas eu à suer sang et eau pour me tabasser, il était présentable.

OK, il était plus que présentable. Ses yeux vert émeraude restaient à couper le souffle quelle que soit sa tenue, surtout avec cet accroche-cœur noir corbeau qui rebiquait sur son sourcil. Sans parler de son corps musclé, qu'il aimait mettre en valeur dans des jeans moulants et des tee-shirts minuscules. Je doutais vraiment beaucoup que Kimber lui en veuille de ne pas avoir fait un effort vestimentaire.

Keane m'offrit son bras.

— Prête ?

Je haussai les sourcils. Quoi, il allait me servir de cavalier ou de chaperon comme à un mariage ? Son geste était étrangement suranné, surtout de la part d'un bad boy autoproclamé comme Keane.

Je glissai ma main dans le creux de son coude sans l'avoir consciemment décidé. Le feu me monta aux joues tandis qu'il m'escortait dans l'escalier de *L'Abysse*. Malgré les craintes de mon père quant au risque sécuritaire que me faisait courir cette fête, deux videurs nous interceptèrent pour nous demander nos invitations avant même que nous ayons atteint l'entrée du club. J'avais heureusement la mienne mais, même après l'avoir présentée

(« pour Dana Hathaway, valable pour deux personnes »), les videurs refusèrent de nous laisser passer au motif que nous n'étions pas sur « la liste ».

Je poussai un grognement de frustration. Je suppose que Kimber avait rayé mon nom de la fameuse « liste » quand je l'avais prévenue que je ne viendrais pas. Dieu merci, les videurs n'étaient pas des abrutis complets. L'un d'eux resta avec nous dans le couloir, pendant que l'autre se faufilait à l'intérieur, mon invitation à la main, pour se renseigner auprès de Kimber.

Je me mâchouillai nerveusement les lèvres en attendant. Il était impossible que Finn n'ait pas compris où nous étions allés, ce qui voulait dire qu'il ne serait pas long à se pointer à son tour. Si nous étions à l'intérieur, il pouvait être retenu un bon moment par les videurs, et devrait ensuite nous retrouver avant de pouvoir nous ramener. Mais si on restait plantés là dans le couloir…

— Tu vas avoir des problèmes avec ton père à cause de ça ? demandai-je à Keane en m'efforçant de ne pas trépigner d'impatience.

— Je suis un adulte, déclara-t-il avec un petit sourire insolent. Il ne peut plus m'envoyer dans ma chambre et me priver de dîner.

Il marquait un point, du moins techniquement. Je n'étais jamais allée chez lui, mais je savais que Keane avait son propre logement et subvenait à ses besoins grâce à ses cours d'autodéfense. Malgré cela, et en dépit de ses tentatives pour se faire respecter en tant que professeur, je le considérais plus volontiers comme un adolescent que comme un adulte.

Alors que je commençais à me dire que nos chances d'entrer avant l'arrivée de Finn étaient réduites à néant, la porte du club s'ouvrit à la volée et Kimber dévala le couloir en sautillant joyeusement.

— Dana ! s'écria-t-elle, le visage rayonnant de plaisir. Je suis si contente que tu aies pu venir !

Elle me prit par surprise en se jetant sur moi pour me serrer contre elle avec effusion. Si les faës sont réputés pour leur réserve, Kimber ne se souciait visiblement pas de se conformer aux clichés. Je n'étais pas moi-même des plus démonstratives, mais je répondis à son étreinte.

— Quelle bonne surprise, dit-elle en se dégageant. Je croyais que tu étais privée de sortie.

Je baissai le ton, craignant que les videurs ne me refoulent s'ils m'entendaient.

— Ben, on a plus ou moins fait le mur.

Kimber cligna les yeux, et parut remarquer Keane pour la première fois.

— Oh !

Elle était très expressive, et je vis tout de suite qu'elle appréciait ce qu'elle voyait.

— Tu dois être Keane, dit-elle. Dana m'a beaucoup parlé de toi.

Ses yeux brillèrent de malice quand je la fusillai du regard. Chaque fois ou presque que je lui avais parlé de Keane, c'était pour me plaindre de lui et de ses méthodes d'entraînement ô combien déplaisantes – pour ne pas dire carrément pénibles. J'étais sans doute rouge comme une pivoine, mais le couloir était faiblement éclairé et j'espérais que personne ne s'en apercevrait.

— Bon, si on entrait ? proposai-je. Avant que Finn nous ait retrouvés ?

— Bien sûr ! Venez, suivez-moi.

Je notai plusieurs choses en entrant dans le club à la suite de Kimber. Un, la musique était tellement forte que j'avais l'impression que mes tympans allaient exploser. Deux, il y avait un monde fou, dont seuls un petit nombre d'entre eux paraissaient être des adolescents. Trois, ça sentait la rose à plein nez.

Pour les faës, la rose rouge est le signe de l'affiliation à la cour des Ténèbres, et la rose blanche à la cour des Lumières. Cette soirée était apparemment mixte, car on trouvait des roses rouges et blanches absolument partout. D'énormes centres de table. Des guirlandes. Des rosiers en pot alignés le long des murs, et des chapelets de roses qui tombaient du plafond.

Je lançai un regard interrogateur à Kimber, qui haussa les épaules d'un air malheureux.

— Devine qui a choisi la déco ? hurla-t-elle pour se faire entendre par-dessus la musique.

Inutile de demander. Ça me rendait dingue qu'Alistair pourrisse la fête de sa fille en faisant de sa soirée un événement politique. Et je compris que mon père avait raison de penser que ma présence aurait des répercussions sur sa propre campagne.

Bon Dieu que je détestais la politique ! Je ne voulais rien avoir à faire de près ou de loin avec toutes ces magouilles dans la course au Consulat mais, en tant que fille de l'un des candidats, j'étais au cœur des choses, que je le veuille ou non.

— Venez, cria Kimber en me prenant par la main pour me guider dans la foule. Allons vous chercher un verre.

Je me retournai pour m'assurer que Keane suivait. Il était bien là, mais l'expression de son visage indiquait clairement que cette fête n'était pas à son goût. Il arborait une moue presque moqueuse, et je compris pourquoi en regardant les invités autour de moi.

Presque tout le monde était en tenue de soirée, et l'on voyait d'un seul coup d'œil que c'était une fête de la haute. Il y avait beaucoup trop d'adultes pour ce genre de soirée, et la plupart se pavanaient avec cette arrogance obscène des nantis. Les adolescents avaient l'air tout aussi dédaigneux que leurs aînés, comme s'ils sortaient tous d'un pensionnat anglais. Je savais qu'Ethan et Kimber appartenaient à une famille aisée mais, à la différence de ces gens, ils n'envoyaient pas de message subliminal sur le mode « je suis trop bien pour vous ».

Keane n'était définitivement pas de leur monde. Bien que les Chevaliers fissent partie des sidhes – l'aristocratie faë –, les autres nobles les traitaient comme de glorieux serviteurs, et j'imagine qu'il en allait de même envers les fils de Chevaliers tels que Keane. Les sidhes, en particulier ceux qui étaient nés dans la Faëry, considéraient toujours comme parfaitement acceptable la division de la société en races et classes sociales. Je ne fus donc pas surprise qu'il ne se sente pas à sa place.

Et pour tout dire, je ne me sentais pas plus à l'aise que lui. Je ne pus m'empêcher de constater que personne n'arrêta Kimber tandis que nous progressions vers le bar, et je me demandai combien de gens savaient – et se souciaient – que c'était son anniversaire ce soir.

J'avais appris de mon père que l'âge légal pour boire de l'alcool en Avalon était de dix-huit ans, mais que la loi était rarement observée. Le bar de *L'Abysse* en était la preuve éclatante. Une fille assise au bout du comptoir, et qui ne devait pas avoir plus de treize ou quatorze ans, s'enfilait une bière sous le nez du barman.

— C'est un open bar, dit Kimber. Vous pouvez demander tout ce que vous voulez.

Elle-même se commanda un martini – le barman ne cilla pas – et Keane une bière, mais pour ma part j'en restai à un bon vieux Coca.

Vivre avec une mère alcoolique privait l'alcool de beaucoup de ses charmes. Kimber était la seule personne à qui j'avais jamais parlé de ce que j'appelais mon secret honteux, et je pense qu'elle comprenait intuitivement pourquoi je ne buvais pas. Ce fut une autre histoire avec Keane.

— Un Coca ? s'étonna-t-il, incrédule. Tu es sérieuse ?

Je rougis de nouveau, mais il faisait beaucoup trop sombre pour que quiconque s'en aperçoive. D'un côté, je ne voulais pas passer pour un bébé. D'un autre côté, je n'étais pas un mouton. Ce n'est pas parce que tout le monde autour de moi se mettait la tête à l'envers que je devais les imiter.

— Ça te dérange ? rétorquai-je en lui lançant un regard noir.

Je pratiquais souvent les regards noirs quand Keane était dans les parages.

— Fiche-lui la paix, dit Kimber en prenant ma défense, à ma grande surprise. Elle a bien le droit de boire ce qu'elle veut.

Le barman posa devant moi un verre plein de glaçons arrosés d'un trait de Coca. Je le pris et en bus une gorgée, comme si Keane n'était pas là.

— Super soirée, hurla Keane, et même à ce niveau de décibels je perçus le sarcasme dans sa voix. Tu es sûre que ça ne les gêne pas de respirer le même air qu'un humble roturier tel que moi ?

Je lui cognai l'épaule du dos de la main en songeant que j'aurais été mieux inspirée de faire le mur toute seule comme une grande. J'aurais très bien pu me débrouiller pour bloquer la poignée avec une chaise. Évidemment, j'aurais dû me rendre à la soirée par mes propres moyens, ce qui aurait été une très mauvaise idée parce que, a) avec mon sens de l'orientation pourri, je me serais perdue en cinq minutes chrono, et b) eh bien, il y avait quand même des gens qui voulaient me tuer. Keane n'était peut-être pas un garde du corps professionnel comme Finn, mais je savais par expérience qu'il se battait bien et lui faisais confiance pour assurer ma protection. J'en étais venue à la conclusion que faire le mur avec lui était peut-être la preuve que j'étais irresponsable, mais quand même moins irrécupérable que si je m'étais lancée dans cette entreprise toute seule.

— Tu ne pourrais pas juste *essayer* de ne pas te conduire comme un crétin pendant un petit quart d'heure ? le charriai-je tandis qu'il descendait sa bière au goulot.

— C'est bon, Dana, dit Kimber en souriant. N'oublie pas que tu m'avais prévenue. Je ne m'attendais pas à ce qu'il ait des manières de gentleman.

Son sourire se mua en une moue narquoise, qui n'était pas sans rappeler la seconde expression favorite de Keane.

— Waouh ! Tu sais casser les mecs, toi, dit-il.

Je crois qu'il voulait avoir l'air blasé, mais ce n'est pas évident quand on doit crier pour se faire entendre.

Les yeux de Kimber étincelèrent.

— C'est une de mes qualités, en effet, mais là, j'essaie d'être une charmante hôtesse.

Keane la déshabilla ostensiblement du regard. Elle était absolument fabuleuse dans sa robe de cocktail rouge moulante et ses sandales à talons. Même s'il en faisait un jeu délibérément grossier, je ne pus m'empêcher de voir la lueur d'appréciation masculine dans les yeux de Keane. J'en ressentis une pointe de jalousie. Il m'avait gratifiée d'un regard approbateur en me découvrant dans ma robe de soirée, mais rien de comparable à la façon dont il contemplait Kimber.

J'étais complètement débile. Keane était certainement canon, et il pouvait se montrer sympa à l'occasion, mais il ne m'intéressait pas, pas de cette façon. Et puis, Kimber était elfique à cent pour cent, et donc *forcément* plus jolie que moi. Je n'avais aucune raison d'être jalouse.

— Tu as tous les charmes que l'argent peut procurer, dit Keane à Kimber. Je parie que ta robe coûte davantage que ce que je gagne en une année.

J'ouvris la bouche pour lui dire de la fermer en espérant que Kimber me pardonnerait d'avoir amené ce trou du cul à sa fête, mais elle aussi s'y entend pour jouer les pétasses quand elle l'estime nécessaire. Et manifestement, elle pensait que ça valait le coup.

— Es-tu en train de me traiter de snob ? demanda-t-elle en haussant un sourcil.

Il lui lança un regard affirmatif qui ne parut pas la décontenancer le moins du monde.

— L'un de nous joue les bêcheurs en ce moment, et ce n'est pas moi.

Je marchai « accidentellement » sur le pied de Keane avant qu'il puisse dégoupiller une autre grenade verbale.

— Reste donc au bar avec ton air distant et supérieur, lui dis-je. Kimber et moi, on va aux toilettes des filles.

C'était le seul endroit qui m'était venu à l'esprit où Keane et son comportement débile ne pourraient pas nous suivre.

— On revient tout de suite. On y va, Kimber ?

Elle éclata de rire et termina son martini cul sec.

— C'est parti ! Je te suis.

Keane fit mine de protester, mais je me détournai avant de lui en laisser l'occasion. Kimber prit la tête de notre expédition au bout de quelques mètres, car je n'avais pas la moindre idée d'où se trouvaient les toilettes. La combinaison de la musique, de l'obscurité et du parfum entêtant des roses me donnait la migraine. J'aurais sans doute mieux fait de rester chez moi, finalement.

La foule était compacte et j'étais bousculée à chaque pas ou presque. La plupart des convives étaient des faës, ce qui voulait dire que pratiquement tout le monde était plus grand que moi et que je ne voyais rien d'autre que le premier cercle des gens autour de moi. Tous ces corps irradiaient de la chaleur, surtout les faës dont la température corporelle est plus élevée que celle des humains, et je transpirais à nouveau à grosses gouttes, les cheveux collés sur la nuque. Je n'osai pas regarder si ma robe de soie avait des auréoles, parce que j'avais l'impression de connaître la réponse.

Kimber et moi parvînmes finalement à fendre la foule et à nous glisser dans les toilettes des dames. J'allais pousser un soupir de soulagement, quand je me rendis compte que nous n'étions pas mieux loties. Les lieux étaient presque aussi bondés que le reste du club, et malgré la déco à base de roses comme partout ailleurs, ce n'est pas leur parfum qui me frappa les narines. L'air était tellement imprégné de fumée qu'on aurait pu le couper au couteau.

Kimber émit un petit gémissement de désarroi et s'adossa au mur en fermant les yeux.

— Ce n'est pas exactement le genre de soirée que j'avais en tête, murmura-t-elle, et je savais qu'elle était sincère.

Les gosses de riches sont les mêmes partout – y compris chez les faës – et, bien que Kimber soit assez friquée pour appartenir à cette clique, ce n'était juste pas son style.

Résistant à l'envie de tousser à cause de la fumée (pas seulement de cigarette), je fis glisser mon sac à dos de mon épaule pour en ouvrir la poche avant.

— J'ai un cadeau pour toi, dis-je à Kimber en espérant lui remonter le moral.

Elle ouvrit de grands yeux et la bouche en même temps.

— Vraiment ?

— Évidemment.

L'invitation spécifiait de ne pas apporter de cadeau, mais je m'étais dit que ça ne concernait que les copains d'Alistair et leur progéniture, pas les vrais amis de Kimber. Je tirai de mon sac un petit paquet proprement emballé que je lui tendis.

— J'espère que ça te plaira.

— Je l'adore déjà, m'assura-t-elle.

Elle avait les yeux brillants et sa lèvre inférieure tremblait dangereusement.

— Eh bien, ouvre-le, la pressai-je.

Kimber se mordit les lèvres et défit le ruban, déballant si soigneusement la petite boîte qu'elle aurait pu réutiliser le papier. Elle souleva le couvercle, et retira le coussinet de coton duveteux pour découvrir son contenu.

Quel cadeau offrir à votre meilleure amie faë que vous ne connaissez que depuis quelques semaines et qui est assez blindée pour s'acheter pratiquement tout ce qu'elle veut ? La question m'avait taraudée pendant plusieurs jours, et j'avais fouiné sur eBay dans l'espoir de trouver un truc qui s'imposerait à moi.

J'avais finalement jeté mon dévolu sur un pendentif de verre fait à la main. C'était un magnifique dragon chinois bleu turquoise suspendu à un cordon de satin noir. La couleur m'avait immédiatement fait penser à celle des yeux de Kimber, et le dragon à son tempérament de feu et à son courage.

Kimber souleva le pendentif, et sa lèvre trembla de nouveau. Cette fois, elle ne put retenir quelques larmes qui coulèrent sur sa joue. J'étais tellement contente de ne pas avoir suivi les instructions de l'invitation.

— Il est trop beau, dit-elle entre deux hoquets. Tiens-moi ça.

Elle me fourra la boîte et le papier dans les mains pour ouvrir le fermoir, et mit le pendentif. Elle se regarda ensuite dans le miroir, en caressant les courbes lisses. Il n'allait pas du tout avec sa robe rouge, mais elle s'en moquait clairement.

Pour la seconde fois de la soirée, elle se jeta dans mes bras et m'étreignit sur son cœur avec effusion.

— Je te remercie infiniment ! s'exclama-t-elle.

Elle me lâcha pour essuyer ses larmes.

— Cette soirée était un vrai cauchemar avant que tu arrives. Et c'est le plus beau cadeau qu'on m'ait jamais fait.

Ma gorge se serra et les yeux me piquèrent. Probablement à cause de toute cette fumée.

— Joyeux anniversaire.

Et devant son sourire radieux, je fus heureuse d'être venue.

Chapitre 5

Nous restâmes dans les toilettes des dames environ cinq minutes à tout casser avant que la fumée nous pousse à regagner la salle. De là où nous étions, je ne voyais pas le bar, mais je supposais que Keane nous y attendait toujours. Ça ne me disait trop rien de traverser de nouveau la foule mais, tout crétin qu'il était, je trouvais injuste de le laisser seul dans un endroit où il ne connaissait personne et se sentait visiblement mal à l'aise. Après tout, c'était quand même grâce à lui que j'étais là. De plus, il était mon garde du corps le temps de la soirée, et la moindre des choses était de laisser mon corps suffisamment proche de lui pour qu'il puisse faire son boulot.

Kimber ouvrit la voie une fois encore, et je la suivis. J'avais toujours des élancements dans le crâne, et la tête me tournait un peu par-dessus le marché, probablement à cause de la fumée. Je manquai de trébucher sur mes propres pieds, et je marquai une pause pour respirer quelques bouffées d'air relativement frais. C'est alors que ma soirée vira à l'aller simple pour l'enfer.

Les quelques secondes où je m'étais arrêtée avaient suffi pour que la foule se referme sur Kimber, que je ne voyais plus. Je me dressai sur la pointe des pieds pour tâcher de la repérer. Une brèche s'ouvrit alors dans la foule entre l'endroit où je me trouvais et la piste de danse. Mon regard s'arrêta sur une chevelure blonde familière, à hauteur des épaules, comme celle de Kimber. Sauf que ce n'était pas Kimber.

C'était Ethan en pleine action sur la piste de danse, se déhanchant au rythme de la musique, tandis qu'une faë rousse absolument splendide ondulait sensuellement autour de lui. Elle portait une robe de cocktail minuscule, noire et brillante, qui moulait sa silhouette tout en courbes – pour une faë – et il tirait pratiquement la langue en la regardant. À sa façon de bouger, on aurait dit qu'elle était strip-teaseuse à ses moments perdus, et tous les prétextes lui étaient bons pour se frotter contre le corps d'Ethan. Il la gratifia de ce que je ne peux pas décrire autrement qu'un sourire lubrique avant de la prendre par la taille.

Maintenant, soyons justes, je n'avais cessé de répéter à Ethan qu'on ne sortait pas ensemble. Et si nous ne sortions pas ensemble, il ne pouvait techniquement pas m'être infidèle, et il avait parfaitement le droit de danser lascivement avec une autre fille que moi.

Mais toute la logique du monde ne put apaiser la douleur fulgurante qui me transperça comme un coup de poignard en découvrant Ethan sur la piste de danse avec une autre fille, une faë aussi belle que Kimber, et manifestement plus proche en âge de lui que moi. L'oie blanche en moi avait pointé encore une fois sa vilaine tête. Je m'étais laissée aller à croire qu'Ethan se languissait chastement en se désespérant de pouvoir me conquérir un jour. Quelle pauvre idiote !

Les larmes me montèrent aux yeux comme je me détournai de cette vision de cauchemar, replongeant dans la foule en direction de ce que j'espérais être le bar. J'avais compris qu'Ethan était un don Juan avant même de savoir exactement pourquoi il avait jeté son dévolu sur moi. Il semblait me trouver à son goût, il se montrait charmant et il était fabuleusement sexy, mais même sans avoir l'habitude que les garçons se jettent ainsi à mes pieds, je savais que j'avais tout intérêt à ne pas tomber amoureuse d'un type comme lui. Enfin, en théorie.

Je refoulai farouchement mes larmes, refusant de lui accorder un tel pouvoir sur moi. Je venais à peine de réussir à endiguer mes émotions – suffisamment au moins pour donner le change – quand j'arrivai en vue du bar, où m'attendaient d'autres mauvaises nouvelles.

J'avais parié un peu plus tôt que je devrais affronter la colère de Finn avant la fin de la soirée. Je ne m'étais pas trompée, et je m'en serais fort bien passée.

Il avait dû me voir arriver avant que je l'aperçoive, car mon garde du corps dardait sur moi un regard si acéré que je le ressentis presque physiquement. Son visage habituellement impassible était déformé par la rage, et il paraissait dépasser d'une tête tous ceux qui l'entouraient, y compris Keane, qui faisait pourtant la même taille que lui.

Finn tenait son fils par le bras, et la grimace de ce dernier laissait entendre qu'il serrait assez fort pour lui faire mal. Keane baissait la tête comme un gamin pris la main dans le sac, les yeux fixés sur le plancher. Je n'avais jamais vu Keane se laisser intimider jusqu'ici, mais j'imagine qu'il faut un début à tout et que c'était la soirée des mauvaises surprises. À côté d'eux, Kimber était recroquevillée contre le bar, les yeux écarquillés, et se mordait les lèvres.

Je fus tentée de faire demi-tour et de replonger dans la foule tant l'expression de Finn me terrifiait. J'aurais préféré, et de beaucoup, qu'il réserve cette tête-là à nos adversaires. Mais je savais que mon escapade ne serait pas sans conséquences, et le moment était venu de les affronter. Je déglutis un bon coup et parcourus les quelques mètres qui me séparaient de mon garde du corps en furie.

Je m'attendais à une grosse engueulade, au moins un remontage de bretelles en règle. Au lieu de quoi il me lança un dernier regard foudroyant avant de m'attraper par le bras et de nous entraîner, Keane et moi, vers la sortie. La vision qu'il offrait était suffisamment impressionnante pour que la foule s'écarte comme par magie devant lui.

Je tournai la tête vers Kimber, songeant que je lui devais au moins un au revoir, mais à la vitesse où avançait Finn je serais sortie du club avant que les mots puissent franchir mes lèvres. Avec un sourire inquiet, elle souleva son pendentif en articulant silencieusement le mot : « Merci ». Malgré l'appréhension qui continuait de m'étreindre quant à ce qui m'attendait, le souvenir de la joie de Kimber m'empêchait d'éprouver le moindre regret. Oh, ça n'allait peut-être pas durer, tout dépendait de la suite des événements.

Aucun de nous ne desserra les dents sur le chemin du retour jusqu'à ma forteresse. Une rencontre inopinée avec la Chasse Infernale aurait été la cerise sur le gâteau pour clore une soirée d'enfer, mais en dépit des craintes de mon père que l'Elferoi n'en eût après moi, nous n'en vîmes pas la trace.

Finn ne nous lâcha pas le bras tant que nous nous trouvions dans la partie la plus animée des souterrains. Je tentai d'ignorer les regards curieux des passants. Une fois loin de la foule, Finn poussa Keane devant lui pour qu'il ouvre la marche et passa derrière moi. Je me retrouvai prise en sandwich entre le père et le fils pour le reste du trajet. Finn ne disait toujours rien, et chaque seconde de silence me mettait les nerfs un peu plus à vif.

Je m'attendais à une explosion dès que nous aurions regagné la sécurité de la salle de garde, mais Finn avait décidé de me surprendre, ce soir.

— Toi, dit-il en me transperçant d'un regard vert et glacé, tu t'assois.

Il me montra une chaise contre le mur. Il n'avait pas élevé la voix, mais avait employé un ton si dur que c'était tout comme.

Courbant l'échine, je traînai des pieds jusqu'au siège indiqué et m'y assis du bout des fesses. Je n'avais pas la plus petite idée de ce qui allait se passer, mais je savais que ce ne serait pas drôle.

Finn tourna ensuite son regard vers Keane.

— Tu te crois peut-être assez fort pour protéger une fille que les reines de Faëry ont condamnée à mort ?

Il n'avait toujours pas élevé la voix, mais ses paroles tonnaient sourdement.

Une lueur ralluma les yeux de Keane. Il redressa les épaules, ses lèvres s'incurvèrent, et il soutint le regard de son père. Le Keane que je connaissais et que je détestais le plus souvent était de retour.

— Je ne suis peut-être pas un Chevalier, répliqua-t-il, mais je suis parfaitement capable de défendre Dana en cas de besoin.

Je ressentis sur ma peau le picotement caractéristique de la magie.

— Titania lui a déjà envoyé des Chevaliers, rappela Finn à son fils. Active tes sorts de protection, et montre-moi ce que tu vaux contre un Chevalier de la Faëry.

L'assurance de Kean vacilla.

Finn serra les poings et gratifia son fils d'un sourire animal.

— Active tes sorts de protection ou ça va faire très mal.

Keane leva les yeux au ciel comme si tout ça était d'un ridicule achevé, mais je gardais en mémoire son expression quand Finn s'était adressé à lui. Malgré toute son arrogance, il n'était pas du tout certain d'être de taille contre son père. Et je suppose que cette idée le secouait autant que moi. Je m'étais persuadée que j'étais en sécurité avec Keane, mais cette certitude commençait à vaciller.

Keane prit place sur les matelas qui étaient restés au sol après notre séance de début de soirée, et Finn le rejoignit. D'après le ton de Finn, et le comportement de Keane, je ne m'attendais pas à ce que ce dernier sorte vainqueur de cet affrontement, mais j'espérais qu'il serait capable de tenir son rang un certain temps. J'avais tout faux.

Moi qui trouvais que Keane se servait de moi comme d'une serpillière pendant nos entraînements, je ne savais pas ce que ça voulait dire avant de voir Finn à l'ouvrage. Il projeta Keane au sol à tant de reprises qu'on aurait dit qu'il battait un tapis pour en enlever la poussière. Chaque fois que Keane se relevait, ses réflexes étaient un peu moins rapides. J'éprouvais les démangeaisons de la magie quand les deux hommes se bombardaient mutuellement de sorts, et Keane tomba en panne de carburant bien avant Finn.

Plus le combat durait, plus le visage de Keane s'empourprait, et ce n'était pas uniquement dû à l'effort si vous voulez mon avis. Il me lançait des regards furtifs, et je compris combien cette petite démonstration en ma présence devait être humiliante pour lui. Bon sang, on s'entraînait justement au salon parce que je ne voulais pas de témoins quand Keane me rouait de coups, et je ne suis pas un quart aussi arrogante que lui. Deux ou trois fois, j'ouvris la bouche pour demander à Finn d'arrêter là, mais la refermai aussitôt, consciente que ça ne ferait qu'empirer les choses.

Finalement, Keane heurta violemment le sol et ne se releva pas. Il resta sur le dos, haletant bruyamment, le visage inondé de sueur, les yeux plissés par la souffrance. Ses sorts ça protection l'empêchaient de prendre un mauvais coup, mais la douleur était bien là. Et je crois même qu'il manquait de jus pour activer ses défenses sur la fin, parce que Finn retenait visiblement ses coups.

Finn s'approcha de son fils, les bras croisés sur la poitrine, semblant prêt à continuer encore une bonne demi-heure sans s'essouffler.

— Vois tes prouesses contre ton propre père, qui ne lèverait pourtant jamais le petit doigt sur toi. Imagine que j'aie été un Chevalier hostile envoyé pour te tuer.

Sans même parler de la possibilité de croiser la route de l'Elferoi et de sa Chasse Infernale. Alors, ne viens plus me dire que tu te crois capable de protéger Dana aussi bien qu'un professionnel.

Il nous regarda chacun notre tour pour s'assurer que nous avions bien reçu le message. Reçu cinq sur cinq.

Finn laissa Keane retrouver son souffle allongé sur le sol et se tourna vers moi.

— Je ne parlerai pas à ton père de ta petite escapade de ce soir, parce que je crois que tu as la tête sur les épaules et que tu ne prendras plus de tels risques à l'avenir. Je me trompe ?

Je secouai faiblement la tête. Finn me faisait une gigantesque faveur en s'abstenant de me dénoncer. Si mon père apprenait ce que j'avais fait, il me consignerait sans doute dans ma chambre forte jusqu'à la fin de mes jours.

— Merci, articulai-je timidement. Et je suis désolée.

Finn ne fit pas mine d'accepter mes excuses. J'imagine qu'il était toujours furax.

— Et maintenant, va te coucher, fut tout ce qu'il me répondit.

Keane se releva sur les coudes en grognant. J'avais comme l'impression que Finn n'avait pas fini de lui faire payer mes bêtises. Si j'avais cru pouvoir lui être utile, je serais certainement restée là et j'aurais fait tout mon possible pour l'aider. Mais je me sentais plus que minable, et c'est la tête basse que je le laissai seul avec son père et me réfugiai dans ma chambre.

Chapitre 6

Je me réveillai le samedi matin aussi abattue que la veille au soir quand je m'étais mise au lit en me cachant la tête sous les draps. C'était Keane qui avait tout pris pour moi hier soir, et je me sentais mal. Ce n'était pas tant à cause de la douleur que Finn lui avait infligée. Vu la profession qu'il exerçait, il devait y avoir une tolérance relativement élevée de toute façon. Mais je savais que sa fierté en avait pris un coup, et je le connaissais suffisamment pour deviner que la blessure était profonde.

Je ne peux pas dire que je regrettais d'être allée à cette fête, en dépit de ma mauvaise conscience. Quand je m'y essayais, mon esprit me renvoyait l'image du visage rayonnant de Kimber lorsqu'elle avait ouvert mon cadeau, et je savais que ça en valait la peine. (Du moins en ce qui me concernait. Keane était sans doute d'un autre avis.)

Habituellement, en me levant le matin, je me préparais du café et je faisais du thé pour Finn – qui semblait se contenter de trois ou quatre heures de sommeil par nuit et était toujours réveillé bien avant moi. Il disposait de sa propre kitchenette – encore plus minuscule que la mienne – dans la salle de garde, mais il semblait apprécier le geste.

Une partie de moi avait envie de zapper ce rituel ce matin. Je n'avais aucun désir d'affronter Finn après hier soir. Était-il toujours furieux après moi ? Me sentirais-je coupable chaque fois qu'il me regarderait ?

Au bout du compte, je décidai que ce serait encore pire de rester bouder dans ma suite. Je préparai donc thé et café, respirai un grand coup et m'aventurai dans la salle de garde.

À mon grand soulagement, Finn se conduisit comme s'il ne s'était rien passé. Le regard qu'il posa sur moi était dépourvu de colère ou de reproches, et je n'eus droit à aucun sermon paternaliste. Je vous ai déjà dit qu'il n'était pas du genre causant.

— J'ai besoin d'aller faire des courses, lui annonçai-je une fois qu'il eut bu son thé et tandis que je m'apprêtais à remporter le plateau à la cuisine.

Finn hocha la tête.

— Dresse une liste de ce qu'il te faut, et je demanderai à ton père de s'arrêter à la supérette en venant dîner.

J'avais complètement oublié que mon père venait dîner ce soir, mais je n'allais pas le laisser faire le livreur. Je me chargeais des commissions depuis l'âge de dix ans. Et puis, une petite balade au supermarché me permettrait de sortir un moment de mon bunker. Ce serait l'occasion de voir le soleil et de respirer un peu d'air frais.

— J'aimerais mieux y aller moi-même, dis-je à Finn.

— Ce serait plus simple de laisser ça à ton père, insista-t-il.

Je fis la grimace, consciente que toute excursion officielle hors de ma forteresse était vraiment tout un bin's en ce moment.

— Mon père m'a accordé la permission de sortir à condition d'avoir un second garde du corps.

Finn sembla sur le point de tenter une nouvelle fois de m'en dissuader, et je me préparai à nous embarrasser tous les deux en prétendant que j'avais besoin d'articles qu'un homme ne pouvait pas choisir à ma place, mais il se ravisa avant que j'aie besoin de mentir.

— D'accord, capitula-t-il. Je vais passer un coup de fil à Lachlan pour savoir s'il est disponible.

Le choix de Lachlan comme second garde du corps peut sembler étrange à certains. Il était le petit ami de ma tante Grace, avant qu'elle pète un plomb. Je savais qu'il l'aimait toujours, et il lui arrivait à l'occasion d'essayer de me convaincre qu'elle n'était pas une si mauvaise personne, juste incomprise. Il n'avait aucune chance, mais en voyant le chagrin dans ses yeux je ne pouvais pas lui en vouloir de tenter le coup. Je savais aussi qu'en dépit de ses sentiments pour Grace il ne laisserait personne me faire du mal, et, parce que c'était un troll sous le sort d'illusion qui lui donnait une apparence humaine, c'était un défenseur de premier ordre.

Mon père avait, lui aussi, toute confiance en Lachlan. Il avait cependant fait de l'emplacement de ma chambre forte un secret si farouchement gardé que Finn, Keane, mes parents et moi étions les seuls à le connaître. Personnellement, je pensais que si l'on pouvait se fier à Lachlan pour ma protection, on pouvait aussi bien le mettre dans le secret, mais mon père s'était montré inflexible. Seuls ceux qui avaient absolument besoin de savoir où se trouvait mon bunker en seraient informés. Ce qui voulait dire que Finn et moi devions retrouver Lachlan dans une partie plus fréquentée des souterrains.

Finn me demanda de rester en retrait au moment de tourner le coin de la dernière rue, je l'entendis saluer Lachlan et il me fit ensuite signe de les rejoindre. Qu'on soit obligés d'en passer par tout ce cirque rien que pour aller faire mes courses était une chose que je détestais. Je m'efforçai de me persuader que ce n'était que temporaire et qu'on finirait par trouver une meilleure solution pour que je puisse vivre en sécurité en Avalon. Sans grand succès.

En me rapprochant de Finn et Lachlan, je sentis le picotement caractéristique de la présence de magie dans l'air hérisser le duvet de mes bras. Je me demandais si mes efforts jusqu'ici vains de tenter d'apprendre à manier la magie ne commençaient pas à porter leurs fruits. Je savais que Finn utilisait des sorts de protection dès qu'il se rendait dans un lieu public, et que Lachlan portait sa livrée humaine, mais je n'avais jamais senti cette magie-là jusqu'à présent. J'aurais voulu pouvoir leur poser la question, mais mes capacités à percevoir la magie étaient un autre grand secret. Lorsque j'en avais parlé à Ethan, il m'avait dit que les Passemondes ne possédaient habituellement pas d'autres pouvoirs magiques. Il m'avait avertie que mes talents potentiels de magicienne ne feraient que me désigner plus encore comme une cible à abattre, et conseillé de ne le dire à personne – pas même à mon père.

Il y avait moins de monde dans les rues qu'à l'accoutumée, preuve indéniable que la Chasse Infernale était toujours en ville. Finn n'était pas particulièrement détendu, mais Lachlan paraissait encore plus crispé et sur la défensive. Généralement amical et causant, il était aujourd'hui aussi taciturne que Finn. Ce qui n'est pas peu dire.

Ils ne me filèrent pas le train dans les allées de la supérette où j'avais l'habitude de faire mes courses, sans doute parce qu'il n'y avait que deux ou trois autres clients. Je pris plus de temps que strictement nécessaire, mais cette liberté de me promener dans les allées sans mes gardes du corps me paraissait relever de la normalité la plus décadente, et je ne pus m'empêcher d'en profiter.

Cette prétendue normalité passa directement à la trappe quand je sortis du magasin, flanquée de Finn et de Lachlan. Le rugissement caractéristique des motos déchira l'air, et mes deux gardes du corps passèrent en mode alerte rouge. Je sentis la magie s'accumuler autour de moi en un million de minuscules décharges électriques sur ma peau.

Les motos déboulèrent au coin de la rue et je les reconnus au premier coup d'œil.

L'Elferoi précédait légèrement ses Chasseurs, qui suivaient deux par deux. Comme la première fois que je les avais vus, ils portaient tous des vêtements noirs, et les engins qu'ils chevauchaient étaient aussi noirs et massifs que leurs destriers.

L'Elferoi s'arrêta pile devant moi, malgré les tentatives de Finn de me faire passer derrière lui, et ses Chasseurs se déployèrent autour de nous. Ils formèrent un cercle parfait, franchissant les trottoirs sans effort. Leurs motos pétaradaient comme l'enfer malgré leur lente progression.

Finn me posa une main sur le bras, et le picotement s'intensifia. À vue de nez, je dirais qu'il venait d'étendre son sort de protection pour m'y inclure. Lachlan se tenait immobile à mon côté. Les rues et les trottoirs s'étaient vidés comme par magie.

L'Elferoi tourna les poignées de gaz de son engin et le fit rugir férocement. Des flammes s'échappèrent du pot d'échappement, et je me souvins que j'avais cru voir son cheval cracher du feu. Je ne pus m'empêcher d'avoir un mouvement de recul quand il fit gronder son moteur une seconde fois. Je me serais volontiers bouché les oreilles, quitte à passer pour une idiote, si la main de Finn n'avait pas maintenu si fermement mon bras. J'entendis le rire de l'Elferoi à travers le rugissement des motos.

Soudain, tous les Chasseurs s'immobilisèrent au même instant, et le bruit des moteurs décrut jusqu'à un faible ronronnement.

Le cœur au bord des lèvres, je contemplai le cauchemar de la Faëry. Chaque Chasseur était vêtu à l'identique d'une combinaison de moto en cuir noir sans aucun ornement. Un casque intégral noir à la visière miroir leur cachait le visage, et des gants noirs – je devrais plutôt dire des gantelets – dissimulaient leurs mains, de sorte que pas un millimètre de peau ou de cheveux n'était visible. Sans leur différence de taille et de corpulence, on aurait dit une horde de clones.

L'Elferoi se distinguait du lot. Sa combinaison noire était lourdement décorée de clous et de pointes d'argent, et il portait de véritables éperons du même métal au talon de ses bottes de motard. Détail qui aurait pu prêter à rire, n'eût-il été si terrifiant.

S'il avait revêtu les mêmes gantelets que ses hommes, les siens étaient munis de longues pointes d'argent jaillissant des jointures comme des griffes. Mince, alors ! Son casque avait une forme étrange, s'avançant devant son visage tel le heaume d'une armure, avec des andouillers d'argent peints de chaque côté rappelant le masque d'horreur qu'il portait la première fois. Plus effrayant encore, il arborait le fourreau familier jeté en travers de son dos, dont il n'avait, au moins, pas tiré l'épée.

Même de loin, j'avais tout de suite remarqué qu'il était grand. À présent, vu de près, je le trouvais gigantesque. Il devait mesurer au moins un mètre quatre-vingt-quinze, et même si tout son corps était dissimulé sous le vêtement de cuir noir, je pouvais dire à la façon dont il le remplissait qu'il avait une musculature impressionnante. Comme s'il avait besoin de ça pour être intimidant.

Je ne sais combien de temps dura notre face-à-face silencieux. Il me parut interminable, mais seulement quelques minutes avaient dû s'écouler. La peur m'avait séché la bouche, en dépit de l'assurance qu'il ne pouvait rien me faire, et si mon cœur continuait de s'emballer, je succomberais bientôt à une crise cardiaque.

Puis, l'Elferoi leva une main pour retirer son casque.

J'eus l'impression que mon cœur avait soudain cessé de battre comme je le regardai secouer ses cheveux et accrocher son casque au guidon de sa moto.

Les faës sont toujours beaux. Du moins parmi les sidhes, l'aristocratie de Faëry. Leurs visages sont toujours parfaitement symétriques, leur peau exempte de défauts, taches de rousseur ou rides. Cependant, tous les faës n'étaient pas égaux devant la beauté. Jusqu'ici, Finn occupait la première place dans la liste des créatures les plus splendides qu'il m'ait été donné de contempler. L'Elferoi mettait la barre encore plus haut.

Les faës sont généralement blonds, parfois roux pour changer un peu, mais la chevelure de l'Elferoi, qui lui retombait jusqu'au milieu du dos, était noire et brillante. Ses yeux étaient d'un bleu profond, encadrés d'épais cils noirs, et sa bouche aurait pu servir d'illustration à l'adjectif « sensuel » dans le dictionnaire. Un tatouage saisissant représentant un cerf en plein bond ornait un côté de son visage du sourcil à la pommette.

Comme tous les faës, l'Elferoi était sans âge. Il avait le visage d'un homme entre vingt et trente ans, mais un je-ne-sais-quoi dans ses yeux lui conférait un air… antique. La profondeur du savoir qu'ils semblaient receler me donnait l'impression de pouvoir m'y noyer.

Je m'obligeai à me souvenir de lui l'épée brandie pour massacrer un homme désarmé qui fuyait. Cette image ne lui ôta rien de sa beauté exceptionnelle, mais je cessai de le regarder avec ce que je soupçonnais être un mélange gênant de peur et d'admiration.

— Dana, fille de Seamus, dit l'Elferoi d'une voix qui se fondit dans le ronronnement des moteurs. Je suis heureux de faire ta connaissance.

Il mit une main sur son cœur et s'inclina depuis la taille. Le geste aurait pu paraître emprunté alors qu'il était toujours assis sur sa moto, mais non.

Je décidai que rester bouche close était ce que j'avais de mieux à faire devant les créatures maléfiques de la Faëry. Les yeux de l'Elferoi pétillèrent d'amusement quelques instants, puis il se tourna vers Finn.

— Et Finn, des sidhes Daoine.

Il ne s'inclina pas cette fois-ci, mais lui adressa un hochement de tête presque respectueux.

— Un valeureux gardien pour le plus précieux des joyaux d'Avalon.

Je ne fus pas surprise que Finn choisisse lui aussi le silence. Il restait fidèle à son genre de grand costaud taciturne.

Je m'attendais à ce que l'Elferoi salue Lachlan d'une façon ou d'une autre, mais il écarta le troll d'un regard hâtif et d'une moue dédaigneuse. Comme je l'avais découvert avec mon père, les sidhes étaient notoirement partisans d'une société de classes, et les trolls constituaient à leurs yeux des êtres inférieurs. Ça me foutait en rogne, mais ce n'était pas le moment d'essayer d'inculquer les bonnes manières à l'Elferoi.

Il me fixa d'un regard glacial qui sembla pénétrer mon cœur. Mon souffle se figea dans mes poumons et mon instinct de survie me hurla de partir en courant. Tout mon corps tremblait de ce besoin impérieux de fuir ; mon front et mes aisselles se couvrirent de sueur tandis que mon sang se chargeait d'adrénaline. J'aspirai difficilement un filet d'air. Je crois que si Finn ne m'avait pas retenue par le bras, je n'aurais pas pu y résister. Pourtant, je ne serais pas allée bien loin avec ses Chasseurs déployés autour de nous.

— Laissez-la tranquille ! aboya Finn.

L'Elferoi sourit et détourna les yeux. Toute pulsion de fuite disparut aussitôt, et je compris qu'il venait d'employer sur moi une forme de magie qui avait transformé ma peur en terreur absolue. Une magie que je n'avais pas sentie.

L'Elferoi me regarda de nouveau, cette fois sans rien tenter.

— Il est rare qu'une personne de sang mortel soit capable de soutenir mon regard. Même les faës de sang pur peuvent en éprouver les effets, sous certaines conditions. Tu es plus puissante qu'il n'y paraît.

Et voilà que M. Cauchemar me balance un clin d'œil, comme si lui et moi partagions une bonne blague. Je déglutis avec difficulté. Je ne sais pas comment, mais j'étais sûre et certaine qu'il percevait mon affinité avec la magie. C'était peut-être la magie qui m'avait empêchée de céder à la panique. Il était assez dangereux comme ça sans connaître mon secret.

L'Elferoi me sourit. Sur le visage de quelqu'un d'autre, ce sourire aurait pu passer pour amical, mais avec lui on était loin du compte.

— Je ne suis pas ton ennemi, Passemonde, reprit-il. En toute justice, je ne dirai pas non plus que je suis ton ami. Je vais pourtant t'offrir un gage de ma...

Ses doigts pianotèrent sur son menton et il fronça les sourcils comme s'il réfléchissait, mais j'eus la sensation que c'était une mise en scène.

— ... bonne volonté, acheva-t-il.

Il me regarda comme s'il attendait une réponse. Je pensais toujours que j'avais intérêt à ne pas l'ouvrir en présence de ce type, mais je ne voulais pas lui donner l'impression que je tremblais de peur comme un petit lapin qui espère que le grand méchant loup ne va pas le manger.

— Merci, répondis-je en parvenant à introduire une touche de sarcasme dans ma voix, qui me parut pourtant effrayée. Mais non merci. Je ne sais pas pourquoi, mais mon petit doigt me dit que d'accepter des gages de votre part n'est pas une si brillante idée.

L'Elferoi éclata de rire, et ses Chasseurs l'accompagnèrent de leur écho sinistre. L'Elferoi était certes terrifiant, mais sa Chasse carrément flippante.

Je ne savais pas en quoi ce que j'avais dit était si drôle mais, en dépit de mes bonnes résolutions pour ne pas en paraître affectée, je sentis le rouge me monter aux joues. J'ai toujours détesté qu'on se moque de moi.

Leurs rires cessèrent aussi brutalement qu'ils avaient commencé. L'Elferoi reprit son casque. J'espérais que ça signifiait que ses copains et lui étaient sur le départ.

— Je vais néanmoins t'offrir ce gage, que tu le veuilles ou non, annonça-t-il.

Pour la première fois, il concentra toute son attention sur Lachlan, qui s'était tenu si tranquille que j'en avais presque oublié qu'il était là.

— Il faut se méfier des apparences, n'est-ce pas ? demanda l'Elferoi à Lachlan en le dévisageant et en souriant.

À ma grande surprise, Lachlan blêmit et recula d'un pas, comme pour se préparer à fuir. L'Elferoi avait pourtant laissé entendre que son pouvoir d'épouvante ne fonctionnait pas si bien sur les faës dépourvus de sang mortel, dont j'étais bien certaine que Lachlan ne possédait pas la moindre goutte. Je n'étais même pas sûre que les trolls puissent se reproduire avec les humains.

Finn jeta lui aussi à Lachlan un drôle de regard.

— Lachlan ? demanda-t-il. Qu'est-ce qui ne va pas ?

Je faillis bondir quand l'Elferoi fit de nouveau rugir sa machine. Ses Chasseurs rompirent le cercle, nous rendant notre liberté tandis qu'ils se replaçaient en formation derrière leur chef.

— Lève sa livrée humaine, Finn des sidhes Daoine, ordonna l'Elferoi. Et tu sauras pourquoi mon regard lui fait autant d'effet.

Dans un dernier éclat de rire, il recoiffa son casque. Et la Chasse Infernale se retira dans le tonnerre assourdissant de leurs motos.

Je ne me sentais pas plus en sécurité maintenant que la Chasse Infernale était partie, mais je me sentais au moins capable de consacrer mon attention à autre chose. Je regardai Lachlan, qui reculait devant Finn et tendait les mains devant lui dans ce qui semblait être un geste de défense.

La magie se concentra dans l'air, émanant du Chevalier par vagues, et l'expression de son visage ne me disait rien qui vaille. J'avais une assez bonne idée de ce qui allait se passer quand Finn jetterait le sort qu'il préparait, et mon estomac se retourna.

Finn projeta sa magie, qui atteignit Lachlan de plein fouet comme un choc physique. Celui-ci recula sous l'impact, et sa livrée vola en éclats. Sans le sort d'illusion, il aurait dû présenter l'apparence d'un monstre : un troll énorme et répugnant avec des griffes et des crocs plein la gueule. La créature qui se tenait devant nous était un homme musculeux de taille moyenne qui avait les yeux en amande des faës, et arborait une barbe broussailleuse attestant de la présence d'une bonne dose de sang humain dans ses veines.

Je n'étais sûre que d'une seule chose : ce n'était pas Lachlan.

Finn tendit la main vers moi – à tous les coups pour me pousser derrière lui – et l'imposteur profita de cette demi-seconde d'inattention pour faire volte-face et s'enfuir en courant.

— Arrêtez-le ! hurlai-je à Finn, mais je savais avant même que les mots quittent ma bouche que cela lui était impossible.

Son boulot était de me protéger, pas de courser cet imposteur. Mais si ce salaud s'échappait, nous ne saurions sans doute jamais qui l'avait envoyé ni ce qu'il était advenu du vrai Lachlan.

Lorsque j'y repense, je me dis que ce que j'ai fait ensuite était vraiment complètement débile. En dépit de mes cours d'autodéfense avec Keane, je n'étais, au mieux, qu'une débutante. Je suis habituellement plutôt prudente, du genre à réfléchir avant d'agir. Mais le fait d'être en Avalon, d'apprendre à me battre et de me trouver constamment en danger était en train de me changer de plus d'une façon.

Le faux Lachlan allait s'enfuir parce que Finn devait me protéger, et je ne voulais pas de ça. Je lâchai donc mes sacs de provisions et m'élançai à sa poursuite.

Ma décision subite prit Finn complètement de court et il ne fut pas assez rapide lorsqu'il tendit le bras pour tenter de me retenir. Je l'entendis hurler mon nom tandis que je me baissais pour lui échapper, mais je l'ignorai et poursuivis ma course. L'arrivée de la Chasse Infernale avait littéralement vidé les rues, si bien que l'imposteur comme moi-même pouvions courir en terrain dégagé. J'entendis le martèlement des pas de Finn sur les pavés derrière moi, et je m'autorisai un petit sourire de satisfaction. Je ne faisais peut-être pas le poids contre cet imposteur, mais ce type ne serait pas en train de détaler comme un dératé s'il pensait pouvoir s'en sortir avec Finn.

Mon sourire s'effaça quand l'imposteur s'arrêta soudain et fit demi-tour devant moi. Je tentai de freiner, mais j'étais lancée à fond et fus emportée par mon élan.

Je le percutai de plein fouet, l'obligeant à reculer de quelques pas tandis que ses poumons se vidaient de leur air. Apparemment, il s'était préparé au choc, parce qu'il reprit son équilibre plus vite que moi et m'attrapa pour me plaquer le dos contre son torse. Un de ses bras emprisonna les miens le long de mon corps, et il plaça l'autre autour de mon cou.

— Ne t'approche pas ! cria-t-il à Finn. Un seul pas de plus, et je lui brise la nuque.

Finn stoppa sa course bien plus gracieusement que moi et bombarda mon agresseur de regards plus que noirs.

Mais je n'avais pas pris tous ces cours avec Keane pour rien, et nous avions travaillé plusieurs façons de se libérer de ce genre de prise, qui était manifestement un grand classique chez les méchants. Sans hésiter une seule seconde, j'enchaînai rapidement trois actions. Je lui écrasai le pied aussi fort que je pus, puis je baissai la tête pour lui mordre l'avant-bras. Il poussa un hurlement et desserra son étreinte, et c'est alors que je rejetai ma tête en arrière de toutes mes forces.

Qui que soit ce type, il n'était pas très grand, et mon crâne lui fracassa le nez. Le bruit des os qui craquent me tira une grimace, comme son cri de douleur. Mais il me lâcha précipitamment. J'en étais encore à me demander si je devais me retourner et lui donner un bon coup de pied dans le genou afin de m'assurer qu'il ne puisse pas s'enfuir, quand Finn me repoussa sur le côté sans me laisser le temps de me décider et balança son poing dans la face de l'imposteur. Tous les muscles de son corps se relâchèrent d'un seul coup et il s'écroula comme un tas de chiffons sur le trottoir.

Chapitre 7

J'ai beau me plaindre constamment que les ressortissants de la Faëry ne sont pratiquement jamais inquiétés pour les meurtres commis en Avalon, la ville possède bel et bien un système judiciaire et des forces de police. Au moment où le faux Lachlan en prit pour son compte, la Chasse Infernale était partie depuis suffisamment longtemps pour que les gens osent mettre le nez dehors. Quelqu'un avait dû être témoin de la scène car, avant que Finn ait pu se retourner pour me féliciter de ma brillante performance (on peut rêver !), nous entendîmes les sirènes des voitures de police.

En voyant la tête de Finn, je compris qu'il songeait à prendre la fuite, mais il y avait maintenant assez de témoins pour que les flics retrouvent notre trace, ce qui ne nous apporterait rien de bon.

Finn agita un doigt sous mon nez.

— Tu ne dois rien dire à la police, Dana, m'avertit-il. Tu es mineure et ils n'ont pas le droit de t'interroger sans le consentement de ton tuteur légal, alors tu la boucles.

Je fronçai les sourcils en le regardant.

— Pourquoi ? On n'a rien fait de mal.

Enfin, pas que je sache.

Finn me lança un regard irrité.

— Pour une fois, fais donc ce qu'on te dit sans poser mille et une questions.

— Oh, pardon de vouloir savoir pourquoi je ne dois rien dire à la police. Avant qu'il ait pu me répondre, les forces de l'ordre étaient devant nous.

D'après ce qu'avait dit Finn, je m'attendais plus ou moins à ce que les flics nous arrêtent, mais, une fois qu'il leur eut raconté ce qui s'était passé, ils le crurent sur parole et passèrent les menottes au faux Lachlan. Quand ils me demandèrent si je voulais bien répondre à quelques questions, je me mordis les lèvres et prétextai que je préférais attendre mon père. Tout ça ne me plaisait pas beaucoup, mais Finn ne m'aurait pas ordonné de la boucler sans une bonne raison. Je craignais que les flics ne s'agacent de ce délai, mais ça ne parut pas les gêner le moins du monde.

Ils étaient en train de nous demander de les accompagner au poste pour prendre nos dépositions – du moins, celle de Finn pendant qu'ils essayaient de contacter mon père – quand ce dernier fit une apparition surprise. Je savais que Finn ne l'avait pas appelé, et la police n'en avait pas eu le temps, aussi me posai-je des questions sur la façon dont il avait pu me localiser et deviner que j'avais besoin de lui. Il était officier de liaison du Conseil. Je savais juste que c'était une fonction gouvernementale qui lui conférait un certain pouvoir.

Je ne saurais dire exactement ce qui se passa ensuite, mais je crois bien que de l'argent changea de main, ou que mon père tira quelques ficelles. Quoi qu'il en soit, la police décida qu'elle n'avait finalement pas besoin de nos dépositions.

— Ramène Dana immédiatement chez elle, ordonna mon père à Finn pendant que les flics faisaient monter le faux Lachlan à l'arrière de l'une des voitures. Je vous rejoindrai dès que je pourrai et je veux un rapport complet.

Finn accepta ses ordres d'un hochement de tête solennel.

— Et Lachlan ? demandai-je. Il a peut-être des ennuis.

Mon père prit cette expression pincée qui signifiait que le sort d'un troll ne l'intéressait pas.

— Nous ne pourrons rien faire pour Lachlan tant qu'on n'aura pas pu questionner l'imposteur. Il se peut qu'il soit son complice.

J'ouvris la bouche pour protester avec indignation, mais mon père ne m'en laissa pas le temps.

— Nous allons tirer ça au clair, promit-il. Et si Lachlan a des ennuis, je ferai tout ce qui est en mon pouvoir pour l'aider. Et maintenant, rentre vite chez toi. Tu as eu assez d'émotions pour la journée.

J'aurais pu continuer d'argumenter, mais il était déjà parti. Je détestais être congédiée comme une sale gosse, mais je me consolai en me disant que si Finn devait faire à mon père un rapport détaillé des événements de la journée, le plus tard serait le mieux. Mon petit doigt me disait que mon père ne serait pas très content d'apprendre que j'avais pourchassé l'imposteur.

Je jetai un coup d'œil par-dessus mon épaule tandis que Finn m'entraînait loin de la scène de crime, et je vis mon père s'installer à l'avant d'une des voitures de police. Quelque part, je ne pensais pas que ce soit la place d'un civil. Personne ne parut pourtant s'en offusquer, et les deux voitures se mirent en route.

Ô miracle, mes sacs de provisions m'attendaient sur le trottoir là où je les avais lâchés. Mieux encore, rien n'était renversé ou cassé, même si les bananes que j'avais achetées pour mon petit déjeuner seraient sans doute légèrement gâtées. Grâce à mon action d'éclat, même si c'était stupide, l'imposteur était désormais entre les mains de la police et je ne pouvais m'empêcher d'en éprouver de la fierté. Depuis le temps que je jouais les damoiselles en détresse en Avalon, c'était bon de remporter une petite victoire personnelle. Quoi qu'en pense

Finn, qui fronçait farouchement les sourcils en me ramenant à mon bunker.

— Si cet homme avait été armé, me dit-il doucement une fois que nous eûmes regagné les galeries plus sombres, tu serais peut-être morte à l'heure qu'il est.

Je réprimai un frisson superstitieux.

— J'ai eu de la chance qu'il ne l'ait pas été, alors, répondis-je avec tout l'aplomb que je pus rassembler.

Si je commençais à penser à tout ce qui aurait pu se passer, j'allais complètement flipper.

Du coin de l'œil, je vis Finn secouer la tête.

— Ce n'est pas ce que je veux dire, et tu le sais très bien. Tu ne peux pas continuer à prendre de tels risques. Je suis un bon garde du corps, mais je ne suis pas invincible. Et ton comportement me complique beaucoup la tâche.

Je courbai un peu les épaules sous le reproche. S'il m'avait crié dessus ou s'était mis à m'aboyer des ordres, je serais montée sur mes grands chevaux, mais son raisonnement calme et posé était bien plus difficile à réfuter.

— Je suis désolée, murmurai-je. Je n'y ai pas pensé sur le coup. J'ai seulement vu qu'il s'enfuyait, et je me suis lancée à sa poursuite.

Il soupira.

— Et hier soir ? Tu as réfléchi avant de partir à l'aventure en pleine nuit sans garde du corps ?

Pan ! dans les dents, si je croyais que la nuit dernière était de l'histoire ancienne... En réalité, lorsque j'avais décidé de faire le mur en compagnie de Keane, je croyais être en sécurité avec lui. Oui, j'étais bien consciente de prendre un risque, mais il ne m'avait pas semblé très important. Maintenant que j'avais vu Finn massacrer Keane, je savais que j'avais couru un danger bien plus grand que je ne l'avais cru. Ne trouvant rien à dire pour ma défense, je demeurai donc muette.

Une fois dans ma forteresse, Finn refusa de me laisser m'isoler dans ma suite et m'obligea à m'asseoir sur le canapé de la salle de garde. Il s'installa lui-même dans un fauteuil et se pencha vers moi, les coudes sur les genoux, en plongeant ses yeux si verts dans les miens.

— Ton père sera très en colère, me prévint-il.

Sans blague ? Si mon père s'écoutait, il me garderait enfermée dans cette stupide maison de troglodyte vingt-quatre heures sur vingt-quatre et sept jours sur sept, et je ne m'attendais pas à ce qu'il saute de joie en apprenant que j'avais pris en chasse l'imposteur. Encore moins quand il saurait que j'avais aussi rencontré l'Elferoi, mais là, je n'y étais pour rien.

— Toute sa longue vie, il a vécu dans les arcanes du pouvoir, poursuivit Finn. En tant que garde du corps, je sais combien c'est difficile de s'adapter pour quelqu'un qui n'a pas l'habitude du danger. Se protéger est une seconde nature pour ton père, et il a du mal à comprendre qu'il n'en aille pas de même pour toi.

Je clignai les yeux, car je ne voyais pas où Finn voulait en venir.

— Qu'est-ce que vous essayez de me dire ? lui demandai-je.

— J'essaie de te préparer à la réaction de ton père et de m'assurer que tu saisis son point de vue. Moi, je peux comprendre tes erreurs. J'ai eu suffisamment de personnes différentes sous ma protection durant assez d'années pour savoir à quoi m'attendre. Mais ton père ne comprendra pas, du moins pas tout de suite. C'est pourquoi je ne lui parlerai pas de l'expédition de cette nuit. Souviens-toi qu'il essaie seulement d'assurer ta sécurité, même si ses manières ne te plaisent pas.

Je ne crois pas avoir jamais entendu Finn aligner autant de phrases à la suite. J'en aurais presque eu envie de l'écouter et de donner une chance à mon père. Mais si ce dernier débarquait ici en me hurlant dessus, je savais qu'il ne me faudrait pas longtemps pour sortir à nouveau de mes gonds.

Ce ne fut que plusieurs heures plus tard que j'affrontai la colère de mon père. Il était apparemment dans les petits papiers de la police, et avait pu assister à l'interrogatoire de l'imposteur.

Il s'avéra que le type en question était un mercenaire de la pègre, officiellement citoyen d'Avalon, mais qui avait suffisamment de sang faë dans les veines pour vivre le plus clair de son temps en Faëry. Ma tante Grace l'avait engagé pour m'enlever.

Elle lui avait remis une sorte d'amulette magique qui lui permettrait de neutraliser Finn, et il attendait simplement le bon moment pour s'en servir. Il devait alors m'emmener de force dans la Faëry, et me remettre à Grace. Ce qui était méga craignos, car cette chère tante Grace voulait m'utiliser pour assassiner Titania et lui ravir le trône de la cour des Lumières. En plus de ça, elle ne pouvait pas me saquer – et réciproquement.

Heureusement pour moi, le mercenaire redoutait Finn et n'avait pas encore trouvé le courage de passer à l'attaque. J'avais également de la chance que l'Elferoi se soit trouvé là pour le démasquer. La raison pour laquelle il avait fait ça demeurait un mystère, surtout s'il avait été envoyé en Avalon pour me tuer. J'espérais n'avoir jamais l'occasion d'entendre ses explications.

Lachlan allait bien, Dieu merci. L'imposteur avait employé un autre sortilège de Grace pour l'immobiliser, et il était enfermé chez lui, incapable de bouger. La police avait pu invoquer un contre-sort pour le libérer.

Je tentai d'inciter mon père à la clémence au nom du « tout est bien qui finit bien », mais il ne voulut rien entendre. Il me priva de sorties pour une semaine. Moi qui n'avais jamais été consignée de toute ma vie, c'était la seconde fois que ça me tombait dessus depuis mon arrivée en Avalon.

Une partie de moi avait envie de tirer sur la corde, de le menacer une fois de plus de quitter Avalon dès que j'aurais dix-huit ans s'il persistait dans cette voie. Je réussis à la faire taire. Primo, si je recourais au chantage à tort et à travers, il perdrait toute son efficacité. Secundo, je devais admettre à contrecœur que je ne l'avais pas volé.

Même en m'y étant préparée, la semaine qui suivit ne fut pas des plus faciles. Papa m'avait soumise à un tel isolement que j'étais même privée de mes séances d'entraînement avec Keane. Jamais je n'aurais imaginé que ces séances me manqueraient, mais c'était pourtant le cas. Ne serait-ce que parce qu'elles m'aidaient à passer le temps.

Bon, d'accord, pour d'autres raisons aussi. Le plus souvent, Keane me tapait grave sur les nerfs, mais c'était quand même agréable de pouvoir fréquenter quelqu'un de mon âge. OK, techniquement parlant, il avait deux ans de plus que moi. Il était cependant beaucoup plus proche de moi en âge que, disons, Finn, qui resta ma seule compagnie durant toute ma captivité. Mon père lui-même joua les Arlésiennes, et je trouvais qu'il poussait le bouchon un peu loin.

Je me débrouillai pour parler chaque jour au téléphone avec Kimber, et je crois que c'est la seule chose qui m'empêchait de devenir dingue. Nous décidâmes de nous offrir une manucure en institut dès que je serais libre de quitter mon bunker. Je ne m'étais jamais fait faire de manucure de toute ma vie. Quand je vivais avec ma mère, on courait toujours après l'argent et je n'avais pas les moyens de m'offrir ce genre de luxe. Sans oublier que je n'avais pas d'amies avec qui partager ce moment. Ce n'était pas grand-chose, mais ce projet m'aida à supporter ma punition.

Je n'appréciai pas autant les appels d'Ethan. Après l'avoir surpris en compagnie de cette rousse incendiaire à la soirée, je n'avais plus aucune envie de lui parler, et je ne répondais pas quand son numéro s'affichait. Les premières fois, il raccrocha sans laisser de message. Puis il me demanda de le rappeler. Je m'emparai même de mon téléphone une fois ou deux, mais renonçai à composer son numéro. Qu'est-ce que j'aurais eu à lui dire ? Je craignais de me comporter comme une petite amie jalouse alors qu'on ne sortait même pas ensemble. Et je serais certainement morte d'humiliation si je m'étais mise à pleurer.

Mais Ethan n'était pas le genre de garçon à se laisser démonter. Quand le téléphone sonna mercredi et que le numéro de Kimber s'afficha, je décrochai sans l'ombre d'une hésitation. J'avais juste oublié que cela ne signifiait pas forcément que Kimber était au bout du fil.

— Tu ne m'as pas rappelé, me reprocha la voix d'Ethan.

Je me mordis la langue pour ne pas pousser un grognement. Si j'avais eu le moindre grain de bon sens, je lui aurais raccroché au nez et j'aurais débranché mon téléphone. Mais nous avons déjà établi que le bon sens n'était pas mon point fort.

— Flash info, répliquai-je. Si je ne te rappelle pas, ça veut dire que je n'ai pas envie de te parler.

Raccroche, Dana, m'enjoignis-je à moi-même. Mais je fis la sourde oreille.

Je l'entendis presque hausser les sourcils.

— Et pourquoi tu ne veux pas me parler ?

Ma colère se réveilla. Il savait forcément que j'étais venue à la soirée de Kimber. Il pouvait certainement deviner pourquoi je ne voulais pas lui parler. Qu'il joue les innocents décupla encore ma rage.

— Mince, je ne sais pas, Ethan, grommelai-je entre mes dents. C'est peut-être parce que je t'ai vu avec cette rousse à la fête de Kimber. Oui, ça doit être ça.

Je retins mon souffle dans l'espoir insensé qu'il aurait une explication parfaitement innocente au fait que la rouquine se frottait contre lui. Au diable si je pouvais imaginer laquelle, mais ça ne m'empêchait pas d'y croire.

L'hésitation que marqua Ethan réduisit à néant mes espérances, fragiles j'en conviens.

— Trouduc, marmonnai-je à mi-voix, et je m'ordonnai encore une fois de raccrocher.

Dommage que j'aie un gros problème pour obéir aux ordres, même venant de moi-même.

Ethan retrouva enfin sa voix.

— Ça ne signifie rien. On était juste... on prenait du bon temps à la soirée. De plus, tu m'avais fait clairement comprendre qu'on ne sortait pas ensemble, et je n'y ai vu aucun mal.

D'un côté, il n'avait pas tort. J'avais été verbalement très claire sur le fait que nous ne sortions pas ensemble. D'un autre, il m'avait fait entendre tout aussi clairement qu'il espérait me faire changer d'avis, ce qui signifiait implicitement qu'il ne devait pas batifoler avec d'autres filles en même temps.

— Tu as raison, dis-je d'une voix blanche. Nous ne sortons pas ensemble.

Je trouvai enfin la volonté de raccrocher, et dus me retenir de lancer le téléphone à l'autre bout de la pièce. Des larmes de rage me brûlaient les yeux, que je me refusais à laisser couler.

Je pris une profonde inspiration pour essayer de me calmer. Toutes les cellules de mon corps qui avaient encore un peu de logique me criaient qu'Ethan ne valait rien. Il était plus âgé que moi, c'était un séducteur et un menteur. Exactement le genre de garçon avec qui je ne voulais rien avoir à faire. Et pourtant, pauvre idiote que j'étais, j'avais envie qu'il me courtise, et me fasse éprouver le sentiment d'être une femme et non plus une enfant. La seule idée qu'un mec aussi canon qu'Ethan m'ait choisie entre toutes les filles plus belles et plus sophistiquées qu'il connaissait me faisait chavirer.

Allô la Terre ! il ne m'avait justement *pas* choisie entre toutes ces filles. Et je devais bien comprendre, s'il restait fidèle à lui-même, qu'il ne le ferait jamais.

J'avais pris une claque en le voyant avec cette fille à la fête de Kimber, mais c'était sans doute salutaire. Ce souvenir m'aiderait à garder la tête froide, à voir Ethan tel qu'il était vraiment et non comme je voulais qu'il soit.

Le téléphone sonna de nouveau, mais je laissai se déclencher le répondeur.

— Allons, Dana, dit la voix d'Ethan après le « bip ». Parle-moi.

Je croisai les bras et résistai à l'envie de décrocher. Ethan poussa un énorme soupir.

— Tu te montes la tête, dit-il. Je n'ai fait que danser avec elle. La belle affaire !

Si j'avais été moins méfiante, ces mots auraient pu me faire croire que je me faisais des mélos comme une idiote. Évidemment qu'Ethan avait le droit de danser avec d'autres filles que moi à une soirée, surtout quand il pensait que je ne viendrais pas. J'aurais même pu me laisser convaincre que j'avais mal interprété ce que j'avais vu.

Mais je suis du genre méfiant, et je me rappelai son hésitation quand j'avais mentionné cette fille pour la première fois. S'il pensait réellement que sa conduite avec elle était si innocente, il n'aurait pas eu cette réaction.

Faisant de nouveau appel à mes souvenirs des moments les moins glorieux d'Ethan – celui où il avait essayé de me séduire en recourant à la magie, ou quand il avait ourdi une attaque pour pouvoir jouer les chevaliers blancs –, je trouvai la volonté de ne plus écouter sa voix sur mon répondeur.

Il finit par abandonner. Ou du moins, le croyais-je.

Chapitre 8

J'étais de mauvaise humeur et je broyais du noir après ma conversation avec Ethan. Pour me changer les idées, j'allai faire un tour sur Internet. Je tentai ensuite de regarder la télé, mais je n'ai jamais été une grande fan des programmes de l'après-midi. J'essayai alors de bouquiner.

Mais rien ne semblait pouvoir me détourner de mes sombres pensées. Mes cours d'autodéfense avec Keane me manquaient plus que jamais. Quand je m'entraînais avec lui, il n'y avait plus de place pour rien d'autre que la survie dans mon cerveau.

Comprenant qu'il me fallait une activité capable d'absorber davantage de mon énergie mentale que tout ce que je venais de faire, je décidai de reprendre mes efforts pour développer mes talents de magicienne. Je fis taire la petite voix dans ma tête qui me disait que je perdais mon temps. J'avais commencé à m'entraîner la première fois que mon père m'avait consignée et j'étais désormais capable d'invoquer la magie avec une relative facilité, mais je ne savais toujours pas comment en faire quoi que ce soit.

J'aurais vraiment aimé pouvoir demander conseil à quelqu'un. mais je crois qu'Ethan avait raison et qu'il était dans mon intérêt de ne pas ébruiter mon affinité avec la magie. Selon Kimber, qui m'en avait expliqué les rudiments quand je n'imaginais pas encore pouvoir m'en servir moi-même un jour, la magie est une force quasi vivante – une idée qui me faisait toujours froid dans le dos – native de la Faëry. De mémoire de faë, la magie avait toujours considéré les Passemondes comme des humains, qui ne pouvaient donc pas la « sentir » et encore moins l'utiliser. Pour une raison que j'ignorais, la magie semblait avoir un faible pour moi. Quelque chose dans ma voix si caractéristique – avec sa pureté elfique relevée d'un vibrato humain – paraissait l'attirer.

Je faisais déjà peur à beaucoup de gens. Enfin, pas moi exactement, mais plutôt mes pouvoirs. J'avais non seulement la capacité de me déplacer librement entre le royaume de Faëry et le monde des mortels, mais également d'apporter la magie dans le second et la technologie dans le premier – ainsi que ceux qui demeuraient à l'intérieur de mon champ d'influence. Ma tante Grace comptait ainsi m'utiliser pour assassiner la reine de la cour des Lumières, en introduisant grâce à moi une arme en Faëry.

S'il venait à se savoir que je pouvais aussi invoquer la magie, ceux qui ne cherchaient qu'à m'utiliser pourraient changer d'avis et se ranger aux côtés de ceux qui voulaient ma mort. Ce qui signifiait que je ne devais dire à personne – pas même à mon père – que j'étais capable de sentir la présence de la magie dans l'air. Mon ventre se noua en songeant qu'Ethan connaissait mon secret, car je ne pouvais pas lui faire entièrement confiance. Et l'idée que l'Elferoi ait pu le deviner...

Je m'efforçai d'écarter ces pensées et m'enfermai dans ma chambre, aussi loin de Finn que possible. Je ne savais pas à quelle distance il pouvait percevoir une concentration de magie, mais il n'avait pas débarqué en courant la dernière fois que j'avais essayé, et j'espérais que ça voulait dire que ma chambre était suffisamment éloignée.

Je pratiquai quelques respirations profondes pour me détendre – la seule idée d'invoquer la magie faisait battre mon cœur à cent à l'heure – et me lançai dans la série de vocalises qui me servaient à me chauffer la voix avant de chanter. (Ne me demandez pas pourquoi je faisais toujours mes exercices alors que je n'avais plus de prof de chant lyrique ici, en Avalon.)

Les premières fois que j'avais essayé d'appeler la magie, il m'avait fallu un moment avant d'y parvenir. J'avais dû terminer toutes mes vocalises et même chanter un ou deux airs avant de commencer à ressentir le picotement sur ma peau. Aujourd'hui, tout alla bien plus vite. J'avais à peine fini mes premières gammes que je sentais déjà une présence… étrangère dans ma chambre.

Je ne fus d'abord pas certaine de ce que c'était, craignant que ce ne fût le fruit de mon imagination. Mais quand je passai des gammes aux arpèges, la sensation s'intensifia, et les petits cheveux sur ma nuque se rappelèrent à moi. Ma voix faiblit, et je ne pus pas produire les notes les plus aiguës, mais le picotement était toujours là. Apparemment, une fausse note à l'occasion n'était pas rédhibitoire.

Dopée par ce premier succès, je zappai le reste de mes échauffements et attaquai directement « La Berceuse de Brahms », un des premiers airs que j'avais appris dans mes cours de chant lyrique. C'était une mélodie beaucoup plus simple que toutes les chansons que je travaillais avant de fuguer, mais sa simplicité et sa familiarité m'aidaient à rester juste quand la magie faisait vaciller ma concentration.

L'air s'épaississait autour de moi, devenait plus difficile à respirer, et j'avais envie de me masser les bras pour dissiper les fourmillements qui couraient partout sur ma peau, telles de petites souris aux pattes griffues de plus en plus rapides. Malgré mon oreille absolue, je pataugeais à présent péniblement, multipliant les fausses notes tandis que je luttais pour garder le contrôle.

Je faisais des progrès, je le savais. La magie qui s'était rassemblée autour de moi était plus dense que jamais, et avait répondu plus vite à mon appel. Si seulement je trouvais le moyen de l'utiliser. Au lieu d'avoir l'impression d'être une malade mentale qui souffre d'hallucinations, j'entends.

J'avais le souffle plus court dans cet air visqueux, et n'étais plus capable de tenir les notes longues. La tête me tournait et je me rendis compte que j'allais entrer en hyperventilation et faire une syncope si je n'agissais pas très vite.

Je me concentrai sur la porte de ma chambre. Kimber m'avait dit que presque tous les faës étaient capables de jeter des sorts simples, comme verrouiller et déverrouiller une porte. La mienne n'offrait qu'une petite poignée ronde à bouton-poussoir, que je visualisai enfoncé par une main invisible.

La fin de la berceuse approchait, et je devais reprendre mon souffle entre chaque note ou presque. Je ne veux même pas savoir à quoi ça ressemblait, ce n'était sûrement pas beau à entendre, entre les fausses notes et les aspirations. Je chantais maintenant assez mal pour que même la magie se détourne de moi. Je la sentis refluer, l'air se fluidifia et la sensation de picotement commença à s'estomper.

Malgré tout, je gardai les yeux rivés sur la porte, espérant qu'elle allait se verrouiller grâce à l'énergie magique qui subsistait encore. Mais rien ne se produisit, et lorsque j'achevai les dernières notes de la berceuse, quelques instants plus tard, j'étais à nouveau seule dans ma chambre.

Je tentai encore à deux reprises d'invoquer la magie pendant la fin de ma captivité, avec le même résultat. De la magie, il y en avait à gogo, mais je ne pouvais rien en faire. C'était tellement frustrant que j'en aurais hurlé.

Quand le lundi arriva enfin, j'étais si impatiente de quitter mon bunker que j'aurais voulu que notre rendez-vous au spa avec Kimber soit fixé à la première heure. Malheureusement pour moi, il n'était qu'à 13 heures, et je fus bonne pour la matinée la plus longue de toute l'histoire de l'univers.

L'Elferoi étant toujours en Avalon, je devais me faire accompagner de deux gardes du corps pour quitter ma forteresse. J'avais supposé que mon second cerbère pour cette expédition serait Lachlan – après que Finn lui aurait jeté quelques sorts de contrôle pour s'assurer que c'était bien lui – mais je m'étais trompée.

Mon père fit son apparition à midi pile avec un sac de nourriture à emporter qui embaumait. Il sourit de ma surprise.

— J'ai toute confiance en Lachlan pour te servir de second garde du corps, mais j'ai le luxe de disposer de quelques heures de liberté pour une fois, et j'ai eu envie de prendre sa place. Ça ne t'ennuie pas, j'espère ?

Il avait posé cette question d'un air dégagé, mais son attitude était presque… timide. Craignait-il que je ne lui en veuille de m'avoir punie ? C'est vrai qu'avec ma mère, je n'avais pratiquement aucune expérience d'une réelle autorité parentale. Mais même si je n'avais pas apprécié d'être privée de sortie, ça me semblait une punition tellement normale et ordinaire que j'aurais eu du mal à lui en vouloir. Pas pour ça, en tout cas.

Je haussai les épaules, songeant que je devais avoir l'air aussi désinvolte que lui.

— Pas de problème. Qu'est-ce que tu as apporté ?

Papa souleva le sac pour me le montrer.

— Un déjeuner qui vient de la boulangerie de Lachlan. Je ne savais pas trop ce que tu aimais, alors j'ai pris un assortiment.

Nous étions dans la salle de garde, et Finn se trouvait à l'autre bout de la pièce – le plus loin possible pour nous laisser une illusion d'intimité. Mon père ne lui jeta pas même un regard en me faisant signe de le précéder dans ma suite.

Je faisais de mon mieux pour accepter le fait que mon père était un snob. Les faës sont très attachés à leur système de castes, et bien que les Chevaliers soient le bras armé de la Faëry, ils sont traités comme des quasi-serviteurs. Je doutais de mes chances de faire entrer mon père dans le XXIe siècle – les faës portaient la notion de traditionalisme à de nouveaux sommets – mais rien ne m'empêchait d'essayer.

— Tu as pris quelque chose pour Finn ? lui demandai-je, sans bouger d'un centimètre.

Mon père haussa un sourcil à mon intention avant de se tourner vers mon garde du corps.

— Tu as déjeuné ?

Finn cligna les yeux de surprise, et pour vous dire la vérité, j'étais moi-même estomaquée. J'étais certaine que mon père allait prendre son air pincé. Peut-être bien que son cas n'était pas si désespéré, finalement.

— J'ai déjà mangé, répondit Finn en se balançant gauchement d'un pied sur l'autre.

Le rouge qui avait empourpré son visage me hurlait qu'il mentait.

— Ce n'est pas vrai ! affirmai-je. Je suis sûre que Papa a apporté suffisamment de nourriture pour trois.

Je glissai un regard en biais à mon géniteur, dont le visage restait de marbre.

— Et peut-être même quatre à en juger par la taille de ce sac.

Le visage de Finn devint violet et il inclina légèrement la tête.

— Va déjeuner tranquille, Dana. Je n'ai pas faim.

Je secouai la tête, ne comprenant vraiment pas où était le problème. Je regardai mon père entre mes yeux mi-clos.

Il haussa vaguement une épaule.

— Je ne suis pas le seul.

Il m'indiqua de nouveau la porte menant à ma suite.

Je ne compris pas immédiatement.

— Tu n'es pas le seul quoi ? l'interrogeai-je en me dirigeant vers la porte.

Mon père ne répondit rien, et je commençai à comprendre en m'engageant dans le couloir fortifié qui menait à mes appartements.

— Tu veux dire que votre truc d'une société de castes, à vous les faës, est valable des deux côtés.

Il acquiesça.

— Finn est un Chevalier, et même s'il accepte des missions en Avalon, ce qui lui arrive souvent, il est né et a grandi en Faëry. Il ne sera jamais à l'aise à l'idée de s'asseoir à la même table que moi et de partager mon repas comme un égal.

Mon père fit comme chez lui dans ma petite cuisine. Il déballa ce qu'il avait apporté et farfouilla dans les placards pour trouver des assiettes. Je comprenais ce qu'il m'avait dit, mais ça ne me plaisait pas pour autant.

— Je trouve toujours que c'est une façon dégueulasse de traiter quelqu'un qui est prêt à se prendre une balle pour moi.

Papa se tourna vers moi.

— Peut-être bien, mais c'est comme ça, dit-il en souriant. Et ce n'est pas parce que le protocole nous interdit, à Finn et à moi, de nouer des liens d'amitié que cela s'applique à toi.

Je me retins de lui faire remarquer que je me moquais pas mal de son fichu protocole. Je ne traiterais jamais Finn comme un meuble à l'instar de mon père, un point c'est tout.

Papa interrompit les préparatifs de notre déjeuner, et me regarda de nouveau de cet air presque vulnérable.

— Je ne peux pas changer ce que je suis, déclara-t-il. Je sais que je te parais terriblement rétrograde, mais c'est dans la nature des faës. Le comportement que nous attendons les uns des autres est profondément enraciné en nous. Je suis vraiment navré que ça te mette mal à l'aise.

Mon père avait beau être encore un quasi étranger pour moi, je le crus cependant sincère. Il ne m'avait jamais dit son âge, mais je savais qu'il était très, très vieux. Ce n'était pas juste de ma part d'espérer le faire changer, surtout du jour au lendemain. Quand j'étais arrivée en Avalon pour faire sa connaissance, je ne savais pas du tout à quoi m'attendre à son sujet. La moitié du temps ma mère le décrivait comme le mal incarné, et le reste du temps il avait tout d'un saint. La vérité se situait sans doute quelque part entre les deux.

— Je sais, Papa, répondis-je. Et je fais de mon mieux pour essayer de comprendre. Sérieux.

Il me sourit, et je vis clairement l'affection paternelle qui brillait dans ses yeux. En tant que faë d'un autre temps, il n'était peut-être pas aussi démonstratif que je l'aurais souhaité, mais je savais qu'il m'aimait, alors qu'il me connaissait depuis si peu de temps. L'un dans l'autre, je n'avais pas à me plaindre de lui en tant que père. Hormis deux ou trois petites choses à changer.

Je retrouvai Kimber à la réception de l'institut. J'avais déjà l'air d'une dingo paranoïaque à déambuler dans les rues avec mon père et Finn dans le rôle des gardes du corps. Ce fut encore pire dans le spa.

La déco de la réception était féminine à souhait. Les murs, le mobilier et le tapis étaient tout en teintes pastel et tonalités claires, et une fontaine murale emplissait la pièce du doux murmure des cascades. Des bougies brûlaient dans des appliques sur les murs, et de petits bols de pot-pourri parfumaient l'atmosphère.

Mon père et Finn étaient parfaitement déplacés dans ce décor, et la femme derrière le comptoir les dévisagea avec de grands yeux étonnés. Ils n'étaient sûrement pas les premiers hommes à pénétrer dans ces lieux, mais c'est l'effet que ça faisait à cet instant précis.

Kimber était arrivée avant moi, et bondit sur ses pieds dès qu'elle me vit, laissant tomber le magazine qu'elle était en train de lire.

— Pile à l'heure ! s'écria-t-elle, aussi excitée qu'une gamine de cinq ans le matin de Noël.

Kimber venait de fêter ses dix-sept ans, mais elle entrait en deuxième année de fac à la rentrée. On n'en avait jamais réellement parlé, mais elle devait avoir à peu près autant d'expérience que moi pour ce qui était de se faire des amies de son âge. C'est-à-dire zéro. Pas étonnant qu'on s'entende si bien.

Je souris de la voir si joyeuse, et m'efforçai de faire abstraction de mon escorte. Je fus infiniment soulagée quand ils acceptèrent de m'attendre à la réception sans insister pour rester près de moi pendant qu'on me ferait les ongles.

Une femme faë très belle (pléonasme, je sais) nous escorta, Kimber et moi, dans les profondeurs du spa jusqu'à un petit salon privé équipé de deux tables.

— Allez-y, choisissez vos vernis, nous invita-t-elle. Sharon et Emily seront à vous dans un instant.

Je jetai un coup d'œil sur l'immense étagère où étaient empilés les flacons, complètement perdue. L'embarras du choix au sens propre !

Je ne m'étais jamais fait manucurer auparavant, mais je me peignais parfois les ongles. Mon principal critère pour choisir mon vernis était alors le prix, ce qui ne m'était pas d'un grand secours ici. Je secouai la tête.

— Il va falloir que tu m'aides, dis-je à Kimber en espérant ne pas avoir l'air aussi empotée que je me sentais soudain.

Peut-être bien que je n'étais pas plus à ma place dans un institut de beauté de luxe que Finn ou que mon père.

Elle me sourit, une lueur malicieuse pétillant au coin des yeux.

— Ça va être dur, mais je crois que je devrais y arriver.

J'éclatai de rire, ce qui évacua une partie de la tension de mes épaules.

— Oui, j'ai remarqué que tu détestes dire aux autres quoi faire.

Kimber fit semblant de me regarder d'un œil torve.

— Voilà la couleur qu'il te faut, dit-elle en attrapant un flacon tout en haut de l'étagère pour me le brandir sous le nez.

C'était la teinte caca d'oie la plus hideuse qu'il m'ait été donné de contempler. On se demandait même pourquoi ils faisaient des vernis de cette couleur.

— Ha, ha, répondis-je en m'emparant d'un flacon orange fluo. Et toi, il ne te plaît pas celui-là ?

Nous poursuivîmes notre petit jeu un moment, choisissant chacune à notre tour les couleurs les plus laides que nous puissions trouver – et croyez-moi, ce n'est pas ça qui manquait – avant de jeter notre dévolu sur un rose perlé pour Kimber et un cuivré miroir pour moi. Les esthéticiennes fondirent alors sur nous avec leurs coupe-ongles, limes, repousse-cuticules et tout le reste de leur attirail.

Je pensais qu'elles allaient simplement me limer les ongles et les vernir. Tout le reste du rituel me prit par surprise. Je n'étais pas très fan du soin des cuticules, aussi me tournai-je vers Kimber.

— Pourquoi as-tu laissé Ethan utiliser ton téléphone pour m'appeler ? lui demandai-je de but en blanc.

Je regrettai aussitôt que ma main soit occupée ou je me serais donné une claque. Je n'avais absolument pas l'intention d'avoir l'air d'accuser Kimber de quoi que ce soit, mais je lui en voulais tout de même un peu d'avoir aidé Ethan à me tendre un piège. J'aurais surtout mieux fait de lui en parler au téléphone plutôt qu'ici devant deux étrangères.

Kimber ne trouva pourtant rien à redire à mon timing. Elle fronça le nez et me regarda d'un air désolé.

— Pardon. Il me l'a piqué pendant que je faisais du thé à la cuisine. Quand je l'ai entendu te parler, il était déjà trop tard.

Kimber avait tenté de me mettre en garde contre son frère depuis le début. Elle ne pouvait pas avoir aidé Ethan à me piéger volontairement, bien sûr.

— Il n'a pas voulu me dire ce qu'il a fait pour que tu sois si furieuse contre lui, poursuivit Kimber.

Évidemment que non. Je regardai les deux femmes qui s'affairaient autour de nos menottes en regrettant de ne pas avoir abordé ce sujet avec Kimber lorsque nous étions seules, puisqu'il fallait en passer par là.

— Allez, me pressa Kimber avec impatience. Raconte.

À contrecœur, je lui expliquai que j'avais vu Ethan avec la rousse à sa soirée. Le rouge me montait aux joues au fur et à mesure que je parlais. Je me sentais vraiment idiote de me mettre dans tous mes états pour un truc pareil alors que je ne sortais même pas avec lui.

Kimber poussa un soupir exaspéré en secouant la tête.

— J'adore mon frère – en général – mais je dois bien avouer qu'il a souvent la tête dans le cul.

Je m'étranglai de rire

La femme qui s'occupait des ongles de Kimber réprima un léger sourire avant de se ressaisir. Je me rappelai que le personnel des instituts de beauté entendait des secrets de filles à longueur de journée. Ce qui ne me mettait pas plus à l'aise pour parler des miens.

— Ouais, voilà pourquoi je ne veux pas lui parler, dis-je.

Kimber se rembrunit légèrement.

— Mais il n'abandonne pas facilement.

— Oui, c'est ce que j'ai cru comprendre, grommelai-je.

Il faisait le mort en ce moment, mais j'étais sûre que ça ne durerait pas. J'essayais juste de ne pas trop penser à la façon dont il occupait sans doute son temps pendant que je le battais froid, car ce n'était pas mes affaires a priori.

— Pour ce que ça vaut, ajouta Kimber en baissant le ton, même si ça n'empêchait pas les esthéticiennes de nous entendre, je crois qu'il a vraiment des sentiments pour toi.

Je levai les yeux au ciel.

— Ouais, c'est flagrant d'après la façon dont il faisait pratiquement l'amour à cette fille sur la piste de danse.

— Ethan sera toujours un dragueur, mais je crois aussi qu'il ne déploierait pas autant d'efforts pour te parler si tu ne signifiais rien pour lui.

Je me mordis la langue pour ne rien répondre de stupide. D'après ce que Kimber m'avait dit sur lui, je savais qu'Ethan avait l'intention de suivre la voie de son père. Bon sang, il était déjà le chef du mouvement étudiant Underground d'Avalon, un soi-disant groupe d'activistes politiques qui militait pour faire bouger les lignes. Je dis « soi-disant » parce que la seule fois où j'avais rencontré des membres de ce fameux mouvement, leur réunion n'était rien d'autre qu'une vulgaire soirée bière.

J'ignorais ce que faisait réellement le mouvement Underground, mais je savais qu'Ethan avait des... ambitions. Des ambitions que la présence d'une Passemonde à ses côtés ne pouvait que servir. Voilà pourquoi la cour assidue qu'il me faisait me paraissait pour le moins suspecte.

— Je crois que je préférais quand tu me disais qu'Ethan se servait de moi et qu'il serait plus sage de rester loin de lui, soupirai-je, légèrement amère.

Le coin de la bouche de Kimber se releva en un sourire ironique.

— En d'autres termes, tu es en train de me prier de me mêler de ce qui me regarde ?

— Mais non, répliquai-je, lui rendant son sourire. C'est cool d'avoir quelqu'un à qui parler de ça. Même si tes conseils ne font que m'embrouiller.

Kimber contempla sa main parfaitement manucurée que l'esthéticienne venait de libérer.

— Je t'aurais bien donné une taloche, mais je ne voudrais pas m'abîmer les ongles.

— Tu m'ôtes les mots de la bouche.

Chapitre 9

Kimber voulait faire un tour dans une boutique de thé au coin de la rue de l'institut, et je ne tenais pas à rentrer dans mon bunker. Je dus demander la permission à mon père, puisqu'il m'accompagnait comme garde du corps. Je n'ai pas le souvenir d'avoir demandé à ma mère la permission de faire quoi que ce soit depuis l'âge de huit ans. Elle était généralement trop saoule pour se soucier de mes agissements, et même si je préférais que son cerveau ne soit plus imbibé d'alcool, une partie de moi regrettait cette liberté que je m'étais cru acquise.

Heureusement, Papa répondit qu'il avait son après-midi et qu'il ne voyait pas de raison de ne pas continuer à me servir un peu plus longtemps de garde du corps.

La fameuse boutique de thé était l'équivalent d'un Starbucks ou d'un Caribou Coffee aux États-Unis, et proposait des tonnes de variétés de thés différents vendus en vrac, et un bar de dégustation où l'on pouvait commander le breuvage de son choix. Sur la droite, une sorte de patio offrait quelques tables rondes d'extérieur et des parasols. Aux États-Unis, ces parasols auraient protégé les clients du soleil. En Avalon, ils étaient plus probablement destinés à vous abriter de la pluie.

Kimber, qui était partie en croisade pour me convertir à la religion du thé, voulut absolument que je goûte une variété nommée « Rose de Faëry ».

— On lui donne ce nom parce que les pétales de rose qu'il contient proviennent de Faëry, m'expliqua-t-elle.

— Beurk, dis-je en plissant le nez. Qui a envie de boire des roses ?

Elle me darda d'un regard condescendant.

— Fais-moi confiance, ça n'a le pas goût de rose.

S'ils avaient servi du café, je serais restée sur mes positions, mais ils n'en avaient pas et je me laissai forcer la main par Kimber. Son fameux thé avait la couleur incarnat du vin, et lorsque je le humai, la puissance de l'arôme de rose manqua de me faire éternuer.

— Fais-moi confiance, répéta Kimber tandis que nous nous dirigions vers une des tables abritées.

Il ne pleuvait pas encore, mais des nuages sombres et serrés plombaient le ciel, et l'air était chargé d'humidité. Une journée en Avalon sans au moins une petite averse serait sans doute un signe annonciateur de l'Apocalypse.

Ni mon père ni Finn ne commandèrent de thé – j'imagine que ce n'était pas prévu au code des gardes du corps – et lorsque nous nous installâmes dans le patio, ils se tinrent juste assez loin pour que nous puissions discuter en toute intimité, à condition de ne pas parler trop fort.

Pendant que je soufflais sur mon thé, davantage pour retarder le moment de le goûter que pour le refroidir, Kimber jeta un coup d'œil à Finn et se tourna vers moi en souriant.

Finn était en mode « Services secrets » aujourd'hui, portant un strict costume noir et des lunettes de soleil qui dissimulaient ses incroyables yeux. Mais Kimber l'avait déjà vu dans une tenue plus décontractée, et ne se cachait pas d'avoir apprécié le spectacle.

Elle se pencha vers moi et son sourire se fit mutin.

— Si je n'avais pas vu Finn sans ses lunettes, je me serais demandé si Keane n'avait pas été adopté.

Je réprimai un rire. Il était exact que Keane et Finn avaient des styles parfaitement opposés. Surtout quand

Finn était en service dans sa tenue ultra stricte. Je ne pus m'empêcher de penser que c'était par opposition à son père que Keane s'était créé ce look de bad boy, ce qui ne semblait absolument pas déranger Finn.

— Ils se ressemblent plus qu'il n'y paraît, dis-je en me décidant enfin à boire une gorgée de mon thé et à affronter son mauvais goût.

Bizarrement, malgré l'odeur de rose toujours aussi prégnante, le thé avait un goût d'épices et de miel. Je ne reconnus aucune épice, entendons-nous bien, mais il n'avait absolument pas le goût de rose. Je pris une seconde gorgée, que je gardai en bouche.

— Alors ? me demanda Kimber avec un sourire suffisant.

J'avalai le liquide en haussant les épaules.

— Tu avais raison : on ne sent pas le goût de rose.

Je n'étais toujours pas certaine d'aimer ça, mais je pouvais le boire sans craindre les haut-le-cœur.

— Évidemment que j'avais raison. C'est ma spécialité, dit-elle en prenant une gorgée de son propre breuvage avant de tourner de nouveau ses regards vers Finn. Tu disais qu'il y avait plus de ressemblances entre eux qu'il n'y paraît... ?

Je hochai la tête.

— Quand tu les vois l'un à côté de l'autre et que tu fais abstraction des cheveux teints en noir de Keane, ça saute aux yeux.

Elle ne parut guère convaincue.

— Je les ai vus côte à côte à la soirée, me rappela-t-elle.

Je grimaçai malgré moi à ce souvenir. Je n'avais pas revu Keane depuis. J'espérais que sa fierté blessée avait eu le temps de cicatriser.

— Tu les as vus dans une boîte sombre, et Finn était tellement remonté qu'il faisait peur. Et je ne crois pas que tu avais la tête à faire des comparaisons. Oh, et d'ailleurs, je suis désolée que Keane se soit comporté comme un crétin avec toi. Si j'avais su...

Je laissai ma phrase en suspens car je ne savais pas ce que j'aurais fait si j'avais su. Mes options à ce moment-là étaient de venir avec Keane ou de zapper la soirée. Je remarquai que Kimber portait le pendentif que je lui avais offert, ce qui me rappela pourquoi j'avais pris le risque de me rendre à sa fête.

Kimber s'humecta les lèvres, et une pointe de rose colora ses joues pâles.

— Pas besoin de t'excuser. En fait, hum, je crois qu'il me plaît bien.

J'ouvris de grands yeux et restai bouche bée. Je fis mine de me déboucher l'oreille avec mon petit doigt.

— Excuse-moi, mais je crois que j'ai mal entendu. Tu viens de dire qu'il te plaisait bien ?

Le rose de ses joues s'accentua.

— J'ai l'habitude de faire peur aux garçons, m'avoua-t-elle. À cause de mon père, ou de mon intelligence. J'ai bien aimé qu'il n'ait pas peur de moi.

Revoilà cette vilaine petite pique de jalousie qui pointait son nez. Je la combattis farouchement.

— Et ce type qui était avec toi la première fois que je t'ai vue ?

C'était à l'occasion de ma seule et unique rencontre avec le mouvement Underground, et Kimber traînait alors avec un type que j'avais pris pour son petit ami. Mais maintenant que j'y songeais, elle m'en aurait déjà parlé depuis longtemps si ça avait été le cas. Et ils n'étaient pas non plus à se bécoter sans arrêt.

Kimber se pencha par-dessus la table en baissant encore la voix.

— Je suppose que tu parles d'Owain. C'est un ami, mais…

Ses yeux plongèrent au fond de sa tasse tandis qu'elle faisait tournoyer son thé.

— Tous les membres du mouvement Underground savent que je suis plus jeune qu'eux et me traitent comme un bébé. Owain flirte un peu avec moi, mais je sais que ce n'est pas sérieux.

— Et tu voudrais que ça le devienne ?

Elle fronça les sourcils tout en réfléchissant.

— Non, répondit-elle finalement avec un soupir résigné. C'est un mec sympa, mais ce n'est pas... mon genre, si tu vois ce que je veux dire.

Je voyais parfaitement.

— Et Keane, c'est ton genre ? la relançai-je en espérant garder ma jalousie parfaitement déplacée bien enfouie au fond de moi.

Son sourire devint malicieux.

— Je n'en suis pas encore certaine, mais ça se pourrait.

— Tu es cinglée, lui dis-je d'un air autoritaire. Ou bien maso.

— Si je ne devais traîner qu'avec des gens bien, qu'est-ce que je ferais ici avec toi ?

Je lui balançai à la figure le bâtonnet de bois qui me servait à remuer mon thé. Elle baissa la tête en riant. Ce n'était pas la peine, car je visais comme un manche et ces trucs tout légers ne volaient pas bien loin. Je tentai une imitation de la mine renfrognée de Keane, mais ce n'était pas facile en ayant envie de rire.

Kimber se redressa, gloussant toujours. Mais ses yeux s'arrêtèrent sur un point derrière moi et son rire mourut sur ses lèvres.

— Merdum, jura-t-elle.

Je me retournai pour voir ce qui l'ennuyait. C'est alors que je reconnus Ethan qui se frayait un chemin entre les tables dans notre direction.

Mon cœur papillonna étrangement dans ma poitrine et ma respiration se bloqua dans ma gorge quand je le vis. La première fois que je l'avais rencontré, je l'avais trouvé beau à tomber, mais j'étais désormais en Avalon depuis assez longtemps pour ne plus me laisser impressionner par la beauté surnaturelle des faës. Et ce n'était donc pas son apparence qui faisait faire des claquettes à mon estomac.

Je passai la langue sur mes lèvres, encore parfumées de l'arôme de Rose de Faëry, et reposai ma tasse.

Je savais qu'il n'en avait pas fini avec moi et m'étais faite à l'idée que je devrais affronter Ethan tôt ou tard, mais je n'étais certainement pas prête à le faire maintenant. Peut-être même que je me mentais à moi-même et ne le serais jamais.

Du coin de l'œil, je zieutai du côté de mon père et de Finn. Mon père tolérait Kimber, bien qu'elle soit un sujet de la cour des Ténèbres et la fille d'Alistair. Il avait plus de mal avec Ethan, pour des raisons politiques sans doute, ou bien juste parce que c'était un garçon. Je m'attendais plus ou moins à ce qu'il le chasse – ou le fasse chasser par Finn – mais les deux hommes ne bronchèrent pas.

Génial. Rien à espérer de ce côté-là. Je me tournai vers Kimber dans l'espoir d'un coup de main pour faire déguerpir son frère, mais la traîtresse me sourit tristement, puis recula sa chaise et se dirigea vers le comptoir en clamant haut et fort qu'elle désirait un autre thé. Je fusillai son dos d'un regard sombre tandis qu'elle se défilait.

J'entendis le crissement du métal sur la pierre quand Ethan tira une chaise pour s'asseoir, mais je refusai de le regarder. Je pris ma tasse de thé, que je sirotai à petites gorgées pour me donner une contenance.

Ethan poussa un long soupir.

— Tiffany – la fille que tu as vue avec moi à la soirée – est une ex. Très ex.

— Oui, ça se voyait à la façon dont elle se frottait contre toi, grognai-je.

Je plongeai les yeux dans mon joli thé tout rose, mais ne pus me résoudre à en absorber une gorgée de plus. J'aurais dû pour cela desserrer les mâchoires, ce qui était hors de question.

Ethan soupira de nouveau.

— Elle avait trop bu. Elle s'est frottée aussi contre les trois autres garçons avec qui elle a dansé après.

Je trouvai finalement le courage de lui faire face. Ses yeux d'un bleu turquoise presque fluorescent paraissaient hagards et j'eus presque pitié de lui. Je n'en avais peut-être pas vu assez pour justifier ma jalousie maladive. Et puis je me souvins du regard dont Ethan avait déshabillé la rouquine – Tiffany, donc – et je sus que je ne me faisais pas des idées.

Il dut voir ce que je pensais de lui, car il parut gêné et finit par baisser les yeux.

— J'avais sans doute moi-même un peu trop bu, reconnut-il. Je n'ai jamais dit que j'étais un saint, mais tu peux me croire sur parole quand je te dis que deux mois avec Tiffany comme petite amie, c'était un mois de trop.

Je lui fis les gros yeux.

— Oui, tu avais l'air de détester chaque seconde où tu as dansé avec elle. Si tu n'as pas mieux que ça, tu peux t'en aller tout de suite.

À mon grand étonnement, Ethan rougit légèrement.

— Je ne peux pas m'empêcher de remarquer quand une fille est sexy. Au début de ma relation avec Tiffany, je ne voyais même que ça. Mais je suis resté assez longtemps avec elle pour découvrir ce qu'elle est sous ses beaux appas, et ce n'est pas si joli joli. Elle me plaît physiquement et je n'y peux rien, mais elle ne m'intéresse pas. Si j'avais su que tu allais venir ce soir-là…

Sa voix faiblit, certainement sous l'effet de mes regards noirs assez féroces pour l'intimider. Si Ethan croyait qu'il pouvait flirter avec d'autres filles en mon absence, ce n'était qu'une preuve de plus que je serais mieux loin de lui. Mais voilà, encore eût-il fallu que je réussisse à m'en convaincre moi-même…

Ethan se rassit au fond de sa chaise et croisa les bras. Il laissa tomber son air de chien battu, et releva la tête pour me regarder dans les yeux avec une sorte de défi.

— Et Keane ? attaqua-t-il.

Je battis des paupières, déstabilisée par ce brusque changement de sujet.

— Eh bien quoi, Keane ? répétai-je.

Il me regarda d'un air entendu, mais je ne voyais toujours pas de quoi il parlait.

Ethan secoua la tête, et un muscle de sa mâchoire fut agité d'un tic.

— Je suppose que tu n'as jamais remarqué qu'il était beau gosse ?

— Quoi ? m'écriai-je, interloquée.

Ethan prit l'air exaspéré.

— Ne joue pas les ingénues. C'est un beau mec des Lumières qui a l'approbation de ton père. Et je sais que les filles craquent pour ces airs de bad boy qu'il se donne. Tu veux me faire croire qu'il n'y a rien entre vous deux ?

Honnêtement, je ne savais que dire. Il ne m'était jamais venu à l'esprit qu'Ethan pourrait être jaloux. J'étais trop focalisée sur ma propre jalousie pour en considérer l'éventualité. Et pour être honnête, avant de venir en Avalon, je traînais toute seule dans mon coin et je n'étais pas habituée à ce que les garçons s'intéressent à moi. Je naviguais en territoire inconnu.

— C'est mon prof d'autodéfense, protestai-je, mais ça sentait l'excuse bidon même à mes propres oreilles.

— Hum hum. Songe maintenant au nombre d'heures que tu passes avec lui par rapport à celles que tu passes avec moi.

Le rouge me monta aux joues. Il était indéniable que je passais beaucoup de temps avec Keane, mais Ethan ne pouvait pas me le reprocher. Malheureusement, je ne pouvais pas non plus nier que j'avais remarqué plus d'une fois que Keane était un canon. Je n'étais peut-être pas en position de lui lancer la première pierre, après tout. Mais il était hors de question que je le reconnaisse.

— Je passe encore plus de temps avec Finn, rétorquai-je. Tu vas être jaloux de lui aussi ?

La bouffée de culpabilité que ses mots avaient éveillée en moi se dissipait.

— Tu es en train de me dire que tu as flirté avec cette Tiffany parce que tu étais jaloux de Keane ? Que tu as voulu me rendre la monnaie de ma pièce ? Alors même que tu pensais que je ne viendrais pas à cette soirée ?

Je n'eus pas l'occasion d'entendre sa réponse, car l'air se mit à vibrer soudain du grondement assourdissant des motos.

Chapitre 10

L'Elferoi avait dû faire usage de la magie pour étouffer le bruit des moteurs, car les motos étaient pratiquement sur nous quand je les entendis. Des cris de terreur s'élevèrent autour de nous tandis que la Chasse Infernale se glissait sans effort dans la foule en direction du patio, les gens fuyant en tous sens à leur approche. Ethan et moi renversâmes nos chaises en nous levant d'un bond.

— Dana ! hurla mon père, et je les vis piquer un sprint, Finn et lui, pour couvrir la faible distance qui nous séparait.

C'étaient des faës et ils étaient rapides, mais pas autant que des motos. Avant qu'ils aient pu me rejoindre, la Chasse Infernale avait encerclé ma table. Leurs engins, à quelques centimètres les uns des autres, formaient un mur impénétrable entre mes gardes du corps et moi. Mon père criait quelque chose, mais le bruit des moteurs couvrait sa voix.

La magie se mit à fourmiller sur ma peau, et j'étais presque sûre que ça venait d'Ethan. Il avait beau être un petit prodige de la magie, capable de jeter des sorts qu'un garçon de son âge ne devrait pas pouvoir maîtriser, je doutais sérieusement qu'il soit de taille contre la Chasse Infernale.

Deux des motos s'écartèrent légèrement pour laisser passer l'Elferoi. Il portait la même tenue effrayante de cuir noir que la dernière fois, mais avait retiré son casque. Il me sourit, sans la moindre chaleur.

Ma bouche était subitement sèche, et je crois même que je tremblais légèrement. Par pur réflexe, je cherchai la main d'Ethan. L'Elferoi remarqua mon geste et haussa un sourcil sans faire de commentaires.

Je m'obligeai à me rappeler que, tout redoutable qu'il était, l'Elferoi ne pouvait pas me faire de mal. Ce qui n'était pas totalement rassurant alors que j'étais acculée par ses Chasseurs et qu'il se tenait devant moi, immense et menaçant. Je serrai la main d'Ethan un peu plus fort.

L'Elferoi inclina le buste sans me quitter des yeux.

— On se retrouve, Passemonde, me salua-t-il.

— Dois-je vous faire la révérence quand vous faites ça ? demandai-je, le tremblement de ma voix gâchant tout le sarcasme que je voulais y mettre.

Ethan me donna un coup de coude dans les côtes, mais l'Elferoi partit d'un grand rire comme si je venais de dire quelque chose d'hilarant. Cette fois, le rire gagna même ses yeux d'un bleu glacé.

— Tu peux me faire la révérence si tu le souhaites, dit-il, les lèvres encore agitées par l'amusement. Mais rien ne t'y oblige.

Je louchai désespérément au-delà du mur des motos et entraperçus Finn et mon père, impuissants à l'extérieur du cercle. Ils ne pouvaient m'atteindre sans bousculer les motards, et j'imagine que ce serait suffisant pour briser la *geis* qui les empêchait d'attaquer.

— Que voulez-vous ? demandai-je à l'Elferoi.

— Ne discute pas avec lui, Dana, m'avertit Ethan.

Je n'avais pas exactement *envie* de discuter, mais si ça le faisait déguerpir plus vite, j'étais prête à donner de ma personne.

— Que voulez-vous ? répétai-je sans me préoccuper du grognement de consternation d'Ethan.

L'Elferoi se pourlécha les lèvres, tel un chien prêt à dévorer un os.

— Je veux retrouver la liberté de Chasser dont je jouissais autrefois, dit-il. Les faës sont un gibier satisfaisant, mais que les reines ne m'accordent que trop rarement. Quelques Chasses par an tout au plus. Et puis, j'ai envie de variété.

Le sourire qui étirait ses lèvres était purement maléfique.

— Avant qu'Avalon ne fasse sécession d'avec le royaume de Faëry, je pouvais Chasser les mortels ici quand j'en avais assez des faës que les reines voulaient bien me laisser. Je n'ai pas Chassé de mortel depuis cent ans.

Oh, merde. Je n'aimais pas du tout la tournure que prenait cette conversation.

— Vous êtes en train de dire que vous voulez utiliser mon fluide de Passemonde ? Que je vous emmène dans le monde des mortels et vous laisse tuer des tas de gens ?

Il inclina la tête sur le côté, l'air étonné.

— Si par « fluide » tu veux dire ta magie, la réponse est oui.

— Hum, laissez-moi réfléchir une minute, dis-je en me tapotant le menton.

Je ne sais pas où je trouvais l'aplomb de faire la maline avec lui, surtout quand mes genoux étaient tellement flageolants que c'était un miracle que je tienne encore debout.

Je secouai la tête.

— Non. Je crois que ce ne sera pas possible. Désolée.

Je pensais qu'il serait furieux de voir sa requête rejetée, mais il me prit de court en me souriant encore une fois. Lorsque son sourire atteignait ses yeux, il était d'une beauté sidérante. D'une beauté terrifiante, mais tout à fait réelle.

— Tant pis. Ça ne coûtait rien de demander.

Je doutais pourtant qu'il eût l'intention de lâcher l'affaire aussi facilement.

— Je crois que nous n'avons plus rien à nous dire, alors, balançai-je d'un air qui se voulait assuré.

Le sourire de l'Elferoi s'élargit, et il me détailla de la tête aux pieds. Un frisson remonta le long de ma colonne vertébrale. Il me déshabillait carrément du regard, et je baissai les yeux pour m'assurer qu'il n'avait pas utilisé un sortilège pour le faire pour de bon. Le visage me brûlait d'embarras comme si je me tenais vraiment nue devant lui.

— Arrêtez ça ! dit Ethan en lâchant ma main pour s'interposer entre l'Elferoi et moi.

Je ressentis de nouveau le picotement de sa magie. Je n'aimais pas que l'Elferoi me reluque d'un air concupiscent, mais je ne voulais pas qu'Ethan se mette en tête de me défendre et s'attire des ennuis. Les garçons faës ont les mêmes problèmes de testostérone que les garçons humains.

Je posai une main sur le bras d'Ethan et le tirai en arrière pour le ramener à ma hauteur. Il me regarda d'un air surpris, mais ne protesta pas.

— Tu es sûre de ne pas vouloir faire un tour avec moi ? demanda l'Elferoi, la voix soudain changée, plus grave et plus rauque.

Séduisante, même, d'une façon qui me fit frissonner.

— Tu pourrais trouver ça plus agréable que tu ne crois.

Il haussa un sourcil de façon suggestive.

À côté de moi, Ethan se raidit et ses muscles se tendirent sous mes doigts. Je compris soudain exactement ce que l'Elferoi était en train de faire, et ce fut presque un soulagement de le percer à jour.

— Ne mords pas à l'hameçon, Ethan, lui dis-je sans quitter l'Elferoi des yeux. Il veut te pousser à faire quelque chose de stupide pour pouvoir t'attaquer.

L'Elferoi secoua la tête, un air de regret exagéré sur le visage.

— Hélas, tu as vu clair dans mon jeu, Passemonde. Mes ruses sont impuissantes contre toi.

Il exhala un dernier long soupir. Puis, l'expression de son visage changea, de nouveau froide et cruelle.

— Il est fort dommage que nous ne puissions arriver à un accord, reprit-il.

Sous mes yeux horrifiés, il passa la main par-dessus son épaule et saisit la poignée de son épée.

— Il naît si peu de Passemondes que c'est une honte de gaspiller leur vie.

L'épée jaillit de son fourreau avec un chuintement sinistre. Le métal brillait comme s'il possédait une lumière intérieure et la lame était aussi longue que ma jambe. Elle avait l'air de peser une tonne, mais l'Elferoi la tenait d'une seule main comme si elle était aussi légère qu'un couteau à beurre.

Je secouai la tête, tâchant de conserver mon courage.

— Vous ne pouvez pas me faire de mal, affirmai-je, espérant y mettre plus d'assurance que je n'en ressentais. La *geis* qui vous lie vous en empêchera.

Il me gratifia d'un autre de ses sourires glacials, de ceux qui n'incluaient pas les yeux.

— En es-tu certaine ? demanda-t-il.

Et il abattit son épée en direction de mon cou.

Je me baissai instinctivement en hurlant. À côté de moi, Ethan poussa un cri de rage plus que de peur. Au lieu de se baisser pour éviter la lame comme le ferait toute personne sensée, il se jeta en avant. Je hurlai une seconde fois en voyant le poignard d'argent dans sa main. Kimber et lui portaient toujours sur eux des armes de contact. Kimber disait que c'était à cause du danger qu'ils couraient en tant que membres du mouvement Underground. Je voulus intercepter le bras d'Ethan pour l'arrêter, mais je fus trop lente.

Un coin de la bouche de l'Elferoi se releva en un sourire triomphal tandis que son épée passait au-dessus de ma tête. Et ce n'était pas parce que je m'étais baissée – il m'avait manqué volontairement et n'avait jamais eu l'intention de toucher à un seul de mes cheveux. Mais Ethan l'ignorait.

L'Elferoi m'adressa un clin d'œil avant de lever le bras pour parer à l'attaque d'Ethan. Il ne fit même pas la grimace quand le poignard d'argent pénétra le cuir de sa veste et que le sang coula sur son avant-bras.

Je crois qu'à la dernière seconde, Ethan se rendit compte qu'il s'était fait piéger, mais il était trop tard pour qu'il puisse s'arrêter dans son élan.

— Trop facile, dit l'Elferoi, qui ne semblait pourtant pas mécontent.

Remettant son épée au fourreau d'une main, il souffleta négligemment Ethan du revers de l'autre.

Du sang jaillit de la joue d'Ethan, et le coup le fit reculer. Il vacilla quelques secondes, puis ses jambes cédèrent sous lui. Je me précipitai à son côté, tandis que l'Elferoi examinait les pointes ensanglantées de son gantelet.

Je m'agenouillai près d'Ethan, soulagée de constater que sa poitrine se soulevait toujours au rythme de sa respiration. Pour combien de temps, je n'en savais rien. Mon esprit bouillonnait furieusement, cherchant un moyen de le sauver sans permettre à l'Elferoi de m'attaquer. Mais je ne trouvai rien.

Pourtant, quand l'Elferoi s'accroupit en face de moi, il ne fit aucun geste hostile. Sa suffisance l'avait quitté, et lorsque son regard croisa le mien au-dessus du corps d'Ethan, je crus y discerner une sorte de tristesse. Sa voix était étonnamment douce quand il prit la parole, et tellement sourde que je fus la seule à l'entendre.

— Il est mien à présent, Passemonde.

Il tendit une main pour écarter une mèche blonde du sang qui maculait le visage d'Ethan.

— Sa blessure guérira dans l'heure, mais il ne sera plus jamais l'homme que tu connaissais.

Des larmes coulèrent sur mes joues quand il prit dans ses bras le corps inanimé d'Ethan et se releva avec lui. Je fis un geste pour le retenir, mais ne savais comment m'y prendre.

Sur un signe de tête de l'Elferoi, la Chasse Infernale rompit le cercle, permettant à mon père de se glisser entre eux.

J'avais envie de me jeter dans ses bras et de pleurer, mais je n'osai bouger ou quitter l'Elferoi des yeux, de crainte qu'il ne disparaisse avec Ethan.

L'Elferoi demeura debout, le corps désarticulé d'Ethan dans les bras, laissant mon père arriver jusqu'à moi. Dans un de ses moments de grande extraversion, Papa m'entoura les épaules d'un bras et me serra contre lui. L'espace d'un instant, je me demandai même s'il n'était pas satisfait que l'Elferoi retire Ethan du jeu. Je vous ai déjà dit qu'il ne le portait pas dans son cœur. Mais ce fut très furtif.

Alertée par le tremblement du bras de mon père contre mes épaules, je détournai enfin les yeux de l'Elferoi pour les lever sur lui.

Il serrait si fort les mâchoires que ses os se dessinaient sous la peau, et je n'avais jamais vu autant de fureur dans ses yeux. Ses joues en étaient écarlates, et j'étais à deux doigts de croire que le regard qui tue existait bel et bien.

Mon père n'est généralement pas ce que j'appellerais quelqu'un d'expressif, mais il était tellement secoué par ce qui venait de se passer qu'il avait baissé sa garde. Sous la colère meurtrière, je perçus une chape si lourde de souffrance et de chagrin que ma propre poitrine me fit mal. Je ne savais pas de quoi il s'agissait, mais ça allait bien au-delà de la cause d'Ethan.

L'Elferoi gratifia mon père d'un de ces sourires glacés qui ne touchaient pas ses yeux.

— Vas-tu te battre pour celui-ci, Seamus ? demanda-t-il. Ma Chasse serait en vérité très honorée de compter un membre tel que toi dans ses rangs.

Le bras de mon père glissa de mes épaules et ses mains formèrent des poings le long de son corps.

— Laisse ma fille tranquille, Arawn, répondit-il sans desserrer les dents.

L'Elferoi – Arawn, donc – fronça les sourcils, feignant l'étonnement.

— Je n'ai fait aucun mal à ta fille. Quant à celui-ci (il souleva le corps d'Ethan), il n'est pas de ton sang.

Papa déglutit, et j'aperçus avec horreur l'éclat des larmes dans ses yeux.

Sans que l'Elferoi ait paru faire un signe, l'un de ses Chasseurs abaissa la béquille de sa moto et en descendit. Il se présenta de dos, à mon père et à moi, le temps de déboucler son casque, qu'il retira et posa sur sa selle. De longs cheveux blonds tombèrent en cascade, et il se retourna.

Mon père émit un gargouillis terrible comme s'il s'étouffait, et je lui pris le bras de crainte qu'il ne s'écroule.

Les bottes du Chasseur résonnèrent d'un claquement métallique sur le trottoir lorsqu'il vint prendre position au côté de l'Elferoi. Le Chasseur regardait fixement mon père avec une telle intensité qu'on aurait dit qu'ils étaient seuls au monde.

Mon cœur cognait comme un fou dans ma cage thoracique, et j'en oubliai de respirer en dévisageant le Chasseur à visage découvert. Il était un peu plus petit que mon père, et beaucoup plus large de poitrine. Mais ses yeux étaient la copie conforme de ceux de mon père, et la forme de leur visage assez proche pour que la ressemblance saute aux yeux. Une version réduite du tatouage de l'Elferoi s'enroulait sur sa tempe et jusque sous son œil.

L'Elferoi lui confia le corps d'Ethan, qu'il reçut sans quitter mon père des yeux. Le visage du Chasseur était de marbre, mais son regard était hanté.

— Connor, dit mon père d'une voix éraillée par la douleur.

L'Elferoi sourit à pleines dents, puis donna de petites tapes sur la tête de Connor comme à un bon chien.

— Je suis sûr que ton fils ne demanderait qu'à te saluer, dit-il, mais je suis certain que tu sais aussi que mes Chasseurs ne parlent pas.

Même si j'avais commencé à deviner ce qui se passait exactement, je ne pus retenir un petit cri.

J'avais un frère. Un demi-frère, du moins. Connor n'avait sûrement pas de sang humain. Il ressemblait beaucoup trop à un faë.

L'Elferoi se tourna vers Connor, qui inclina la tête et lança un long regard nostalgique à mon père avant d'emporter le corps d'Ethan vers sa propre moto. Je ne savais pas comment Connor allait s'y prendre pour piloter son engin tout en transportant un homme inconscient, mais je ne doutais pas qu'il y parvienne.

L'Elferoi reporta une nouvelle fois son attention sur moi.

— Tu devrais rappeler à ton père qu'il a encore une fille à protéger, Passemonde, me lança-t-il. Je l'accueillerais avec un plaisir non dissimulé au sein de ma Chasse, mais ce ne serait pas très fair-play de ma part de le prendre aujourd'hui.

Je m'agrippai au bras de mon père juste au moment où il allait faire un pas en avant. Il tremblait de rage, et ses yeux étaient si inhumains qu'une partie de moi eut envie de lâcher prise et de fuir en courant.

— Ne fais pas ça, Papa, l'implorai-je. Je t'en prie. J'ai besoin de toi.

Je sentis les larmes couler sur mes joues, et je ne savais même pas pour qui je les versais : pour Ethan, pour Connor, pour mon père ou pour moi-même. Peut-être pour nous tous à la fois.

Mon père hésita, mais je sentais son désir de s'arracher à moi dans la crispation de ses muscles. Il me jeta un rapide coup d'œil, et revint à l'Elferoi. Toutes les cellules de mon corps surent qu'il était sur le point de tout abandonner pour une attaque futile, et je fis la seule chose qui me vint à l'esprit pour l'en empêcher.

Je jetai mes bras autour de sa taille, enfouis mon visage dans son torse et laissai libre cours à mes sanglots.

Pendant un long et terrible moment, il ne fit pas un geste – au moins, ne me repoussa-t-il pas. Puis, doucement, timidement, ses bras se refermèrent sur moi.

Je ne levai pas la tête quand le rugissement des moteurs m'apprit que l'Elferoi et sa Chasse se retiraient.

Chapitre 11

Ce fut le branle-bas de combat dès que la Chasse Infernale eut disparu, mais j'étais dans une sorte d'état de choc et je ne me souviens pas de grand-chose. Kimber était hystérique – Ethan et elle étaient comme chien et chat, mais c'était tout de même son frère. Je n'étais pas en état de la réconforter, et je doute qu'elle ait voulu de mes consolations. C'était à cause de moi que l'Elferoi avait pris Ethan, et une culpabilité accablante prenait presque le pas sur mon chagrin.

Papa m'emmena finalement chez lui pendant que Finn raccompagnait Kimber à son appartement. Mon père me déposa sur le canapé du salon, puis monta à l'étage libérer ma mère de sa chambre prison et l'informer des derniers événements.

Je n'avais plus de larmes, et une sorte de torpeur s'était emparée de moi. Un engourdissement qui n'empêchait malheureusement pas la culpabilité de me ronger. L'Elferoi s'était servi de moi pour provoquer Ethan. Tout était ma faute. Pire, je ne pouvais me sortir de la tête que c'était uniquement à cause de moi que l'Elferoi s'était intéressé à Ethan.

J'entendis mes parents descendre l'escalier, mais j'étais trop mal en point pour lever la tête. Papa vint me rejoindre au salon, et j'entendis des bruits de casseroles dans la cuisine, ce qui voulait dire que Maman préparait du thé. Argh. Je ne voulais plus revoir une autre tasse de thé jusqu'à la fin de ma vie au moins.

Personne ne dit rien pendant un long moment. Je retirai mes chaussures pour poser mes pieds sur le canapé, et enserrai mes genoux dans mes bras. Papa s'assit sur la causeuse en contemplant ses mains. Ma mère apporta le plateau du thé et en versa trois tasses sans prononcer un mot. J'ignorai la mienne.

— Parle-moi de Connor, demandai-je à mon père quand le silence devint trop lourd.

Je n'avais pas encore vraiment réalisé que j'avais un frère dont je n'avais jamais entendu parler, et c'était peut-être aussi bien.

Papa soupira profondément en secouant la tête. Je crus d'abord que ça signifiait qu'il ne voulait pas en parler, mais il me surprit.

— Mon premier-né, dit-il, les yeux rivés sur le ruban de vapeur s'échappant de sa tasse.

Il avait la voix éraillée. Il se racla la gorge et but une gorgée de thé, mais rien n'avait changé lorsqu'il poursuivit :

— Il y a bien longtemps, quand l'Elferoi Chassait encore à sa guise en Faëry, j'étais l'époux de Titania.

Je retins mon souffle. Avant de le connaître, on m'avait décrit mon père comme « l'un des plus hauts dignitaires de la cour des Lumières ». J'avais compris que ça signifiait qu'il était un personnage important de la cour de Titania – même si, techniquement, en tant que citoyen d'Avalon, il n'était pas censé faire allégeance à une cour –, mais il ne m'était jamais venu à l'esprit qu'il pouvait être le prince consort de la reine.

— Elle garde rarement un époux plus d'un siècle, mais ceux qui lui donnent des descendants ont tendance à durer plus longtemps. Je sais qu'elle s'était lassée de moi sur la fin et cherchait à me remplacer. C'est alors qu'elle donna naissance à Connor, et je remontai dans son estime.

» La naissance de mon fils me valut un siècle supplémentaire au côté de la reine. C'est à ce moment-là qu'elle décida de mettre un terme aux maraudages de l'Elferoi. Elle envoya à sa recherche un contingent de Chevaliers commandé par Connor avec pour mission de le tuer. Seulement, comme je te l'ai dit, c'est une chose impossible. Lui et ses Chasseurs ont liquidé tous les Chevaliers de l'armée de Connor, mais l'Elferoi décida d'envoyer un message plus... fort à Titania, en contraignant Connor à rejoindre sa Chasse Infernale. Ce fut le rapt de Connor qui convainquit finalement les deux reines de conclure un marché.

— Un marché excluant le sort de Connor ? m'étonnai-je, ma voix s'élevant malgré ma torpeur.

J'aurais cru que la motivation première de Titania en passant un marché avec l'Elferoi aurait été la libération de son fils.

Mais, encore une fois, les faës ne sont pas des humains, et ceux qui vivent en Faëry ne font même pas semblant.

Papa ferma les yeux, ma question réveillant une douleur évidente.

— Je sais qu'elle a tenté de le faire relâcher, dit-il. Mais l'Elferoi n'a rien voulu entendre.

Il rouvrit les yeux et les plongea dans les miens. En plus de la douleur, j'y lus aussi de la sympathie.

— Il se fait un point d'honneur de ne jamais rendre de prisonniers.

Ma gorge se noua et les larmes me montèrent aux yeux, preuve qu'il m'en restait encore, finalement.

— Il y a forcément un moyen... commençai-je avant que les mots ne s'étranglent dans ma gorge.

— Titania elle-même a échoué, répondit mon père en secouant la tête. Il a pris Ethan aujourd'hui, et rien ne pourra le sauver.

Je ravalai les protestations qui me montaient aux lèvres. Peut-être que la reine des Lumières ne disposait pas du même type d'arguments que moi. Après tout, elle n'était pas une Passemonde, et ne pouvait pas lui offrir un accès au monde des mortels.

Mes pensées s'arrêtèrent tout net. Oui, je possédais quelque chose que l'Elferoi désirait. Mais j'avais déjà décidé que c'était une chose que je ne lui donnerais jamais. Pas même pour sauver Ethan.

— Je sais ce qu'il veut de toi, Dana, ajouta mon père, et j'imagine que ce n'était pas sorcier à deviner en sachant que tu étais une Passemonde. Tu ne dois pas le lui donner.

La colère gronda dans ma poitrine, et j'aurais sûrement prononcé des mots que j'aurais regrettés si ma mère ne m'avait pas prise dans ses bras à l'improviste pour me serrer contre elle.

— Fais un peu plus confiance à notre fille, Seamus, le rabroua-t-elle, et elle paraissait aussi furieuse que moi. Je ne peux pas croire que tu envisages même la possibilité qu'elle puisse aider la Chasse Infernale à pénétrer dans le monde des mortels.

Je sentis la main de mon père m'effleurer le haut de la tête alors que je ne l'avais pas entendu se déplacer de la causeuse au canapé.

— L'Elferoi est un esprit malin très ancien, lui répondit-il, et je pense qu'il parlait aussi pour moi. C'est un maître dans l'art d'obtenir ce qu'il veut, et une jeune fille de seize ans – si raisonnable soit-elle – n'est pas de taille à lutter contre lui.

Je me dégageai des bras de ma mère pour le foudroyer du regard.

— Arrête ça, d'accord ? Je n'ai aucune envie d'être raisonnable en ce moment ! Tu ne peux pas attendre demain avant d'essayer de me convaincre que tu as toujours raison ?

Je savais que je l'accusais à tort, mais en cet instant précis je n'en avais rien à cirer. Je ne voulais pas de sa logique, de sa réalité et de sa moralité. Je voulais juste qu'on me réconforte, qu'on me dise que tout allait s'arranger, même si ce n'était pas vrai.

Les faës sont de nature introvertie, et la vue de Connor avait suffisamment bouleversé mon père pour qu'il me laisse entrevoir un moment ses sentiments. Mais ça ne suffisait pas. Je voulais le père dont j'avais toujours rêvé, un père qui me protégerait, serait présent à mes côtés et m'aimerait. Je ne voulais pas d'un père qui ne trouvait rien de mieux à faire, le pire jour de ma vie, que de m'expliquer que c'était mal de laisser un dangereux psychopathe en liberté dans le monde des mortels.

Soudain, sa présence me fut insupportable. Je bondis du canapé, repoussant le bras de mon père qui tentait de m'arrêter. La chambre du deuxième étage n'était plus la mienne, ma mère l'occupait désormais, mais c'était le seul endroit où je pouvais me réfugier pour me soustraire à sa présence.

Alors qu'une nouvelle marée de larmes me montait aux yeux, j'ouvris brutalement la porte et filai dans l'escalier dont je montai les marches deux à deux.

Il me fallut un moment pour retrouver mon calme. Chaque fois que je croyais avoir fini de pleurer, je trouvais de nouvelles raisons de croire que c'était de ma faute si tout allait de travers. Si seulement j'avais trouvé la force de prendre en main ma mère et son problème d'alcool, je ne serais jamais venue en Avalon et Ethan n'aurait pas été capturé par l'Elferoi.

La seule chose qui mit finalement un terme à ma séance d'autoflagellation fut ma détermination absolue à ne pas abandonner Ethan. Mon père avait beau croire qu'il était impossible de le sauver de la Chasse Infernale, bon sang, je trouverais un moyen. Sans laisser l'Elferoi s'adonner à un carnage.

Je m'aspergeai le visage d'eau froide dans la salle de bains, et commis l'erreur de me regarder dans la glace.

Ce n'était pas beau à voir. J'avais les yeux rouges et bouffis et les cheveux collés sur mes joues par les larmes. Je pris deux ou trois inspirations, puis entrepris de me rafraîchir du mieux que je pus. Mes yeux ne ressemblaient toujours à rien lorsque j'eus terminé, mais j'avais au moins démêlé mes cheveux et les avais noués en une queue-de-cheval bien nette.

Mon plan était de redescendre au salon et de m'excuser auprès de mon père de lui avoir répondu sur ce ton. Je persistais à penser qu'il aurait dû savoir que je ne mènerais jamais la Chasse de l'Elferoi pour une virée sanguinaire dans le monde des mortels, mais je savais que j'avais réagi de manière excessive. La vue de Connor lui avait forcément fait du mal. La perte d'Ethan était déjà terrible, et je supposais que ce n'était rien à côté de la perte d'un fils.

Ma mère m'intercepta avant que je puisse lui parler. Elle m'attendait à la porte de la salle de bains.

— Je sais que tu n'aimes toujours pas le thé, dit-elle en me tendant une tasse, alors je t'ai fait du café.

Au diable ma gorge, qui se serra de nouveau. Je déglutis et réussis à faire bonne figure.

— Merci, dis-je en prenant la tasse que j'entourais de mes mains.

Papa n'avait chez lui que du café soluble, mais c'était mieux que rien. Je bus une gorgée en m'efforçant de ne pas faire la grimace. C'était chaud et ça me fit tout de même du bien.

Maman s'assit au bord du lit et tapota le matelas à côté d'elle pour m'inviter à la rejoindre. J'avais toujours l'intention de présenter mes excuses à mon père, mais rien ne pressait, et je lui obéis avec joie. Elle appliqua une main dans mon dos, qu'elle me frotta de haut en bas pendant que je buvais mon café.

En temps normal, j'aurais repoussé sa main, mais là, j'avais vraiment besoin de réconfort.

— Tu aimes beaucoup ce garçon, n'est-ce pas ? me demanda-t-elle doucement.

J'étais un peu gênée. Maman et moi n'avions pas ce qu'on peut appeler une relation chaleureuse et amicale. Je n'avais jamais parlé garçons avec elle, et ne lui avais pas dit grand-chose d'Ethan. Je n'avais pas très envie d'aborder le sujet maintenant, mais elle faisait un effort pour venir vers moi, ce qu'elle n'avait jamais fait quand elle buvait. Si je la repoussais, ce serait peut-être la dernière fois.

— Je crois, lui répondis-je. C'est un peu compliqué.

Je ne la regardais pas, mais j'entendis le sourire dans sa voix.

— C'est toujours compliqué.

J'émis un petit bruit qui était presque un rire et bus une autre gorgée de mon horrible café pour rassembler mes pensées.

— Mais je ne crois pas que ça ferait de différence si je le détestais cordialement, lui fis-je remarquer. Je me sentirais toujours aussi mal qu'il ait eu des ennuis à cause de moi.

— Ce n'est pas ta faute, ma chérie.

Je secouai la tête de haut en bas.

— Bien sûr que si. C'est uniquement à cause de moi que l'Elferoi s'en est pris à Ethan. Si je t'avais écoutée quand tu essayais de me mettre en garde contre Avalon…

Cette argumentation en disait long sur mon état d'esprit. Ma mère m'avait raconté tellement d'histoires contradictoires à propos de mon père et d'Avalon que je ne savais plus que croire. J'avais finalement décidé d'aller voir par moi-même de quoi il en retournait, et c'est ainsi que le cauchemar avait commencé.

Du coin de l'œil, je la vis faire la grimace.

— Ce n'est pas ta faute, répéta-t-elle d'un air malheureux. Je sais que je ne t'ai pas facilité les choses de ce point de vue. Peut-être que si je n'en avais pas rajouté pour te faire passer toute envie de venir ici…

Elle espérait sans doute que j'allais la dédouaner, mais je n'en avais pas l'intention. Nous avions beau vivre un joli petit moment de tendresse entre mère et fille, ça ne signifiait pas pour autant que j'étais prête à lui pardonner le naufrage qu'elle avait fait de nos vies.

Elle secoua la tête et poursuivit comme si elle n'attendait aucune réaction de ma part.

— Et puis, si tu n'étais pas venue, tu n'aurais jamais rencontré ton père. Je sais qu'il n'est pas parfait, et je déteste tout ce que tu as dû endurer, mais je suis heureuse que tu aies fait sa connaissance. Et lui la tienne. J'ai toujours eu beaucoup de scrupules à lui cacher ton existence...

— Tu étais au courant pour Connor ? l'interrompis-je en scrutant son visage pour voir si elle disait la vérité.

Le fait de savoir que j'avais un demi-frère n'aurait peut-être pas changé ma vie quand j'étais petite ou depuis mon arrivée en Avalon, mais c'était un nouveau grief que je pourrais ajouter à son encontre si elle l'avait su et ne m'en avait rien dit. Vu qu'elle avait caché à mon père qu'il avait une fille, mes soupçons étaient légitimes.

— Non, répondit-elle, et l'expression peinée de ses yeux me convainquit qu'elle ne mentait pas. Il ne m'en a jamais parlé. Je savais qu'il avait perdu un être cher qui lui avait été ravi par la Chasse Infernale, mais je ne savais pas qui c'était ni s'il l'avait « perdu » au sens de « mort » ou « capturé ».

— Est-ce que tu me l'aurais dit si tu avais été au courant ?

À l'époque où elle buvait encore, Maman ne reculait jamais devant un mensonge. Peu lui importait que ce soit gros comme une maison ou que je ne la croie manifestement pas – si elle avait à choisir entre avouer une vérité déplaisante et inventer une histoire, elle optait à tous les coups pour la seconde solution. Et c'est ce qu'elle aurait fait sans une hésitation pour cette question en particulier, mais aujourd'hui, elle m'avoua la vérité avec une grimace.

— Sans doute pas, ma chérie, admit-elle. À quoi cela aurait-il servi ?

D'un côté, j'étais heureuse qu'elle se montre honnête avec moi, mais en même temps, elle était en train de me dire qu'elle m'aurait caché la vérité.

Je secouai la tête.

— Et pourquoi ça devrait servir à quelque chose ? N'aurais-je pas eu tous les droits de savoir que j'avais un frère ? Je ne suis plus une enfant, Maman. Tu n'as pas besoin d'épargner ma sensibilité ou d'autres trucs bien nuls que tu te crois obligée de faire.

La peine dans les yeux de ma mère ne m'échappa pas. Génial. Je me disputais d'abord avec Papa, et voilà que j'engageais un second round avec Maman. Je ne serais sûrement pas leur Little Miss Sunshine étant donné les circonstances, mais j'avais mieux à faire que de distribuer les coups.

— Désolée, murmurai-je en détournant les yeux de son chagrin.

Elle tendit la main pour me tapoter le dos.

— Ce n'est pas grave, ma chérie. Je sais que tu m'en veux. Tu as toutes les raisons de m'en vouloir.

Je me mordis la langue. Fort. Elle n'avait toujours pas la moindre idée de la vraie raison pour laquelle je lui en voulais tant. Après tout, nous avons déjà établi qu'elle refusait d'admettre qu'elle avait un problème avec l'alcool. Et si elle n'avait pas de problèmes d'alcoolisme, je ne pouvais pas lui en vouloir pour ça, vous suivez ?

Un jour ou l'autre, je péterai vraiment un câble et nous nous hurlerons dessus à propos de son alcoolisme. Mais aujourd'hui, je n'en avais pas l'énergie. Je voulais seulement rentrer chez moi, me glisser dans mon lit et enfouir ma tête sous les draps. Je gardai donc les lèvres closes et murai ma colère au fond de sa cachette, où elle pourrait continuer à couver encore un peu.

Chapitre 12

Mes parents voulaient que je passe la nuit chez mon père. Ils devaient sans doute penser que j'avais besoin d'être consolée comme un bébé. Ils s'attendaient peut-être, si je restais, à ce que je me confie à eux et me laisse dorloter, mais j'avais peur de ne pas maîtriser mon tempérament versatile et de rendre la soirée encore plus glauque qu'elle ne l'était déjà. En outre, même si mon père avait manifestement de gros moyens, sa maison n'était pas exactement un palace, et ma mère occupait la seule chambre d'ami. Elle offrit de dormir sur le canapé pour me laisser son lit, mais je refusai.

Bien sûr, mon père aurait pu m'obliger à rester. Mais je crois qu'il est lui-même plutôt du genre à préférer la solitude pour soigner ses blessures, et il avait compris que je tenais ça de lui.

Qu'importe la raison, il accepta de me raccompagner dans mon bunker. Finn nous y rejoignit, et lorsque mon père repartit, je me retirai dans ma suite, seule avec mes pensées.

J'étais consciente que j'aurais dû appeler Kimber pour prendre de ses nouvelles et voir si elle tenait le coup. Mais je savais comment elle allait, mal, forcément mal. Lui passer un coup de fil aurait pourtant été la meilleure chose à faire, mais je n'en avais simplement pas la force ce soir. Je n'étais pas prête à affronter le regain de culpabilité que son chagrin éveillerait en moi. Et je ne voulais plus pleurer, ce que je ne manquerais pas de faire en entendant sa voix. Le seul fait de regarder mes ongles fraîchement manucurés me faisait monter les larmes aux yeux, et j'aurais sûrement déjà tout enlevé si j'avais eu du dissolvant sous la main. J'envisageai de m'entraîner à invoquer la magie pour me changer les idées, mais je n'étais même pas sûre de pouvoir chanter « Frères Jacques ». Je me résolus donc à me coucher tôt, et restai allongée dans le noir à me demander ce que j'aurais pu faire pour sauver Ethan.

J'ai dû finir par m'endormir, parce que ce fut un tambourinement à ma porte qui me tira du sommeil. Je me renfonçai sous mes couvertures en grognant. Le sommeil était la plus belle invention de l'histoire de l'humanité. Quand je dormais, je ne me sentais plus coupable ni malheureuse ni triste.

Les coups sur ma porte redoublèrent, jusqu'à ce que je comprenne que je ne pourrais pas me rendormir. Je possède un de ces radios-réveils qui s'éclairent progressivement le matin pour ne pas me réveiller dans l'obscurité totale de mon bunker. Lorsque j'ouvris finalement les yeux, je vis que l'affichage était à son maximum de luminosité et, même s'il me fallut un certain temps pour accommoder la vision de mes yeux embrumés de sommeil, je savais que c'était le matin.

Les coups sur ma porte ne faiblissaient pas. Et commençaient à me prendre la tête.

— C'est bon ! criai-je. Je suis réveillée.

Pourquoi est-ce que Finn ne me laissait pas dormir ? Je n'avais rien de particulier à faire.

— Désolé de te réveiller, appela Finn à travers la porte.

Il n'avait pourtant pas l'air désolé du tout.

— Ça fait plus d'une heure que Keane t'attend, et j'ai pensé que ça suffisait.

Il me fallut cinq bonnes minutes pour enregistrer ce que Finn venait de dire. Je me souvins alors que nous étions mardi et que c'était le jour d'une de mes leçons avec Keane. Un coup d'œil au réveil m'indiqua qu'il était 10 heures passées, alors que mes séances débutaient d'habitude à 9 heures, autant dire aux aurores.

Je repoussai mes cheveux emmêlés de mon visage et lâchai un juron. Je pensais que Keane ne viendrait pas aujourd'hui. Je sais bien que la vie suit son cours et tout le pataquès, mais quand même...

J'aurais aussi bien pu zapper son cours, mais je connaissais mon Keane. Il aurait forcé la porte de ma chambre, m'aurait tirée par les pieds s'il le fallait et porté sur son dos jusqu'aux tapis d'entraînement.

— Dites-lui que j'arrive dans quelques minutes, répondis-je d'une voix résignée.

Je prends généralement une douche avant nos séances de combat, même si ça ne me dispense pas de remettre ça à la fin de la leçon. Mais aujourd'hui, je ne m'en sentais pas le courage. Je ne crois pas que je sentais mauvais, même si je me fis peur en me regardant dans le miroir de la salle de bains. Ouais, c'était à ce point.

Je me brossai les dents, me lavai la figure, démêlai mes cheveux, que je nouai à la hâte en chignon. Bâillant toujours, je revêtis un pantalon de yoga et un débardeur moulant. Lors de mes premières séances, je portais des tee-shirts amples confortables, mais je m'étais vite aperçu que ce genre de vêtement ne vous couvrait pas bien longtemps quand on passait la moitié de son temps la tête en bas ou à se faire traîner sur des tapis. J'en rougissais encore de penser aux gros plans que Keane avait eus de mon soutien-gorge. (Heureusement que j'en portais un ! Plate comme je suis, j'aurais très bien pu m'en passer.)

Keane m'attendait dans le salon. Il avait déjà poussé les meubles pour faire de la place aux tapis. La routine habituelle mais, quand je le regardai, je constatai pourtant qu'une partie au moins de la routine était aux abonnés absents.

Keane est avant tout un poseur pétri d'arrogance, et son catalogue d'expressions varie généralement du petit sourire narquois ou suffisant aux regards noirs dont il vous bombarde. Mais aujourd'hui, il était différent. Quoi qu'il puisse éprouver, il était d'humeur sombre. Était-ce à cause de ce qui était arrivé hier soir à Ethan ? Ou souffrait-il toujours de la déculottée que lui avait infligée son père sous mes yeux ?

Quoi qu'il en soit, je n'avais pas envie de gérer ça. Merde, je n'étais en état de rien gérer du tout.

Je me donnai mentalement une claque. Ethan n'avait pas eu envie de se faire capturer par la Chasse Infernale, lui non plus. Ce que nous désirons de la vie et ce que la vie nous réserve sont deux choses bien différentes.

Je me demandais ce que devenait Ethan en ce moment même. Sa blessure avait-elle entièrement cicatrisé ? Que lui avait fait l'Elferoi ? Il était manifestement destiné à devenir un membre de sa Chasse, mais qu'est-ce cela impliquait exactement ? Je me souvins que l'Elferoi avait dit que ses Chasseurs ne parlaient pas, et je frissonnai tandis que mon cerveau tentait de m'envoyer des images de ce qu'il pouvait leur infliger pour les rendre muets.

Et merde, voilà que les larmes me brûlaient de nouveau les yeux. Je clignai farouchement les paupières, déterminée à les empêcher de couler. Pleurer ne sauverait pas Ethan, et ne me permettrait pas d'aller mieux.

Keane prouva une fois de plus qu'il était un homme de cœur. Alors que je restais plantée sur le pas de la porte en tâchant de me ressaisir, il s'avança vers moi en deux ou trois longues enjambées. Allait-il me prendre dans ses bras, me témoigner sa sympathie ou me dire que tout allait s'arranger ?

Rien du tout.

Sans me laisser le temps de réagir, il m'agrippa et tira en avant pour me déséquilibrer, puis me faucha les jambes. Je fus complètement prise au dépourvu et chutai tête la première en direction du sol de pierre, car nous n'étions même pas sur les tapis. Instinctivement, je tendis les mains en avant pour amortir le choc, mais Keane me saisit sous les aisselles et me retint avant que je touche terre. Il me jeta ensuite, brutalement, sur les tapis.

Gracieuse comme un rhinocéros blessé, je me pris les pieds sur le bord et m'étalai de tout mon long. Je commençais à être suffisamment habituée aux leçons de Keane pour savoir que je n'avais pas intérêt à rester allongée pour reprendre mon souffle, aussi roulai-je aussitôt sur le côté droit, évitant Keane qui avait plongé sur moi. Je n'avais pas assez bien attaché mes cheveux, et une mèche me tomba dans les yeux.

Je me relevai d'un bond, en mode pilote automatique maintenant que la séance avait commencé – sans préavis. Keane me regardait d'un air furibond en secouant la tête.

— Combien de fois devrai-je te dire de ne pas placer tes mains comme ça ? aboya-t-il dans sa meilleure imitation du sergent instructeur. Tu aurais pu te casser tes putains de poignets !

Je fis de mon mieux pour ne pas broncher. Je croyais être immunisée contre ses coups de gueule pendant nos entraînements, mais j'imagine que la situation m'avait fragilisée. Et c'était vrai que Keane avait passé beaucoup de temps à m'apprendre à tomber, et que la réception mains tendues n'était pas au programme.

En temps normal, je lui aurais renvoyé du tac au tac un truc bien senti. Ouais, disons un truc minable que je pouvais faire passer pour un truc bien senti. Mais aujourd'hui je ne répondis rien, et regrettai de ne pas être restée au lit. Il n'aurait pas pu venir me tirer par les pieds si j'avais enfoncé le bouton d'urgence qui abaissait les portes blindées du couloir.

Keane devait être d'aussi mauvaise humeur que moi. Au lieu d'attendre une réponse ou de me laisser le temps de me reprendre, il balança son poing en direction de ma tête. Encore une fois, mon corps se mit en pilote automatique. Je m'avançai vers lui sans réfléchir pour briser son élan et tendis le bras pour parer le coup. Je fus trop lente et son poing termina sa course dans mon épaule.

Je sais que Keane retient ses coups dans nos combats, mais je les sens quand même. Au début, la douleur me paralysait souvent, au moins quelques instants. Aujourd'hui, elle me rendit seulement dingue. Je contrai avec un coup de pied au genou qui lui aurait sûrement cassé quelque chose s'il n'avait pas eu ses sorts de protection.

Nous luttions désormais avec acharnement. Tout mon être était tendu pour éviter ses coups et me libérer de ses prises tout en cherchant – sans succès pour l'instant – à passer ses défenses. En ce moment précis, il ne m'enseignait rien. Si mon cerveau n'avait pas été trop occupé à me défendre, j'aurais pu me demander ce qu'il lui prenait ce matin.

Je faisais du bon boulot de défense, mais chaque coup de poing ou de pied que je bloquais me faisait mal, et la douleur décuplait ma rage, jusqu'à ce que je réussisse à lui coller un uppercut.

Keane me donnait des cours d'autodéfense, et je n'étais pas censée attaquer. Oui, j'avais appris à placer des coups de poing, des coups de pied et quelques prises, mais toujours dans le but de mettre mon adversaire hors d'état de nuire afin de pouvoir m'enfuir. Je n'étais supposée frapper que les parties les plus vulnérables de son anatomie avec les parties les moins fragiles de la mienne. Je nous pris tous les deux de court lorsque mon poing s'écrasa sur sa mâchoire.

Si je m'étais battue contre un adversaire réel, ce mouvement aurait été une très mauvaise décision. Mes coups ne sont pas assez puissants pour occasionner beaucoup de dégâts, à moins de frapper les parties sensibles. Sans compter le fait – dont on parle très rarement – que, merde, ça fait mal d'aplatir son poing contre une surface aussi dure. Les sorts de protection utilisés par les combattants faës sont également assez costauds.

L'impact du choc remonta de mon bras jusqu'à l'épaule, et mes doigts s'engourdirent quelques instants. Je disposai d'une demi-seconde pour enregistrer la surprise sur le visage de Keane – et éprouver une méchante bouffée de triomphe – avant que la douleur n'envahisse brutalement ma main.

Je m'attendais plus ou moins à ce que Keane profite de ma distraction (on ne peut pas dire qu'il était cool avec moi aujourd'hui), mais je ne pus m'empêcher d'emmailloter ma main contre mon corps tout en serrant les dents. Cette position me laissait sans défense, mais à cet instant précis, je n'en avais que faire.

Keane laissa échapper un gros soupir et me tendit sa main.

— Fais-moi voir, dit-il d'un ton exaspéré.

Je me reculai d'un mouvement brusque, la colère bouillonnant toujours dans mes veines.

— Ne me touche pas !

Mes jointures m'élançaient au rythme de mes pulsations cardiaques. Mon coup de poing ne paraissait pas lui avoir fait mal. Le surprendre, c'était apparemment le mieux que je pouvais faire. Et quelque part, ce n'était pas aussi satisfaisant.

Keane leva les yeux au ciel.

— Arrête ton cinéma. Laisse-moi voir ta main. Si elle est juste amochée, je peux te soigner. S'il y a une fracture, nous devrons t'emmener aux urgences.

— Je n'ai rien de cassé.

Du moins, je l'espérais.

— Alors, laisse-moi te soigner.

Même le moins puissant des faës possède suffisamment de pouvoir magique pour soulager des blessures mineures comme les ecchymoses. Keane, avec son héritage de Chevalier, était à même de soigner des blessures plus importantes que la moyenne des faës, mais réparer des os brisés dépassait ses capacités. C'était une marque du génie de magicien d'Ethan que de pouvoir réparer une fracture sans être un guérisseur ou un combattant.

Penser à Ethan me vida de toute résistance, et je tendis faiblement ma main à Keane afin qu'il l'examine. La douleur était toujours lancinante, et mon majeur commençait à enfler. Je me raidis d'appréhension lorsque Keane fit courir légèrement ses doigts sur le dos de ma main pour évaluer les dégâts.

Compte tenu de sa férocité en tant que professeur, il était étonnamment délicat pour me manipuler les doigts, les forçant doucement à bouger. Douceur ou pas, c'était quand même douloureux, et je dus faire appel à toute ma volonté pour ne pas retirer ma main.

— Pas de fracture, finit-il par déclarer en hochant la tête. Je poussai un soupir de soulagement. J'avais autant besoin d'une balade aux urgences que d'un nouvel ennemi qui voulait ma mort. Je m'attendais à éprouver le picotement de la magie que Keane allait invoquer, mais il lâcha ma main pour éloigner la table basse du canapé.

— Il vaut mieux que tu t'assoies, dit-il en réponse à mon regard étonné. À moins que tu ne préfères aller à l'hôpital, tout compte fait. Un guérisseur de métier pourra anesthésier ta main avant de la soigner, pas moi.

Je m'approchai du canapé en haussant les épaules.

— Tu m'as déjà soignée plusieurs fois, et je ne me suis pas encore évanouie.

J'amenai le dos de ma main sur mon front, mimant une damoiselle en détresse victime d'une syncope.

Les lèvres de Keane s'incurvèrent dans un quasi-sourire – imaginez ça ! Mais il resta sur ses positions. Il s'assit sur le canapé et tapota le coussin près de lui.

— Ce n'est pas pareil. Ta blessure est plus importante, et les doigts sont particulièrement sensibles. Ça ne sera pas long, mais ça va te faire très mal.

Génial. Tout ce qu'il me fallait pour améliorer mon humeur de chien. Mais si je laissais Keane me soigner, en deux minutes tout serait plié. Alors que si j'insistais pour aller voir un véritable guérisseur, ça pouvait prendre plusieurs heures, le temps d'obtenir un rendez-vous – et de rassembler une escorte qui convienne à mon père.

Je me laissai lourdement tomber sur le canapé, et m'emparai d'un coussin que je serrai sur ma poitrine de la main gauche pendant que j'abandonnai de nouveau la droite à Keane. Maintenant fermement mon poignet d'une main, il étala ma paume et mes doigts sur sa cuisse. Ce contact aurait été assez intime pour être gênant si je n'avais pas eu aussi mal.

La douleur augmenta quand Keane utilisa son autre main pour amener mon majeur boursouflé dans une position aussi droite que possible. J'aurais sûrement mieux fait de fermer les yeux, ou au moins de regarder ailleurs, parce que la vue de mon doigt rouge et gonflé me fit lever le cœur. Malgré ça, j'éprouvai malgré moi une fascination morbide tandis que ses doigts caressaient doucement mon majeur.

— Dana.

Je sursautai presque au son de sa voix. Je m'arrachai à la contemplation de ma main blessée et plongeai mon regard dans les incroyables prunelles émeraude de Keane.

— Pardon, murmura-t-il en plissant les yeux sans détacher son regard du mien.

Je me rendis compte un peu tard qu'il avait délibérément détourné mon attention, et la douleur me frappa de plein fouet sans que je m'y attende.

Je pensais m'être fait salement mal en le frappant. La douleur que je ressentais à présent était mille fois pire. Je sentis le fourmillement électrique de la magie de Keane, et ce fut comme si une voiture venait de me rouler sur la main, réduisant tous mes os en miettes. Je tentai par réflexe de retirer ma main, mais Keane la maintint contre sa cuisse le temps que sa magie pénètre dans ma chair.

Une milliseconde supplémentaire et je n'aurais pas pu retenir un hurlement. Je réussis en l'état à me limiter à un gémissement.

La douleur cessa aussi subitement qu'elle était apparue, mais Keane ne me lâcha pas la main. Je soupirai en frissonnant tandis qu'il faisait courir ses doigts sur ma peau. C'était presque une caresse, et maintenant que je n'avais plus mal, je ne pus m'empêcher de noter que ma main était presque à portée de doigts d'une partie de son anatomie que je n'avais aucun désir de toucher. Curieux que je ne l'aie pas retirée.

Je regardai Keane, incapable de deviner ses pensées. Est-ce qu'il vérifiait qu'il n'y avait pas d'autres blessures ? Ça ressemblait bien trop à une caresse. Mais j'étais comme une petite sœur casse-pieds pour lui, alors pourquoi ferait-il ça ? Impossible que ce soit des avances, me dis-je fermement quand il me lâcha la main, et je dus m'obliger à la retirer de sa cuisse. Keane n'avait pas beaucoup d'affinités avec moi, et il n'y avait aucune raison qu'il veuille aller plus loin. Et quel genre de garce étais-je pour nourrir ces pensées alors qu'Ethan venait de se faire enlever ? Peut-être bien que sa jalousie n'était pas aussi mal placée...

Je levai la main à hauteur de mes yeux pour vérifier l'état de mes doigts en les faisant bouger. Ils obéirent tous à mes ordres, et je n'éprouvai aucune douleur résiduelle.

— Ils sont comme neufs, dis-je, légèrement hors d'haleine.

Mon halètement était uniquement dû à la douleur que je venais d'endurer, et ce n'était pas une réaction aux caresses de Keane. C'est ma version des faits, et je n'en démordrai pas.

— Bien, dit Keane, qui me lança un de ses regards désapprobateurs de prof en croisant les bras. Et maintenant, veux-tu m'expliquer ce qu'il t'a pris ?

J'ouvris de grands yeux.

— Tu me le demandes ? Ce n'est pas moi qui me suis jeté sur toi sans même dire bonjour.

Il me balança un de ces regards suffisants que je détestais tant.

— Parce que tu crois que tes ennemis te préviendront avant de t'attaquer ?

Il décroisa les bras et prit une posture de gros macho en imitant comiquement une voix de baryton.

— Excusez-moi, mademoiselle, mais je dois vous prévenir que je vais essayer de vous tuer. Préparez-vous à vous défendre, je vous prie.

— Ouaf, ouaf, grommelai-je. Je vais mourir de rire.

Je me souvins du drôle d'air qu'il avait quand j'étais arrivée, et j'avais du mal à croire qu'il me disait la vérité, toute la vérité, rien que la vérité. Quelque chose l'avait rendu particulièrement agressif aujourd'hui, et ça n'était pas non plus au programme.

— Alors, poursuivit-il. C'était quoi cette imitation de Mohamed Ali ?

Il se frottait la joue approximativement là où je l'avais frappé, mais je doutais que ce soit parce que je lui avais fait mal.

Même s'il m'avait mise hors de moi, je devais bien admettre que je m'étais blessée toute seule. Je n'aurais jamais dû le frapper au visage. Nous n'avions combattu que cinq minutes – sans doute même moins – et j'avais commis deux erreurs majeures, qui auraient pu toutes les deux m'être fatales dans un combat réel. J'étais très loin d'être une pro du combat rapproché, mais ces fautes me sautaient aux yeux, même à moi.

— Je n'y arriverai pas, aujourd'hui, dis-je en secouant la tête. Je ne suis pas dans mon état normal. Et tout ce que tu m'apprendras entrera par une oreille et sortira par l'autre.

Un long silence pesant s'installa entre nous, puis je le regardai de nouveau. Il avait fermé les yeux et un muscle tressautait nerveusement sur le côté de sa mâchoire. La raison pour laquelle il se mettait dans un état pareil juste parce que je ne voulais pas m'entraîner aujourd'hui demeurait un mystère pour moi. Lorsqu'il parla, on aurait dit qu'il forçait les mots à passer entre ses dents serrées.

— Tes ennemis n'attendront pas que tu sois d'humeur à combattre.

J'émis un son entre le sifflement d'exaspération et le grognement.

— J'en ai plus que marre de cette discussion. Je me fiche de ce que tu penses. J'ai besoin d'un jour de repos après avoir vu mon...

Je m'interrompis parce que j'étais sur le point de parler d'Ethan comme de mon petit ami alors que je nous avais fait clairement comprendre, à lui comme à moi, qu'il n'était rien de la sorte. Je déglutis avant de poursuivre.

— ... ami se faire capturer par la Chasse Infernale en prenant ma défense.

Si j'avais espéré amadouer Keane en lui parlant du traumatisme que j'avais subi, je m'étais salement four-voyée.

— Je suis désolé de ce qui est arrivé, dit-il. C'est un truc que je ne souhaiterais à personne. Mais si tu crois qu'Ethan est ton ami, tu te fais des films.

J'en restai bouche bée. Qu'est-ce qu'il me sortait là ?

— J'espère que tu ne t'es pas laissé séduire par ses mots doux et ses belles manières, poursuivit Keane en me foudroyant d'un regard si sombre que j'en étais mal à l'aise.

— Oh, pour l'amour de Dieu ! Ne me dis pas que tu es jaloux.

Comme s'il avait des raisons de l'être. Lui et moi n'étions même pas amis, et on ne sortait certainement pas ensemble. Et je ne voyais pas pourquoi Keane aurait été jaloux du succès d'Ethan auprès des filles. Je suis sûre que les filles tombaient à ses pieds comme des mouches.

— Je ne suis pas jaloux, répondit Keane, qui paraissait sincère en dépit de ses yeux qui lançaient des éclairs.

— Tu ne le connais même pas ! l'accusai-je, ignorant son affirmation.

Je reconnaissais la jalousie quand je croisais sa route, et je la regardais dans les yeux.

Keane me dévisagea d'un air incrédule.

— D'où tu sors ça ?

J'en balbutiai de surprise. Évidemment, j'ignorais qu'ils se connaissaient tous les deux. J'avais même supposé le contraire.

— Il n'y a que deux collèges en Avalon, reprit-il, la voix tendue de colère contenue. Et j'ai eu la malchance d'aller dans le même collège que ton « ami » Ethan. Il y a bien deux ou trois filles de notre classe qu'il n'a pas draguées, mais c'étaient des boudins. Dès qu'il avait obtenu ce qu'il voulait d'une fille, il passait à la suivante. Même si la suivante avait déjà un petit ami. Le jeu n'en était que plus piquant pour lui. Son ego était beaucoup plus important à ses yeux que les sentiments d'autrui. Tu te mets le doigt dans l'œil si tu crois que tu seras celle qui fera de lui un honnête homme. C'est ce qu'il fait croire à toutes ses conquêtes.

Je ne savais pas quoi dire. Je savais qu'Ethan avait une réputation de séducteur. Et je m'étais rendu compte par moi-même de la facilité avec laquelle il jouait de son charme – et de sa détermination à obtenir ce qu'il voulait quand il avait jeté son dévolu sur quelqu'un. Mais il n'était pas que cela, je le savais avec certitude. Il était *beaucoup* plus que cela.

— Il m'a sauvé la vie, lui fis-je remarquer dans un murmure rauque. Il a sauté dans les douves pour me sauver quand Grace m'a jetée à l'eau. Il connaissait l'existence des sorcières d'eau et il a sauté quand même.

Keane émit un grognement de frustration et se remit debout, me tournant rapidement le dos. Je me souvins qu'il n'était pas venu me voir à l'hôpital quand je me remettais de l'attaque de la sorcière d'eau. Ça m'avait étonnée à l'époque, mais je me demandais maintenant s'il ne m'en avait pas voulu parce que je m'étais enfuie avec Ethan. Cela n'avait rien de romantique, mais j'imagine que Keane ne pouvait pas le savoir.

— Tu aurais préféré qu'il me laisse entre les griffes de la sorcière d'eau ? demandai-je au dos de Keane.

Il se retourna pour me regarder.

— Bien sûr que non. Je suis heureux qu'il ait été là, et qu'il t'ait sauvée. Je le méprise, mais je ne prétends pas qu'il est irrécupérable. C'est juste...

Il secoua la tête et entreprit de rouler les tapis.

— C'est juste quoi ? insistai-je.

Il poursuivit sa tâche.

— Laisse tomber, Dana.

— Non. Tu te pointes chez moi et tu commences à me balancer des horreurs sur un garçon qui vient de se faire capturer par la Chasse Infernale pour avoir essayé de me défendre. Alors, tu vas me faire le plaisir de terminer ce que tu as commencé.

Il jeta le matelas roulé dans un coin avec tant de force que celui-ci rebondit contre le mur. Il se tourna vers moi, toujours agenouillé au sol, une étrange expression sur le visage. Sous la colère, je distinguai également dans ses yeux un puits de souffrance dont j'ignorais la cause.

Quelque chose fit « tilt » dans mon cerveau, et je lui adressai un sourire de compassion.

— Une de ces filles qu'Ethan a draguée au collège était ta petite amie, c'est ça ?

Voilà qui expliquerait très certainement la rivalité que j'avais constatée entre ces deux-là.

Keane ne confirma ni n'infirma ce que j'avais deviné, mais je savais que j'avais vu juste. Finalement, je ne pus supporter plus longtemps l'intensité de son regard et détournai les yeux. Lorsque je les ramenai vers lui, il avait fait demi-tour et s'éloignait sans ajouter un mot.

Chapitre 13

Une fois Keane parti, je regrettai de ne pas avoir fermé ma grande gueule et terminé ma leçon, quitte à me faire rouer de coups et à commettre de nouvelles erreurs stupides et gênantes. Pendant qu'on s'entraînait, je n'avais pas le temps de me morfondre au sujet d'Ethan. En plus, et même si c'était douloureux, j'avoue que dans mon état d'esprit actuel ça me faisait du bien de cogner.

Après le départ de Keane, je ne pus plus faire taire mon cerveau. La culpabilité m'assaillit vague après vague, en particulier parce que je n'avais pas le courage de prendre mon téléphone pour appeler Kimber. Elle était ma meilleure amie et elle était forcément en souffrance. Son père n'avait jamais caché sa préférence pour Ethan, le petit génie de la magie. Je doutais qu'elle trouve beaucoup de réconfort auprès de son paternel en ce moment. Elle avait besoin de moi, et moi j'étais trop lâche pour l'affronter.

Pour m'occuper l'esprit et ne plus penser à Ethan, j'essayai une fois de plus d'apprendre à utiliser la magie. Ma voix était faible et tremblante, mais je sentis la magie affluer avant même d'avoir achevé ma première gamme. Je tentai de me féliciter de mes progrès, mais il n'y avait pas de quoi pavoiser alors que j'étais toujours incapable de jeter le moindre sort.

Je finis par abandonner, dégoûtée. Peut-être mon affinité avec la magie n'allait-elle pas plus loin que de pouvoir la sentir et l'invoquer. Et tout l'entraînement du monde ne me servirait à rien. J'aurais dû faire confiance à Ethan et lui demander de m'apprendre la magie. Maintenant, je n'en aurais plus jamais l'occasion...

Je secouai la tête en tentant d'effacer cette pensée. Ethan ne resterait *pas* au sein de la Chasse Infernale. Son père était un homme puissant. Il trouverait peut-être un moyen de raisonner l'Elferoi, contrairement à Papa. Il y avait forcément *quelque chose* à faire.

Si le fait d'avoir toujours été le seul membre responsable de ma famille m'avait appris une chose dès le plus jeune âge, c'est qu'on ne pouvait compter que sur soi. Pour être certaine d'avoir de l'électricité, je devais payer la facture moi-même. Quand ma mère se blessait et devait être emmenée aux urgences, je n'avais d'autre choix que de l'y conduire.

Je me souviens d'une fois, alors que j'avais six ou sept ans, où ma mère avait été victime d'une sévère intoxication alimentaire. Elle était si mal en point que je croyais qu'elle allait mourir. Je voulais appeler le 911, mais elle m'a dit que ce n'était pas si grave. J'étais encore assez jeune à l'époque pour faire ce qu'on me disait.

J'avais essayé de demander à une de nos voisines plutôt sympa de nous conduire à l'hôpital, mais elle avait refusé. Je ne me souviens pas quelle excuse elle avait prétextée, mais même alors j'avais compris que la véritable raison était qu'elle avait peur que ma mère ne vomisse dans sa voiture. J'avais dû appeler un taxi en fin de compte, et pratiquement traîner Maman dans l'escalier pour la faire monter en voiture. Elle était trop déconnectée – en plus d'être malade, je crois bien qu'elle était saoule – pour payer le chauffeur, et lorsque je fouillai dans son portemonnaie, je ne trouvai que deux ou trois billets d'un dollar. Je me souviens encore de la voix de ce chauffeur de taxi hurlant que nous étions des « voleuses ».

En venant en Avalon, j'avais espéré trouver en mon père quelqu'un sur qui je pourrais enfin compter, quelqu'un qui s'occuperait de régler les problèmes. Mais j'avais compris, dans un de ces étranges éclairs de lucidité que j'avais ces derniers temps, que si quelqu'un devait sauver Ethan de la Chasse Infernale, ce ne pouvait être que moi. J'aurais été très agréablement surprise que mon père y parvienne seul, mais il était temps de cesser d'espérer que quelqu'un se retrousserait les manches à ma place.

Le moment était venu de penser au plan de sauvetage d'Ethan.

Dis comme ça, ça semblait parfait... Si seulement j'avais eu le moindre début d'idée sur la façon de m'y prendre ! Comment une adolescente de seize ans était-elle censée s'attaquer à l'ancestral chef de la Chasse Infernale ? Un chef que redoutaient jusqu'aux reines de Faëry ? Je m'efforçai de ne pas me laisser ensevelir par l'apparente impossibilité de la tâche.

Je passai plusieurs heures à ressasser le problème sans parvenir à aucune conclusion satisfaisante. Mon esprit ne cessait de me souffler que le seul moyen de convaincre l'Elferoi de relâcher Ethan était d'accepter d'emmener la Chasse Infernale dans le monde des mortels. Je ne peux pas nier que la tentation de m'y résoudre m'effleura, mais je savais que je ne me le pardonnerais jamais. L'Elferoi, avec toute sa magie – qui serait efficace grâce à moi –, ferait passer le règne de la terreur de Jack l'Éventreur pour une plaisanterie.

Le téléphone sonna en fin d'après-midi. Je regardai le numéro appelant. Je ne le connaissais pas. Je me dis qu'il devait s'agir d'une erreur, tout en espérant secrètement qu'Ethan s'était échappé des griffes de l'Elferoi et m'appelait d'une cabine publique ou d'un téléphone qu'on lui avait prêté.

— Allô ? répondis-je, consciente que je prenais mes rêves pour la réalité, mais sans pouvoir m'en empêcher.

Je retins mon souffle en attendant que mon interlocuteur prenne la parole.

— Bonjour, Passemonde, me salua la voix de l'Elferoi, et je hoquetai sous le choc.

— Comment avez-vous eu mon numéro ? demandai-je, même si c'était secondaire.

— Mes Chasseurs n'ont pas de secrets pour moi, dit-il d'un air amusé.

Mon cœur fit une brusque embardée dans ma poitrine. Je ne savais pas exactement ce qui arrivait à ceux qui étaient enrôlés dans la Chasse, ni ce que leur faisait l'Elferoi pour les lier à lui, mais j'aurais dû me douter que ce dernier connaissait à présent sur moi tout ce que savait Ethan. Comme mon numéro de téléphone.

Heureusement qu'Ethan ignorait l'emplacement de mon bunker !

J'aurais aimé trouver une repartie pleine d'esprit pour le remettre à sa place et lui montrer que je n'avais pas peur de lui. Mais je restai là comme une idiote, le téléphone contre l'oreille et la langue collée au palais.

— C'est une sacrée belle prise, ton Ethan, dit l'Elferoi. Pas d'aussi haut rang que ton frère, mais sa lignée est plus que respectable et il a des pouvoirs immenses.

Ma main se crispa sur l'appareil.

— Vous m'appelez seulement pour vous gargariser de votre victoire ou vous avez quelque chose d'important à me dire ?

Ma voix était rauque et cassée.

— Un peu des deux, répliqua-t-il. Mais je crois que tu sais exactement pourquoi je t'appelle, n'est-ce pas, Passemonde ?

— Je m'appelle Dana ! aboyai-je, sans très bien savoir pourquoi je tenais tant à ce qu'il s'adresse à moi par mon nom.

— Dana. Bien sûr. Sais-tu pourquoi je t'ai appelée, Dana ?

Une seule raison me vint à l'esprit.

— Maintenant que vous avez Ethan en otage, vous voulez conclure un marché.

Un marché que ma conscience m'empêchait de passer, si grand que soit mon désir de sauver Ethan.

— Très bien. Jadis, lorsque Avalon n'avait pas encore fait sécession du royaume de Faëry, j'aurais pu te prendre de force. Bien sûr, dans l'ancien temps, j'étais libre de Chasser à ma guise en Avalon, et je n'aurais pas eu besoin de toi. Dans le monde d'aujourd'hui, ni moi ni mes Chasseurs ne pouvons toucher à un seul de tes cheveux, et je ne peux pas me servir de toi pour pénétrer le monde des mortels sans ton consentement. Donne-moi ton consentement, et Ethan sera libre de partir. Il sera le premier de mes Chasseurs jamais libérés de la Chasse par autre chose que la mort.

Je respirai un grand coup pour me calmer. Si j'avais eu une once de bon sens, j'aurais mis fin à cette conversation dans la seconde. Je ne sais pas si je serai jamais en état de négocier avec l'Elferoi, mais je ne l'étais certainement pas là, maintenant. Le choc et la douleur d'avoir perdu Ethan étaient encore trop frais.

— Vous savez que je ne peux pas faire ça, m'obligeai-je à lui répondre.

— Je ne sais rien de tel. Tu n'auras peut-être pas le cran de m'accorder un accès libre et illimité, mais je serais heureux de négocier. Je suis un homme raisonnable.

Non, parce qu'il n'était pas un homme.

— Fais-moi une proposition, dit-il.

— Sauf si vous voulez venir dans le monde mortel pour faire du tourisme, je ne peux pas vous y accompagner. Je vous ai vu tuer un homme la dernière fois que vous êtes entré en Avalon, sur votre cheval. Il est hors de question...

Ma voix s'étrangla comme je tentai de repousser l'image de l'Elferoi fondant sur le faë en fuite, l'épée levée prête à frapper.

— Je suis fait pour la Chasse, Passe... Dana, dit l'Elferoi d'une voix plus douce. C'est la nature essentielle de mon être. Je n'ai aucun intérêt touristique pour le monde des mortels. Si nous nous mettons d'accord pour que tu m'y accompagnes, je Chasserai et je tuerai des gens. Qu'il n'y ait pas de malentendus entre nous.

Un petit bruit, presque un gémissement, monta de ma gorge.

— Je suis navré que cela t'afflige, poursuivit-il. Je ne te veux aucun mal. Mais je ne pense pas qu'édulcorer la vérité lui donne meilleur goût. Je suis prêt à envisager certaines concessions pour te convaincre d'accepter de m'accompagner, mais une Chasse n'est pas une Chasse sans la mort de la proie.

— Nous n'avons plus rien à nous dire, dans ce cas, répondis-je, même si ça me tuait.

Je me sentais déjà salement coupable de ce qui était arrivé à Ethan. Et maintenant l'Elferoi me mettait le nez dedans en m'expliquant que je pouvais le sauver... à condition de sacrifier allez savoir combien d'inconnus en échange.

— Tu as sans doute besoin de temps pour réfléchir. Je n'exige pas une réponse immédiate. Tu as mon numéro de téléphone à présent. Si tu changes d'avis, n'hésite pas à m'appeler.

Une fois de plus, je ne sus pas quoi répondre. J'attendais qu'il raccroche, ou qu'il parte d'un grand rire sardonique. Mais j'étais apparemment encore loin de comprendre ce type, parce qu'il ne fit rien de tel.

— Souviens-toi de ce que je t'ai dit la première fois que nous nous sommes rencontrés, ajouta-t-il. Je ne suis pas ton ennemi, même si nous avons parfois des intérêts divergents.

Je me souvenais qu'il avait dit ça, et il avait souligné qu'il n'était pas non plus mon ami.

En repensant à notre première rencontre, je me souvins que l'Elferoi avait averti Finn de la présence d'un imposteur parmi nous. « Un gage de bonne volonté », il avait appelé ça.

— Ce fut un plaisir de discuter avec toi, dit-il et je me rendis compte qu'il était sur le point de raccrocher.

— Attendez ! l'arrêtai-je, me surprenant moi-même.

Je crus que c'était trop tard, mais j'entendis la voix de l'Elferoi.

— Je t'écoute.

— Pourquoi m'avoir prévenue à propos de l'imposteur l'autre jour ?

— Je te crois suffisamment intelligente pour trouver la réponse toute seule. Mais je viens de te soumettre à une importante pression, et je suis bien conscient que cela ne favorise pas la clarté de la pensée.

Il s'était arrangé pour me balancer ça sans avoir l'air trop condescendant, ce qui était un exploit.

— Je veux quelque chose de toi, Dana. Je le veux ardemment. Si tes ennemis devaient t'abattre, ils détruiraient mes chances de l'obtenir. J'ai donc de très bonnes raisons de te garder en vie, dit-il en riant doucement. Tu ne t'en rends peut-être pas compte, mais tu es plus en sécurité maintenant que tu ne l'as jamais été depuis ton arrivée en Avalon. Je ne laisserai rien ni personne te faire de mal.

Putain, et qu'est-ce que je devais répondre à ça ? Merci ? Certainement pas.

Il me vint à l'esprit, lorsque j'eus raccroché, que l'Elferoi venait de sous-entendre que ma vie avait été menacée par le faux Lachlan. Mais aux dernières nouvelles, l'imposteur devait seulement m'enlever pour me livrer à tante Grace, qui me voulait vivante, car elle avait besoin de mes pouvoirs.

Une seule conclusion s'imposait : soit l'Elferoi m'avait menti, soit les plans de tante Grace avaient changé.

Chapitre 14

Pendant les jours suivants, je tâchai de me comporter le plus normalement possible étant donné les circonstances. Le jeudi matin, je m'entraînai avec Keane comme d'habitude. Il subsistait une certaine tension entre nous, mais l'un dans l'autre ça ne se passa pas trop mal. Je m'inventais des raisons de quitter mon bunker au moins une fois par jour pour avoir ma dose de soleil et d'air frais. Mais comme j'étais en Avalon, c'était plutôt pluie, brouillard et air frais.

Je n'avais toujours pas trouvé le courage d'appeler Kimber, et chaque jour qui passait creusait le fossé entre nous. Dans mes moments les plus sombres, je me demandais même si je n'avais pas mis à tort sur le compte de ma mère et de son embarrassante addiction mon incapacité à me faire des amies. Je n'étais peut-être pas de l'étoffe dont on fait les copines.

Le vendredi, je démarrai la journée par une descente au Starbucks pour refaire le plein de café. Même si l'Elferoi avait déjà frappé, mon père continuait d'insister pour me faire accompagner par deux gardes du corps chaque fois que je quittais mon abri, et j'étais donc flanquée de Finn et de Lachlan. Je me demandai avec rancœur si mon père avait réfléchi au fait que j'avais deux gardes du corps près de moi le jour où l'Elferoi avait pris Ethan, et qu'ils s'étaient révélés inutiles.

J'étais au trente-sixième dessous. J'avais passé de longues heures à chercher un moyen d'aider Ethan sans trouver une seule idée réalisable. Mon esprit tournait en rond, mon cerveau ressassait toujours les mêmes pensées stériles. Je ne sais pas qui je croyais berner en espérant triompher de l'Elferoi là où personne n'y était jamais parvenu. Mon cas semblait désespéré…

Alors que j'attendais que la charmante hôtesse de caisse du Starbucks enregistre mes achats, j'entendis le rugissement de motos qui approchaient, et ma journée vira au cauchemar. Mon estomac se noua d'appréhension.

Comment faisait l'Elferoi pour savoir toujours où j'étais ? Avalon est une petite ville, mais tout de même pas si petite. Ça ne pouvait pas être une coïncidence que je sois tombée trois fois sur lui lors de mes rares sorties hors de ma chambre forte.

Les clients se turent, ainsi que les serveuses. Tout le monde se tourna vers la grande vitrine panoramique qui donnait sur la grand-route d'Avalon. La magie de Finn fourmilla sur ma peau tandis que Lachlan et lui resserraient les rangs autour de moi.

— Ne t'inquiète pas, Dana, me dit Finn. Ni Lachlan ni moi ne tomberons dans les pièges qu'il pourra essayer de nous tendre.

Ce n'était pas ce qui m'inquiétait, mais je ne pris pas la peine de le détromper. Mon instinct me disait que l'Elferoi ne passerait pas à l'attaque aujourd'hui. Il avait porté l'estocade en capturant Ethan. Et je savais qu'il venait retourner le couteau dans la plaie en me rappelant ce que mon refus de conclure un marché avec lui coûtait à son nouveau Chasseur.

J'aurais dû fermer les yeux, tourner le dos ou m'enfermer dans les toilettes des dames. Tout plutôt que de laisser l'Elferoi exécuter son plan. Au lieu de quoi, je restai immobile près de la fenêtre et regardai approcher la Chasse Infernale.

L'Elferoi était en tête de la formation, comme à l'accoutumée, mais il ne portait pas son casque. Ses cheveux volaient au vent, et, bien qu'il soit mon ennemi – lui plût-il de clamer le contraire –, je fus frappée quelques secondes par sa beauté sauvage, virile et redoutable. Mon regard fut ensuite attiré par ses Chasseurs. Contrairement à leur chef, ils portaient tous un casque, le visage dissimulé derrière leur visière fumée. Je passai frénétiquement de l'un à l'autre, me demandant lequel de ces Chasseurs anonymes et sans visage pouvait être Ethan. À première vue, ils me parurent tous identiques, leur différence de taille et de corpulence ne suffisant pas à les identifier. Soudain, mon regard s'arrêta sur le motard qui fermait la procession. Sa taille et sa corpulence correspondaient à celles d'Ethan, pourtant, ce n'est pas ce qui avait retenu mon attention, mais les mèches de cheveux blonds s'échappant de son casque.

Pas un centimètre de peau ou de cheveux n'était visible chez les autres motards. Leurs corps étaient entièrement couverts de cuir, et si certains avaient les cheveux longs, ils étaient rentrés sous leur casque. Sauf celui-ci. Ce ne pouvait pas être un hasard.

La Chasse ralentit. L'Elferoi me salua joyeusement de la main, sans s'arrêter, et ses Chasseurs regardaient droit devant eux. Sauf le dernier, qui tourna la tête vers la baie vitrée.

Ma gorge se serra. Était-ce vraiment Ethan ? Tant qu'il ne relèverait pas sa visière, je ne pourrais en être certaine. Je sentis le poids de son regard sur moi, même sans voir ses yeux. Il ne fit aucun geste, et ne ralentit pas l'allure, sa moto suivant à égale distance celle qui le précédait.

Qu'est-ce que j'essayais de me faire croire ? Évidemment que c'était Ethan ! L'Elferoi avait dérogé à ses habitudes et autorisé l'un de ses Chasseurs à laisser dépasser ses cheveux de son casque dans le seul but de me permettre de le différencier du lot.

Ethan se détourna. Même sans avoir vu son visage, je savais que ce regard était un appel au secours. Un appel que l'Elferoi l'avait peut-être obligé à lancer, mais un appel auquel je ne pouvais rester sourde.

Tout le monde dans la boutique retint son souffle encore une minute après le passage de la Chasse Infernale, redoutant qu'ils ne rebroussent chemin. Finn et Lachlan étaient tous deux visiblement soulagés que l'Elferoi et sa Chasse soient partis. Je ne sais pas s'ils avaient compris quel était le but de cette parade, ni même s'ils s'étaient rendu compte que l'un des motards sans visage était Ethan. Ils avaient sans doute l'impression que l'Elferoi n'avait lancé aucune attaque, mais je savais à quoi m'en tenir.

La vue d'Ethan lié corps et âme à la Chasse m'avait fait l'effet d'un électrochoc, me tirant de mon apathie et de mon désespoir.

Je n'avais toujours pas l'ombre d'une idée sur la façon d'affronter et de vaincre l'Elferoi. C'était bien beau de décider que je ne pouvais compter que sur moi-même, mais je n'y arriverais jamais seule malgré le désir que j'en avais.

Tout en regagnant mon bunker avec Finn, je passai longuement en revue les gens vers qui je pouvais me tourner. Mes parents étaient, bien entendu, hors jeu. Papa avait déjà classé l'affaire, et ni lui ni Maman ne me laisseraient prendre le moindre risque pour aider Ethan. J'éliminai Finn et Lachlan pour les mêmes raisons. Maintenant que Keane m'avait révélé tout le mal qu'il pensait d'Ethan, je pouvais difficilement lui demander son aide pour exécuter ou même concevoir un plan de sauvetage. Il ne me restait donc qu'une seule option.

Une fois de retour dans ma forteresse, je me retirai dans ma suite et fermai la porte derrière moi. Je m'isolai encore d'un cran, c'est-à-dire dans ma chambre. Je décrochai le téléphone, m'assis en tailleur sur mon lit et m'obligeai à passer l'appel tant redouté.

Il me fallut un temps fou pour en trouver le courage, mais je finis par composer le numéro de Kimber. J'aurais bien mérité qu'elle soit absente, et de passer encore des heures à me mettre dans un état de nerfs impossible, mais le sort – une fois n'est pas coutume – eut pitié de moi.

Kimber décrocha à la troisième sonnerie, sans un mot.

Elle disposait, elle aussi, de la présentation du numéro, et savait que c'était moi. Son silence accusateur me fit grincer des dents et j'eus toutes les peines du monde à me forcer à parler.

— Salut, dis-je finalement, me maudissant d'être aussi nulle.

Malheureusement, mes neurones s'étaient mis en grève et je ne trouvai rien d'autre à dire.

— Salut toi-même, répondit-elle, froide et distante.

La première fois que je l'avais rencontrée, elle incarnait le parfait stéréotype de la princesse des glaces elfique – exactement comme maintenant.

Des mots finirent par se former dans mon cerveau, tout aussi minables.

— Désolée de ne pas t'avoir appelée plus tôt. Je…

Ma voix mourut. Tout ce que je pourrais lui dire pour justifier mon silence ne serait qu'une excuse, et mauvaise avec ça.

Kimber poussa un soupir.

— J'aurais pu aussi décrocher mon téléphone, dit-elle, et je la retrouvai un peu.

Je secouai la tête en signe de dénégation, même si elle ne pouvait pas me voir.

— C'était à moi de faire le premier pas, et je n'ai pas géré la situation.

Je vous en prie, faites que je n'aie pas bousillé notre amitié, implorai-je en silence.

— Non, c'est moi qui n'ai pas géré. Tu vis l'enfer depuis que tu as débarqué en Avalon, et je suis censée être ton amie. C'est juste… Je n'étais pas sûre de supporter tes reproches pour ce qui s'est passé.

Mes reproches ? Elle n'était pas sérieuse.

— Je crois que la ligne est mauvaise, dis-je. Il m'a semblé que tu disais que tu avais peur que *moi* je ne te reproche à *toi* ce qui s'est passé. Comme c'est la chose la plus idiote que j'aie jamais entendue, je crois que j'ai mal compris.

— Tu veux dire que tu ne m'en veux pas ? s'étonnat-elle d'une voix si hésitante que mon cœur se serra.

— Évidemment que non ! Pourquoi diable t'en voudrais-je alors que c'est à cause de moi que l'Elferoi a capturé Ethan ?

— Parce que aucun de vous deux ne se serait trouvé à cet endroit sans moi. L'institut, c'était mon idée, et la boutique de thé aussi. Et puis je vous ai laissés seuls.

Les mots sortaient de sa bouche en cascade.

— Si j'étais restée avec vous, j'aurais pu empêcher Ethan d'essayer de jouer les héros. Tu ne voulais pas que je te laisse avec Ethan, mais j'ai cru que je savais ce que je faisais. Je…

Un éclat de rire m'échappa, complètement inopiné.

— Et pendant tout ce temps… commençai-je avant que le rire me reprenne.

J'étais au bord du fou rire et j'en étais consciente. Mais je ne pouvais pas m'arrêter pour autant.

— J'avais peur de t'appeler.

Des hoquets se mêlèrent à mon rire.

— J'avais peur que tu ne me détestes parce que Ethan a été capturé à cause de moi.

Mon fou rire devait être contagieux, car Kimber se mit à glousser, elle aussi.

— N'importe quoi, dit-elle. Tu n'y es absolument pour rien !

Mon rire s'interrompit comme il avait commencé, ce qui était aussi bien, parce que ce n'est pas très facile de parler en même temps.

— Bien sûr que si. L'Elferoi ne se serait jamais intéressé à Ethan sans moi.

Kimber cessa de rire également.

— Ça ne te rend pas coupable pour autant, me dit-elle
doucement. Tu peux aussi accuser ta mère, non ? Parce
que si elle ne t'avait pas mise au monde, tu n'existerais
pas et l'Elferoi ne se serait jamais intéressé à Ethan, et
ne l'aurait pas capturé. Donc, tout est de sa faute à elle,
pas vrai ?

— Dit comme ça...

— De plus, continua-t-elle, si tu te crois coupable par
le seul fait d'exister, je partage au moins une partie de ta
culpabilité pour avoir joué les entremetteuses. En te laissant seule avec lui, je l'ai mis en danger.

— Mais tu ne l'as pas fait volontairement.

— Exactement.

— Oh.

Sa façon de voir les choses me donna l'impression de
n'avoir été qu'une dinde de me vautrer dans la culpabilité
comme je l'avais fait.

Kimber poussa un profond soupir.

— Ethan n'est pas non plus blanc comme neige,
ajouta-t-elle. Il savait que l'Elferoi n'a pas le droit d'attaquer en Avalon, mais qu'il peut se défendre en cas
d'agression. Pourquoi lui en a-t-il offert l'occasion ?

— Je suis sûre qu'il n'a pas eu le temps de réfléchir à
ce qu'il faisait.

Elle renifla doucement.

— Ça n'aurait rien changé. Ethan est tellement imbu
de lui-même qu'il est biologiquement incapable de résister à une occasion de jouer les gros bras.

Ses mots cinglants cachaient sa peine. Ethan la rendait
dingue, mais c'était son frère et elle l'aimait.

— Je ne le laisserai pas tomber, affirmai-je.

— Tout le monde l'a pourtant fait, dit-elle amèrement.

— Je sais. Mais pas moi. Et j'espère que toi non plus.
C'est même pour ça que je t'appelle. Je me demandais si

tu pouvais te remuer les méninges avec moi afin de trouver une solution pour le sortir de là.

Elle hésita un instant.

— Que pouvons-nous espérer faire toutes les deux contre l'Elferoi ? On est largement surclassées.

— Peut-être, admis-je.

Ma paranoïa me soufflait qu'il n'était pas prudent de discuter d'un plan de sauvetage au téléphone.

— Je peux venir chez toi pour qu'on en parle de vive voix ?

— Ça, c'est à toi de me le dire, répliqua-t-elle d'une voix moqueuse. Est-ce que tu le peux ?

J'émis un petit rire pour toute réponse. Elle était incapable de résister au plaisir de me charrier pour mes abus de langage, et c'était devenu une sorte de *private joke* entre nous.

— Pardon, m'excusai-je. J'oubliais que je m'adressais à la Gestapo de la grammaire.

— Tu veux bien que je vienne chez toi ?

— Bien sûr.

— Tu sais que j'aurai mes gardes du corps, la prévins-je.

— Je leur ferai du thé. Ils pourront rester au salon et nous parlerons dans ma chambre. Ils te laisseront quand même cette intimité, non ?

— Oui, répondis-je, même si je pressentais qu'il me faudrait batailler un peu. Je ne peux pas venir tout de suite. Il faut que je trouve Lachlan et que je dise à mon père où je vais avant toute chose. Je te rappellerai pour te dire quand j'arrive.

— J'attends ton appel.

Fort à propos – même si ce n'était pas calculé –, j'arrivai chez Kimber pile à l'heure du thé. En parfaite hôtesse, elle servit à Finn et à Lachlan une sélection de petits sandwiches avec leur breuvage. Je voyais bien que Finn était gêné d'être traité comme un invité, mais Kimber fit comme si de rien n'était, lui fourrant pratiquement son plateau sous le nez jusqu'à ce qu'il le prenne. Elle m'entraîna ensuite dans sa chambre, où elle avait préparé une infusion d'un autre genre pour nous deux.

Je ne pus m'empêcher de sourire quand j'entrai dans la pièce et que j'en sentis l'odeur.

— Lait de poule ? questionnai-je avec gourmandise.

Je n'avais jamais entendu parler du lait de poule avant de venir en Avalon, mais Kimber m'avait rendue accro à cette boisson à base de miel et de lait chaud.

— Évidemment, répondit-elle. Si une situation a jamais exigé un lait de poule, c'est bien celle-ci.

Kimber m'avait décrit cette préparation comme une panacée capable de guérir tous les maux, et on ne pouvait nier que c'était une boisson réconfortante. Dommage que le lait de poule ne puisse pas guérir comme par enchantement le genre de mal qui nous rongeait.

Nous nous installâmes toutes les deux sur le lit de Kimber et prîmes chacune une tasse. Chat échaudé craignant l'eau froide, je goûtai une petite gorgée avant de me jeter dessus. Je ne fus pas entièrement surprise de sentir la chaleur du liquide se répandre dans ma gorge et mon œsophage, puis dans mon estomac. Je secouai la tête en clignant les yeux.

— Combien tu as mis de whisky là-dedans ? lui demandai-je.

Quand elle faisait du lait de poule pour moi, elle n'ajoutait généralement qu'un trait de whisky pour le goût, mais je savais qu'elle aimait le sien assez fort pour saouler un éléphant.

Elle me sourit par-dessus sa tasse fumante.

— Tu n'as pas besoin de le savoir. Maintenant, bois.

Je considérai ma tasse d'un œil dubitatif.

— Je ne voudrais pas que Finn et Lachlan soient obligés de me porter pour rentrer.

Je détestais l'admettre mais, à cause de ma mère, l'alcool me faisait peur. Jamais, jamais je ne voudrais devenir l'ivrogne stupide et négligée en laquelle ma mère s'était transformée. À mes yeux, aucune sensation forte ne valait ce déclin.

— Fais-moi confiance, il n'y a pas tant de whisky que ça. C'est moi la spécialiste, pas vrai ?

Je me détendis et bus une seconde gorgée de mon lait de poule. Kimber savait en effet ce qu'elle faisait. Ce n'était pas mon fort de faire confiance aux gens, et Kimber n'avait pas toujours joué franc jeu avec moi par le passé, mais je pensais désormais pouvoir me fier à elle. Il suffisait que je ne boive pas trop vite et tout irait bien.

— L'Elferoi m'a téléphoné, l'informai-je, et elle faillit s'étouffer. Pardon, m'excusai-je avec un clin d'œil pendant qu'elle reposait sa tasse en toussant.

— Il t'a *téléphoné* ? répéta-t-elle, interdite.

Je hochai la tête. Le plus dur restait à faire. J'espérais sincèrement que Kimber partagerait ma conviction qu'il était inenvisageable de conclure un pacte diabolique avec l'Elferoi, parce que, dans le cas contraire, la situation allait s'envenimer, et très vite.

— Il veut que nous passions un marché. En échange de la libération d'Ethan, je dois les accompagner dans le monde des mortels, lui et ses Chasseurs, pour qu'ils se livrent à un massacre.

Kimber était naturellement pâle, mais le devint encore davantage comme si le peu de couleurs qu'elle avait venait de déserter ses joues.

— Tu n'as pas l'intention d'accepter ce marché, n'est-ce pas ?

Je contemplai ma tasse, redoutant de croiser son regard.

— Et si c'était le seul moyen de libérer Ethan ?

— Il devra alors vivre au sein de la Chasse Infernale, dit-elle.

Sa voix tremblait légèrement, mais elle parvint à demeurer ferme et résolue.

Je lui jetai un coup d'œil à la dérobée et la détermination sur son visage était incontestable.

— Tu en es sûre ? lui demandai-je.

Elle acquiesça.

— Certaine. Ethan ne voudrait pas être libéré au prix de la vie d'autres gens. C'est peut-être un sale égoïste qui ne pense qu'à lui, mais c'est un garçon bien au fond. Et si tu lui répètes ça un jour, je ne t'adresserai plus jamais la parole.

— Ton secret sera bien gardé, lui promis-je, soulagée que nous soyons sur la même longueur d'onde. Donc, il est hors de question d'accorder à l'Elferoi ce qu'il demande. Mais il y a forcément autre chose qu'il désire et que seule une Passemonde peut lui procurer. C'est juste que je n'arrive pas à trouver quoi.

— Et c'est là que j'interviens, c'est ça ?

Je lui adressai un petit sourire contrit.

— Ben oui. Le cerveau du groupe, c'est toi.

Chapitre 15

Kimber et moi conversâmes pendant plus d'une heure, au bout de laquelle nous avions réussi à mettre au point ce qui ressemblait vaguement à un plan. Un plan merdique, un plan stupide et sans doute illusoire, mais c'était toujours mieux que ce à quoi j'étais arrivée toute seule, c'est-à-dire rien.

Je me sentais mieux que je ne l'avais été depuis des jours, et regrettai de ne pas avoir appelé Kimber plus tôt. Je ne m'étais pas rendu compte à quel point j'en étais venue à compter sur elle, ni combien j'avais soif de rapports humains – enfin, elfiques en l'occurrence.

Le retour vers mon bunker se déroula sans incident, mais je restai tendue tout le long du chemin, craignant que l'Elferoi vienne me narguer une fois encore en m'agitant la captivité d'Ethan sous le nez. Je guettai le bruit des motos, mais l'Elferoi en avait apparemment terminé avec moi et il me laissa tranquille.

Le plus intelligent aurait été de rentrer chez moi et de m'accorder une nuit de sommeil pour laisser mûrir mon plan. Ce que nous avions mis sur pied pendant la petite heure que nous avions eue à notre disposition, Kimber et moi, n'était certainement pas le coup du siècle. Mais le problème, si je laissais la nuit me porter conseil, c'est que je risquais de me dégonfler, et je me haïrais toute ma vie pour ça.

Après le dîner ce soir-là, je me retirai donc une fois de plus au fond de ma chambre pour passer un coup de fil. Sauf que ce n'était pas Kimber que j'appelai, cette fois.

Les mains moites de transpiration, je fis défiler le journal des appels pour retrouver le numéro de l'Elferoi. Mon estomac faisait des nœuds, et j'avais la bouche si sèche que ce serait un miracle si je parvenais à articuler deux mots.

Il décrocha à la première sonnerie, comme s'il avait été assis à côté du téléphone, prévoyant mon appel. C'était peut-être le cas. Je ne connaissais pas grand-chose de ses pouvoirs en dehors du fait que si on lui coupait la tête, il était capable de la ramasser et de la remettre sur ses épaules.

— Tu as donc changé d'avis et tu es prête à négocier, dit-il.

Il y avait une pointe de triomphe dans sa voix. Il devait s'être imaginé que la vue d'Ethan cet après-midi m'avait brisée et que je me rendais à ses arguments. Je n'avais aucune raison de le détromper.

Je ravalai la boule de terreur au fond de ma gorge.

— Oui.

— Je suis heureux de l'entendre, poursuivit-il. Et je suis sûr qu'Ethan aussi. Il n'est facile pour personne de devenir un membre de ma Chasse, encore moins pour quelqu'un habitué au pouvoir comme lui.

— Si vous lui faites du mal...

Je me serais donné une claque pour cette menace minable. Si l'Elferoi voulait faire du mal à Ethan, il ne se gênerait pas, et je n'y pouvais rien.

Heureusement, l'Elferoi ne saisit pas la perche que je lui avais tendue pour se moquer impitoyablement de moi. Mais il avait d'autres piques en réserve.

— Je suis prêt à te rencontrer pour discuter les termes de notre accord à ta convenance.

Se rencontrer ? Bon Dieu, non !

— Je suis prête, moi aussi, répondis-je. Mais nous pouvons parfaitement discuter au téléphone.

— Je préfère négocier en personne.

— Et moi au téléphone.

— Si nous parvenons à un accord et que je libère Ethan de ma Chasse, il aura besoin de toi. Il sera affaibli. Si faible qu'il sera incapable de marcher ou même de se tenir debout sans assistance.

Je fermai les yeux et repoussai les images qui me venaient. Lui-même ou l'un de ses Chasseurs pouvait très bien raccompagner Ethan chez lui une fois qu'il l'aurait libéré. Et puis merde, il pouvait lui appeler un taxi. Mon instinct me soufflait que l'Elferoi ne céderait pas sur ce point, aussi soulevai-je une autre objection, plus susceptible de faire mouche.

— Au cas où vous ne l'auriez pas remarqué, je suis surveillée vingt-quatre heures sur vingt-quatre. Je ne sais pas pourquoi, mais je ne crois pas que mon père ou mes gardes du corps verraient notre rencontre d'un très bon œil.

Il eut un petit rire.

— Non, j'imagine que non. J'insiste pourtant sur le fait que nous devons nous rencontrer en personne. Je vais te faire parvenir une amulette qui te permettra de fausser compagnie à tes gardes sans te faire voir. Elle te conduira également jusqu'à moi.

— Vous voulez rire ? Il y a des gens qui cherchent à me tuer, dehors, vous savez.

— Oui, oui, je sais. Il n'y a pas que tes gardes que tu pourras tromper grâce à mon amulette. Tu seras invisible aux yeux de tous, amis ou ennemis.

Je ne savais pas compter assez loin pour énumérer tout ce qui me rebutait dans cette suggestion.

— Il n'en est pas question, dis-je en tâchant d'avoir l'air d'une négociatrice aguerrie et pas d'une fille morte de trouille qui s'attaquait à plus fort qu'elle.

— Si tu veux libérer Ethan, tu dois venir à moi, répondit-il, d'un ton impeccablement inflexible. Je ne te ferai aucun mal, et je ne permettrai à personne de t'en faire.

— Qu'est-ce que vous avez contre le téléphone ?

Une pointe de désespoir était audible dans ma voix.

— Je ne fais pas cela par cruauté, reprit-il plus doucement. Le téléphone n'est pas un outil adéquat pour mener des négociations. C'est trop... impersonnel. Je te promets que tu seras en sécurité avec moi, et que je n'exercerai aucune coercition, magique ou d'une autre nature, pour te plier à ma volonté.

Et que valaient exactement les promesses de l'Elferoi ? Je n'en savais rien du tout. Bon nombre de vieilles légendes de la Faëry prétendent que les faës sont incapables de mentir, mais j'avais eu la preuve du contraire plus souvent qu'à mon tour.

— Comment puis-je croire que tu as quelque chose de valable à m'offrir si tu refuses de me parler en face ? demanda-t-il.

Et merde ! Ça me faisait mal de l'admettre, mais il avait raison. Je devrais l'affronter d'une façon ou d'une autre si je voulais passer un accord avec lui. Frissonnante d'appréhension, je rendis les armes.

— Très bien. Vous avez gagné. Je viendrai.

Bon Dieu. Est-ce que je ne faisais pas une énorme bêtise ?

— Vous avez dit que vous me feriez parvenir une amulette. Comment comptez-vous procéder exactement ? Le facteur ne passe pas chez moi.

Mon courrier – si j'en avais jamais eu – transitait en théorie par l'adresse de mon père, et je doutais fort que mon père me transmette un colis de la part de l'Elferoi.

— Tu verras, dit-il, un sourire réchauffant sa voix. Nous nous reverrons bientôt, Dana la Passemonde.

Et sans un au revoir, il raccrocha.

J'eus énormément de mal à trouver le sommeil ce soir-là. Allez savoir pourquoi.

Je me repassai en boucle ma conversation avec l'Elferoi, me demandant si j'aurais pu arriver à une autre conclusion. J'en doutais. Il avait toutes les cartes en main.

Bien sûr, je me demandais aussi dans quelle mesure je n'étais pas complètement dingue d'envisager seulement l'idée de quitter mon bunker en douce pour aller à la rencontre de l'ennemi même dont je me cachais. Enfin, l'un des ennemis. Mais l'autre terme de l'alternative était de tourner le dos à Ethan, ce qui était impensable. Je ne voulais peut-être pas d'Ethan comme petit ami (le jury n'avait pas fini de délibérer sur ce point), mais je ne pouvais pas nier qu'il comptait pour moi. Sans oublier ce petit détail : il m'avait sauvé la vie au risque de la sienne. Et si je devais me mettre en danger pour le sauver à mon tour, eh bien je n'avais qu'à serrer les fesses et foncer.

Je me tournai et me retournai interminablement dans mon lit sans pouvoir trouver le sommeil jusqu'à 3 heures du matin. Je décidai que je ferais la grasse matinée pour compenser, puisque je n'attendais pas Keane le lendemain, mais, malgré l'épuisement, je me réveillai peu après 6 heures. Je poussai un grognement.

La luminosité de mon réveil n'avait atteint que la moitié de son intensité, ce qui voulait dire que l'aube approchait. Une heure que je n'aimais pas beaucoup, même quand tout allait bien. Je me retournai et refermai les yeux dans l'espoir de me rendormir. Mais je l'entendis distinctement dès que je fus allongée : un claquement léger et répétitif. « Tap, tap, tap. » C'était ce bruit qui m'avait tirée du sommeil.

J'étais toujours tiraillée par l'envie de dormir, mais le bruit me glaça le sang. Je ne savais pas ce que c'était, mais il était trop proche pour que je puisse l'ignorer.

Tâchant de me persuader que ce n'était pas bien grave, je me tournai vers la source du bruit et ouvris les yeux.

Au début, je ne vis rien de particulier. Je ne suis pas la fille la plus ordonnée du monde, et ma table de nuit est encombrée d'objets divers, sauf le petit espace devant l'écran de mon réveil dégagé pour que je puisse lire l'heure.

« Tap, tap, tap. »

Je clignai les yeux. Le son provenait de ma table de nuit, de cela j'étais certaine. Je m'assis dans mon lit et balayai du regard les livres empilés, papiers, chouchous et autres bric-à-brac étalés sur ma table de chevet. C'est alors que je distinguai dans ce désordre un objet qui ne m'appartenait pas.

C'était une statuette d'argent haute de sept ou huit centimètres représentant un cerf. Son corps était fin et racé, rappelant celui d'un lévrier, et sa ramure, presque aussi grande que son corps, déployait des andouillers effilés comme des poignards.

Mon cœur se mit à battre la chamade, et un autre frisson glacé me parcourut l'échine. Je me souvenais des andouillers sur le masque et le casque de l'Elferoi, et me rappelais le tatouage qu'il arborait ainsi que ses Chasseurs. Ce cerf était indubitablement à lui. Mais comment diable était-il arrivé ici ?

« Tap, tap, tap. »

Je battis des paupières, au cas où je serais en train de faire un mauvais rêve. Mais non, le cerf recommença. Levant une patte délicate, il cogna son sabot contre le bois de la table. Il releva ensuite la tête pour me regarder, puis la tourna vers la porte de ma chambre.

— C'est quoi ce délire ? murmurai-je en manquant m'étouffer.

Le cerf répéta la séquence, il tapa du sabot sur la table, leva la tête vers moi, puis se tourna vers la porte. Vous allez me prendre pour une dingue, mais je crois qu'il voulait que je le suive. Le cœur battant et les mains moites, je glissai les pieds hors de mon lit. Le cerf hocha la tête, puis bondit de ma table de nuit, ses sabots produisant un petit son presque cristallin lorsqu'il toucha le sol. Il s'avança au trot de quelques pas en direction de la porte, puis se retourna de nouveau vers moi.

Je respirai un grand coup et tentai de me reprendre. L'Elferoi avait dit qu'il me ferait parvenir une amulette. J'imagine que je l'avais en face de moi. Il avait dit que l'amulette me mènerait jusqu'à lui sans que personne puisse me voir. Si j'avais vraiment l'intention de le rejoindre, je devais donc suivre cette petite créature flippante.

— Attends une seconde, dis-je, me sentant ridicule d'adresser la parole à ce qui ne devrait être qu'un objet inanimé. Je ne vais pas sortir en pyjama.

Il inclina la tête sur le côté, puis acquiesça, comme s'il comprenait. C'était sans doute le cas, mais je ne savais pas combien de temps il patienterait. À peine eus-je posé le pied par terre et filé vers mon placard qu'il se remit à tambouriner. « Tap, tap, tap. »

J'étais transie de peur, et toujours assez épuisée pour bâiller à m'en décrocher la mâchoire. Je me demandai si l'Elferoi avait décidé de me faire venir à lui à cette heure matinale dans l'idée d'en retirer un avantage. Et il n'avait sans doute pas tort.

C'est vous dire si j'étais encore abrutie, je ne réalisai l'entière signification de la présence du cerf dans ma chambre qu'au moment de passer ma tête dans un gros pull de laine.

— Oh, merde ! m'écriai-je en tirant sur le pull.

Mes cheveux se dressèrent sur ma tête dans une débauche d'électricité statique.

Je regardai le petit cerf d'argent qui tapait toujours du sabot avec impatience sur le sol. Mes genoux se dérobèrent sous moi et je dus me rattraper à ma commode pour ne pas tomber.

— Il sait où j'habite, murmurai-je, sans savoir si je m'adressais au cerf ou à moi-même.

Non seulement l'Elferoi connaissait mon adresse, mais il avait également été capable de tromper toutes les défenses de mon bunker et d'introduire son amulette dans ma chambre sans même faire sonner une alarme. Pour ce qui était de la soi-disant sécurité absolue de ma forteresse, je repasserais.

Je pris deux profondes inspirations pour me calmer. Je ne sautais certainement pas de joie que l'Elferoi sache où j'habite et puisse m'atteindre chez moi, mais je ne pouvais rien y faire. S'il était capable de me trouver ici, il y avait de fortes chances qu'il puisse me trouver n'importe où. Il ne m'avait pas fait de mal jusque-là, et je tâchai de me convaincre que ça ne changeait rien qu'il connaisse le lieu de ma cachette.

Je chaussai mes baskets favorites, puis jetai un regard circulaire à ma chambre pour voir si je n'oubliais rien. Rien ne me sauta aux yeux, sinon un parapluie. Je ne savais pas combien de temps il me faudrait marcher pour me rendre chez l'Elferoi, et on peut compter sur la pluie un jour sur deux en Avalon. Je pris donc le parapluie, espérant ne pas avoir à m'en servir comme d'une arme d'ici à la fin de la journée. Je hochai ensuite la tête à l'attention du cerf.

— Je suis prête, annonçai-je.

Chapitre 16

Je retins mon souffle en suivant le cerf dans le salon, puis dans la salle de garde. J'entendais Finn qui s'affairait dans sa cuisine, où il devait préparer son petit déjeuner. J'espérais que l'amulette de l'Elferoi avait bien les pouvoirs annoncés, parce que je détesterais avoir à expliquer ma présence à mon garde du corps.

Le cerf traversa la salle de garde sans une hésitation, et je m'obligeai à le suivre. Finn faisait frire quelque chose sur sa plaque chauffante – il n'avait pas de cuisinière – et semblait aussi alerte que si l'on était au beau milieu de la journée. Je m'attendais à ce qu'il lève la tête vers moi d'une seconde à l'autre, mais non. Le cerf le dépassa et se dirigea vers la porte, au travers de laquelle il passa comme si elle n'existait pas. Je réprimai un frisson.

Gardant un œil sur Finn, j'ouvris la porte. Il ne remarqua rien, et je me demandai si je n'étais pas en train de rêver.

Je me rendis compte un peu tard que j'aurais mieux fait de prendre une lampe torche. Il faisait un noir d'encre dans les souterrains, et même si le cerf pouvait me guider dans l'obscurité, je serais morte de terreur avant d'atteindre la surface. Je fis mine de retourner dans la salle de garde pour y prendre une lampe.

« Tap, tap, tap. »

Je dévisageai le cerf, me demandant s'il aurait la patience de m'attendre... Et Finn me verrait-il si je retournais à l'intérieur sans lui ? Mais en observant mieux le petit animal, je vis qu'il luisait faiblement d'une lumière blanche légèrement bleutée, comme une petite étoile. Je m'engageai dans la galerie, et sa lumière s'intensifia au fur et à mesure qu'il s'éloignait de celle de la salle de garde.

— Je fais peut-être la plus grosse connerie de ma vie, marmonnai-je entre mes dents comme je refermai la porte et m'élançai dans le noir à la suite de l'amulette de l'Elferoi.

La lumière du cerf suffisait à peine à me montrer le chemin. J'avais vu des veilleuses qui éclairaient davantage. Je le suivais d'aussi près que possible, m'esquintant les yeux pour ne pas le perdre de vue dans cette obscurité oppressante. Le sol du souterrain était à peu près régulier, mais l'ombre me jouait des tours pour apprécier les distances, et je trébuchai au moins un million de fois.

À l'intérieur de mon bunker, le cerf m'avait attendue, même s'il montrait son impatience, mais après avoir bifurqué à deux ou trois intersections, il accéléra la cadence. Je crois qu'il avait compris que j'étais bien décidée à le suivre à présent que le seul autre choix qui s'offrait à moi aurait été d'essayer de retrouver seule le chemin de mon bunker dans des souterrains aussi noirs que l'enfer. Même lorsque je faillis m'étaler de tout mon long, il ne ralentit pas. Je me relevai en toute hâte afin de ne pas perdre de vue mon unique source de lumière.

Nous finîmes par déboucher dans la partie plus fréquentée des souterrains, qui bénéficiait d'un éclairage électrique. Je poussai un soupir de soulagement, même si le cerf accéléra encore l'allure. Je n'avais plus besoin de lui pour m'éclairer, mais je ne trouverais pas le repaire de l'Elferoi sans guide, aussi fis-je de mon mieux pour ne pas me laisser distancer.

Avalon est un endroit où l'on voit toutes sortes de choses étranges mais, même ici, une statuette animée galopant sur le trottoir aurait attiré l'attention, et lorsqu'il dépassa plusieurs personnes sans qu'ils remarquent rien, je sus que sa magie fonctionnait bel et bien. Repoussant l'impression que des flèches lumineuses me désignaient comme « cible idéale », je continuai de le suivre.

Il n'y avait pas beaucoup de monde dehors à cette heure matinale, mais les rues n'étaient pas non plus complètement désertes. Pourtant, même lorsque nous eûmes quitté les souterrains, personne ne parut nous voir. Dehors, il tombait un léger crachin, mais pas assez pour que j'ouvre mon parapluie, que je changeais régulièrement de main pour me réchauffer l'autre dans mes poches.

L'humidité s'ajoutant à la morsure de l'air froid du matin, je claquais des dents quand le cerf monta une volée de quatre marches de pierre menant à un porche, et mes lèvres devaient être bleues de froid. Je redoutais de découvrir ce qu'était Avalon en hiver. Mais, me rappelai-je allègrement, je ne vivrais sans doute pas assez longtemps pour voir ça.

J'aurais préféré prendre le temps de rassembler mes esprits avant de sonner, mais je n'en eus pas l'occasion. La porte s'ouvrit avant même que j'aie atteint la dernière marche. Je freinai des quatre fers, et ce fut un miracle que je ne tombe pas à la renverse pour me briser le cou dans l'escalier.

L'allure de l'Elferoi était un peu moins saugrenue que d'ordinaire. Il portait un pantalon moulant de cuir noir et une chemise noire qui chatoyait doucement dans la lumière. Ses cheveux étaient lâchés sur ses épaules, à l'exception de deux fines tresses encadrant son visage. S'il n'avait pas été une créature de cauchemar, je l'aurais trouvé sérieusement canon.

Il me sourit, puis s'accroupit et tendit une main vers le cerf. Celui-ci bondit dans sa paume, et l'Elferoi se releva en refermant les doigts sur le petit animal. Je me rappelai le tranchant des andouillers et me demandai comment il pouvait le tenir sans se couper.

Une fois debout, l'Elferoi ouvrit la main... qui ne contenait plus la statuette animée, mais une broche d'argent délicate représentant un cerf en plein saut. Il n'avait pas exactement la même forme que le tatouage de l'Elferoi, mais s'en rapprochait grandement.

— Permets-moi de t'offrir ce présent, dit-il en soulevant la main pour me faire comprendre que la broche m'était destinée.

J'hésitai, bien évidemment. Je ne voulais absolument rien de lui, encore moins d'un objet à son emblème.

Un coin de sa bouche s'incurva en un demi-sourire.

— Tu n'es pas obligée de la porter. Mais tu la trouveras utile en certaines circonstances.

Il retourna le bijou et m'en montra la pointe.

— Si tu as besoin de te rendre invisible, tu n'as qu'à te piquer le doigt avec ceci.

(Il approcha son doigt et une goutte de sang perla.)

— Ce sort perd son pouvoir au bout de trente minutes, mais tant qu'il est actif, personne ne peut te voir, t'entendre ou sentir ta présence, même en te percutant.

Il porta son doigt à sa bouche et suça la goutte de sang avant de me tendre à nouveau la broche.

Je n'avais toujours pas envie de l'accepter, mais je crois qu'il aurait très mal pris un refus. Je la saisis précautionneusement, comme si j'avais peur qu'elle ne me morde, et l'enfonçai dans la poche de mon jean. Et s'il croyait que j'allais le remercier pour son joli cadeau, il se fourrait le doigt dans l'œil jusqu'au coude.

Il ouvrit la porte plus grand.

— Entre donc, m'invita-t-il. Tu dois être gelée.

Je claquai des dents de plus belle par la force de la suggestion et pénétrai dans la demeure de l'Elferoi. Je dus retenir ma mâchoire pour ne pas montrer ma stupeur dès que je fus à l'intérieur. « Demeure » ne rendait pas justice à l'endroit où je venais de mettre les pieds. « Palais » serait peut-être plus adéquat, même si je n'ai jamais vu de palais qui ressemblât à cela.

Le sol du vestibule était de marbre noir, lisse et brillant comme du verre, sans une marque. Les murs étaient tendus de papier noir rayé d'argent offrant le toucher de la soie brute. Des cristaux taillés de toutes formes étaient suspendus au plafond en un nuage si serré qu'on ne pouvait distinguer la source de lumière qui les éclairait par-derrière. L'Elferoi leva les bras, effleurant les cristaux du bout des doigts pour me montrer qu'il était assez grand pour toucher le plafond. Les cristaux tintinnabulèrent les uns contre les autres tel un carillon caressé par le vent, et le marbre leur fit écho.

Après le vestibule, le plafond s'élevait en dôme, d'un noir profond comme la nuit, parsemé de minuscules points de lumière blanche évoquant un ciel étoilé. Un immense escalier d'honneur dans le genre de celui d'*Autant en emporte le vent* menait à une galerie à l'étage supérieur, plongé presque entièrement dans l'ombre. Ce bâtiment semblait beaucoup plus vaste que ne le laissait supposer l'extérieur, et les corridors sombres que j'apercevais en haut laissaient penser que c'était immense.

— Très intime, murmurai-je dans ma barbe, et l'Elferoi sourit.

— C'est ici que je vis avec tous mes Chasseurs quand nous venons en Avalon. Un lieu plus intime ne nous siérait guère.

Mon cœur bondit dans ma poitrine en comprenant qu'Ethan était certainement ici, reclus dans les profondeurs de cet édifice. J'aurais aimé savoir s'il était installé dans une chambre confortable ou si lui et les autres Chasseurs étaient parqués dans des quartiers exigus destinés aux serviteurs quelque part sous les combles. Je songeai tout à coup que l'Elferoi les gardait peut-être enchaînés dans une oubliette, et je m'obligeai à penser à autre chose.

L'Elferoi me guida le long d'un corridor de marbre jusqu'à une pièce qui devait être le « petit salon ». Comme tout ce que j'avais vu jusqu'ici, la décoration en était entièrement noir et argent, et si ce n'avait été la couleur de la peau et des yeux de l'Elferoi, j'aurais pu croire que j'avais perdu la vision des couleurs.

Je frissonnai de nouveau, le froid de la nuit ayant gagné mes os. L'Elferoi fronça les sourcils, avant de faire un geste en direction de la cheminée, où un feu se mit soudain à ronfler. Je sursautai avant de me rabrouer mentalement. Ben oui, les créatures magiques de la mythologie pratiquaient la magie ! Quelle surprise.

— Viens t'asseoir près du feu pour te réchauffer, m'invita-t-il en désignant un fauteuil habillé de soie noire brodée d'argent. Je vais te faire apporter du café.

Il me sourit, les yeux brillants dans le reflet des flammes.

— Je crois savoir que tu n'es pas une grande amatrice de thé.

Je me raidis, sachant exactement d'où il tenait cette information.

— Merci, répondis-je en serrant les dents.

Je détestais lui montrer qu'il m'avait touchée, mais j'éprouvais des émotions trop brutes pour pouvoir les cacher. Je lui tournai le dos pour qu'il ne voie plus mon visage, et me rapprochai du fauteuil en tâchant de me ressaisir.

Une fois que je fus assise, l'Elferoi s'installa dans l'autre fauteuil devant la cheminée, et tira une petite table d'ébène qu'il plaça entre nous. Des bruits de pas résonnèrent dans le couloir derrière moi et je me retournai. L'expression de prédateur qu'avait revêtue le visage de l'Elferoi m'apprit l'identité du nouvel arrivant avant même qu'Ethan pénètre dans la pièce.

Il était à présent vêtu comme un Chasseur, de noir de la tête aux pieds. La marque de l'Elferoi se détachait crûment sur sa peau blanche. Il portait un plateau d'argent chargé de tasses. Ses yeux croisèrent brièvement les miens, et le désespoir que j'y lus me fit l'effet d'un coup de poignard – comme l'avait sans aucun doute prévu l'Elferoi.

Ethan détourna les yeux et, tenant le plateau d'une main, il plaça le service à thé sur la petite table. Je sentais le regard de l'Elferoi braqué sur moi, avide de mon chagrin. Je m'efforçai de conserver un air neutre, sans grand succès je le crains.

Ethan me tendit le dernier objet sur le plateau. C'était une tasse de café, comme promis par l'Elferoi. J'essayai de croiser de nouveau son regard en espérant lui faire comprendre muettement que j'allais le sortir de là. D'une façon ou d'une autre. Mais il garda la tête baissée sans me regarder.

— Ce sera tout, lui dit l'Elferoi. Tu peux disposer.

Je haïssais l'idée de le quitter des yeux, mais je n'avais pas vraiment le choix. Je refermai les doigts autour de la tasse qu'il m'avait donnée, tâchant de résister à l'impulsion qui me commandait de tendre le bras vers lui pour le retenir. Ethan s'inclina devant l'Elferoi et quitta la pièce sans m'avoir accordé un regard. J'entendis ce dernier se servir du thé, mais je n'osai pas lever la tête, inquiète de ce qu'il pourrait lire sur mon visage.

— Il est indemne, dit l'Elferoi d'une voix douce, et je levai malgré moi les yeux vers lui. Malheureux, mais indemne.

Ses antiques yeux bleus exprimaient de la compassion et de la tristesse, auxquelles je ne crus pas.

— Quand vous aurez fini de retourner le couteau dans la plaie, nous pourrons peut-être discuter de ce que je dois faire pour que vous me rendiez Ethan ?

Il haussa les sourcils d'un air surpris.

— Je ne « retourne pas le couteau dans la plaie », comme tu dis. Je te faisais seulement remarquer qu'il était indemne. Mon intention était au contraire de te rassurer.

— Ben voyons, grognai-je.

Il s'adossa à son fauteuil et croisa les jambes, tenant la délicate tasse de porcelaine noire sur ses genoux.

— Crois-moi ou pas, comme tu voudras. Puisque tu es si impatiente d'entamer les négociations, dis-moi donc ce que tu as à me proposer.

Je pris une profonde inspiration pour rassembler ce qui me restait de courage. Il était très important que je formule précisément tout ce que j'allais dire. Kimber et moi pensions que l'accord, quel qu'il soit, que je passerais avec l'Elferoi serait scellé par la magie, et je devais faire très attention à me laisser une marge de manœuvre.

— Mon père m'a raconté que vous étiez autrefois en guerre avec les reines de Faëry, commençai-je en douceur.

L'Elferoi me dévisagea en inclinant la tête. J'imagine qu'il essayait de deviner où je voulais en venir.

— C'est exact. C'était il y a très, très longtemps et nous vivons en paix depuis de nombreux siècles.

— Grâce au pacte que vous avez conclu avec elles. Celui qui vous interdit de Chasser en Faëry sans l'autorisation des reines.

La compréhension apparut dans ses yeux et il rit doucement.

— Tu n'es pas venue discuter des modalités de mes Chasses dans le monde des mortels, mais m'offrir une solution de remplacement.

— En effet, c'est l'idée, répondis-je.

Parce que, aussi grand que soit mon attachement pour Ethan, il était toujours hors de question que je lâche la Chasse Infernale dans le monde des mortels.

L'Elferoi hocha la tête en reposant sa tasse, puis se redressa sur son siège.

— Dis-moi exactement ce que tu proposes.

L'expression de son visage était impénétrable. Était-ce de l'intérêt ou du scepticisme que j'y lisais ?

Je choisis lentement mes mots pour lui répondre.

— Un des pouvoirs des Passemondes est la capacité d'apporter la technologie dans la Faëry. Ma tante Grace veut m'enlever afin d'utiliser une arme pour assassiner la reine de la cour des Lumières et lui prendre son trône.

L'Elferoi acquiesça, comme si c'était de notoriété publique.

— Oui. Une arme à feu peut tuer même la reine de Faëry.

— Et vous ? demandai-je tout à trac sans l'avoir prévu.

Il me sourit.

— Si l'on pouvait me tuer avec une arme à feu, crois-tu que je te le dirais ?

Je sentis le rouge me monter aux joues. *Tu sais toujours t'y prendre pour avoir l'air d'une truffe, Dana.*

— Mais la réponse à ta question est non, poursuivit-il. On ne peut pas me tuer avec une arme à feu. Beaucoup ont essayé, et je suis toujours là.

Il pouvait mentir en toute impunité. Comme il venait de le dire, s'il était possible de le tuer avec une arme à feu, il ne le crierait pas sur les toits. D'un autre côté, il Chassait en Avalon avant que la ville ne fasse sécession du royaume de Faëry, et il était improbable qu'aucune de ses proies humaines ait jamais essayé de lui tirer dessus, ne serait-ce que pour se défendre.

— Tu proposes donc de m'accompagner dans la Faëry afin de me permettre d'emporter une arme pour tuer les reines et lever la *geis* qu'elles m'ont imposée. Je me trompe ?

Je réprimai un frisson et m'obligeai à le regarder en face avec toute la sincérité dont j'étais capable.

— Grosso modo.

Le plan comportait un gros risque. Si je le mettais à exécution et que l'Elferoi fût libéré de la *geis* qui le liait, le monde des mortels serait peut-être épargné, mais les faës deviendraient tous des cibles vivantes. C'est pourquoi je devais faire très attention à la façon de formuler mon offre, car j'avais bien l'intention de faire en sorte que l'Elferoi n'emporte jamais dans la Faëry aucune arme en état de fonctionner. Kimber m'avait assuré que les pactes magiques étaient très littéraux. Si j'étais liée par un pacte m'obligeant à permettre à l'Elferoi de transporter une arme en Faëry, il me suffisait de le prendre au pied de la lettre, et rien ne m'imposait que l'arme soit *opérationnelle*.

J'étais en train de répéter mentalement la formulation de mon offre, quand l'Elferoi la renvoya au statut d'hypothèse d'école.

— C'est une proposition intelligente, dit-il avec un hochement de tête approbateur. Qui exige de moi un effort pour atteindre mon but ultime, une tâche ardue, même avec l'aide d'armes du monde des mortels. Et si j'y parviens, ce ne sera pas ton peuple qui en souffrira, ajouta-t-il en souriant. Les faës n'ont qu'à se débrouiller tout seuls, pas vrai ?

Je relevai la tête, tâchant de ne pas fléchir. J'étais consciente que ma proposition me ferait passer pour une fille sans cœur qui se moquait bien de ce qui pourrait arriver aux faës, qui n'étaient pas « mon peuple ». Mais il fallait que l'Elferoi me croie capable de ce mépris pour qu'il ne soupçonne pas la ruse.

Il secoua la tête.

— Peu importe. La réponse est non.

— Quoi ?

J'avais, bien sûr, envisagé qu'il puisse refuser, mais je pensais avoir une bonne chance de réussir. Et je ne m'attendais certainement pas à ce qu'il rejette ma proposition sans même tenter de négocier.

— Je n'ai aucun grief à l'encontre de Mab ou de Titania, dit-il. Le pacte que nous avons conclu était avantageux pour les deux parties, même si des observateurs extérieurs ne peuvent pas deviner ce que j'y ai gagné.

Le refus instantané de l'Elferoi me laissa sans voix, et mon cœur sombra. C'était la seule chose que j'avais pu trouver à lui offrir en lieu et place de ce qu'il demandait.

Les larmes me montèrent aux yeux en dépit de mes efforts pour les retenir.

L'Elferoi tendit la main par-dessus le plateau de thé et posa légèrement les doigts sur mon poignet. Le poids du désespoir qui m'avait envahie m'empêcha de me dégager.

— Ne pleure pas, dit-il en me caressant le dos de la main avec son pouce. Tout n'est pas encore perdu. J'ai une contre-proposition à te faire.

Ses mots me tirèrent de ma stupeur et je retirai finalement ma main, si brusquement que je renversai la tasse de café intacte que je tenais toujours. L'Elferoi se leva aussitôt et me prit la tasse des mains pour la reposer sur la table. Il s'agenouilla ensuite devant moi, un mouchoir à la main – surgi je ne sais d'où – avec lequel il entreprit d'éponger le liquide sur mon jean.

Ses gestes étaient impersonnels, rapides et professionnels, rien de sexuel ni de déplacé. Pourtant, le contact de sa main sur ma cuisse était... troublant.

— Je vais le faire, dis-je en prenant le mouchoir, m'attendant presque à ce qu'il insiste pour continuer lui-même.

Il m'abandonna pourtant le mouchoir.

— Tu t'es brûlée ? s'enquit-il en s'asseyant sur ses talons.

Je secouai la tête, gênée de ma réaction exagérée à son contact. Il ne m'avait pas menacée, et il n'avait pas essayé de me séduire. Il ne s'était rien passé.

Et pourtant, quelque part, j'avais l'impression qu'il se passait bien quelque chose, et les petits cheveux sur ma nuque se dressèrent. J'écartai ce mauvais pressentiment.

— Quelle est votre contre-proposition ? demandai-je.

Il me jeta un regard manifestement destiné à me jauger avant de se relever et d'approcher son fauteuil de l'autre côté de la table pour me faire face. Il s'assit, ses genoux touchant presque les miens.

Je réprimai l'envie de me ratatiner au fond de mon siège. Il était si impressionnant que j'aurais eu du mal à ne pas être intimidée même sans savoir qui il était, et ce qu'il était. Je croisai son regard et fus surprise de découvrir la chaleur dont ses yeux bleu glacier étaient capables. Il était peut-être intimidant malgré lui, mais il essayait très fort de ne pas l'être.

— Je te préviens que ma proposition va te surprendre, dit-il. Tu la trouveras sans doute effrayante et déconcertante.

Génial. Comme si j'avais besoin d'un truc en plus pour me faire flipper et me mettre mal à l'aise.

— D'accord, me voilà prévenue. Maintenant, allez-y.

Ses yeux plongèrent au fond des miens.

— J'accepte de libérer Ethan de la Chasse Infernale à la condition qu'en échange tu t'engages à me donner ta virginité.

Chapitre 17

J'en restai bouche bée et clignai les yeux sous le coup de la stupeur.

— Pardon, qu'est-ce que vous venez de dire ?

— Tu as très bien entendu. Et je t'avais prévenue.

Je secouai la tête, avec l'impression que je venais de glisser dans un rêve. Je me repassai mentalement les paroles de l'Elferoi, et elles n'avaient toujours aucun sens.

— Tu es jeune, reprit-il. Trop jeune encore pour la couche. Du moins selon les critères d'aujourd'hui. Autrefois, tu aurais sans doute déjà été une femme mariée, mère de plusieurs enfants. Mais je suis infiniment patient. Je t'accorderai la liberté de choisir le moment où tu seras prête à remplir ta part de ce marché.

— Et vous garderez Ethan jusque-là, lui opposai-je, encore trop sonnée pour comprendre pleinement ce qui se passait.

— Non, non, répondit-il. Tu seras liée par ta promesse et, à moins que tu n'aies l'intention de vivre une vie de célibat, tu devras tôt ou tard venir à moi.

— Vous n'êtes pas sérieux.

Je ne suis pas faussement modeste au point de prétendre que je suis moche ou autre, mais je n'ai rien de spécial, surtout comparée à la beauté inhumaine des faës. Quand j'avais rencontré Ethan la première fois et qu'il s'était mis aussitôt à me draguer, j'avais su au fond de mon cœur que quelque chose clochait. Certaines filles sont si belles ou tellement sexy que les garçons tombent à leurs pieds comme des mouches, mais je ne suis pas de ces filles-là. Il était impossible que l'Elferoi accepte de libérer Ethan pour le seul plaisir de coucher avec moi.

— Je t'assure que si, je suis très sérieux, dit-il. Si tu refuses de m'accompagner avec ma Chasse dans le monde des mortels, c'est pour toi l'unique moyen de gagner la liberté d'Ethan.

Je restai sur ma chaise à le dévisager.

— Je ne comprends pas. Qu'y gagneriez-vous ?

Il haussa un sourcil en me regardant et je rougis furieusement en comprenant ce qu'il voulait dire. Focalisée sur mon incrédulité, je n'avais pas complètement intégré le fait que j'étais en train de parler de ma virginité avec un homme.

— Toutes mes excuses, dit gentiment l'Elferoi. Je ne devrais pas te taquiner dans ces circonstances.

Il semblait sincèrement contrit, mais mon embarras demeura. Je n'étais jamais allée bien loin avec un garçon. Je suis de nature méfiante, et n'accorde pas facilement ma confiance, ce qui rend toute intimité plutôt difficile. Vous pourriez même dire que j'étais prude. La seule idée de faire... ça... avec l'Elferoi me donnait des sueurs froides.

— Je ne te ferai pas mal, promit-il. Je peux même faire en sorte que tu y trouves du plaisir, malgré tes réticences.

Je le regardai durement. Est-ce qu'Ethan lui avait dit qu'il avait essayé un sortilège du violeur sur moi ?

— Je n'entreprendrai rien sans ta permission, ajouta l'Elferoi, et le regard qu'il me lança indiquait qu'il savait à quoi je pensais. Si tu préfères avoir l'esprit parfaitement clair, je respecterai tes désirs.

— Pourquoi faites-vous ça ? murmurai-je malgré moi, me sentant toute petite et plus perdue que je ne me souvenais de l'avoir jamais été. Il n'y avait pas l'ombre d'un doute que sa proposition comportait une partie cachée.

Il obtiendrait davantage qu'un peu de plaisir si j'acceptais. Mais du diable si je savais quoi.

— La question est de déterminer ce que vaut la liberté d'Ethan à tes yeux, dit-il au lieu de répondre à ma question. La virginité n'a pas la même valeur pour les femmes d'aujourd'hui qu'autrefois. M'offrir la tienne ne diminuera pas tes chances de trouver un mari ni ne fera de toi une paria ou quelqu'un que l'on traite comme de la marchandise abîmée. Est-ce là un sort si terrible que tu sacrifies le reste de la vie immortelle d'Ethan pour l'éviter ?

Les larmes me montèrent de nouveau aux yeux, et cette fois je ne pus les retenir. Je me sentais piégée, impuissante et coupable en même temps. Beaucoup de filles de mon âge avaient des relations sexuelles depuis des années et ne s'en portaient pas plus mal. Et pourtant j'étais là, trop effrayée pour accepter les conditions de l'Elferoi alors que l'avenir d'Ethan était dans la balance.

L'Elferoi tendit les bras et me prit les deux mains. Je tentais faiblement de me dégager, mais il ne me lâcha pas, comme je m'y attendais. Il caressait mes mains de ses pouces avec une étonnante douceur.

— Tu es effrayée parce que tu n'es pas prête, dit-il. C'est pourquoi je te laisse le choix du moment.

Il libéra une de mes mains pour essuyer une larme sur ma joue.

— Lorsque tu seras plus âgée et que tu auras eu le temps de te faire à l'idée, tu seras peut-être plus attirée par ma couche que tu ne t'y attends.

Il me souriait de nouveau et, malgré ma détresse, je ne pus m'empêcher de remarquer la beauté de ses yeux d'un bleu profond frangés de longs cils noirs. Oui, il y avait sûrement tout un tas de filles qui donneraient n'importe quoi pour avoir une chance d'entrer dans son lit. Dommage que je n'en fasse pas partie.

— Et si je me trompe, poursuivit-il, et que tu ne puisses supporter de me laisser te prendre, tu auras toujours ce choix.

Oui, si je voulais vivre toute une vie d'abstinence ! Je n'étais peut-être pas prête dans l'immédiat, et peut-être un peu prude, mais ça ne voulait pas dire que j'avais l'intention de rester vierge toute ma vie. Avais-je pour autant le droit de refuser et de laisser tomber Ethan ? Comment pourrais-je regarder Kimber en face en sachant que j'aurais pu sauver son frère, mais que je m'étais dégonflée ? Et comment pourrais-je encore me regarder dans la glace si Ethan s'était fait capturer par ma faute et que je n'eusse pas levé le petit doigt pour l'aider ?

Je me sentais comme une marionnette entre les mains de l'Elferoi. Je *savais* que ce marché cachait quelque chose qu'il ne me disait pas. Et je *savais* que je devrais un jour ou l'autre affronter les conséquences de ma décision. Si l'Elferoi avait exigé que je couche avec lui immédiatement, je n'aurais sans doute pas trouvé le courage d'accepter, en dépit de ma mauvaise conscience. Mais il avait peut-être raison. Peut-être que dans un ou deux ans, je ne trouverais plus ça si terrible.

— Ajoutez-y Connor, et c'est d'accord, dis-je, ignorant les protestations de mes tripes.

L'Elferoi eut l'air surpris, comme s'il n'avait jamais songé que je puisse vouloir également la libération de mon frère. Il me lâcha la main et se renfonça dans son siège en fronçant les sourcils. Il hocha finalement la tête.

— Je libérerai Ethan dès que tu m'en auras fait la promesse, accepta-t-il. Une fois ta promesse tenue, je libérerai également Connor.

Incapable de prononcer un mot, j'acquiesçai de la tête. J'étais sûre et certaine que j'allais regretter ce jour, et sans doute très bientôt.

L'Elferoi se leva et me tendit les mains.

— Scellons notre marché.

Je ne savais pas ce qu'il voulait dire. Je me levai aussi, mais ne lui donnai pas les mains, me contentant de le dévisager intensément.

— Nous allons sceller notre marché d'un baiser, m'explicita-t-il en repoussant une mèche de mon visage.

Je voulus protester, mais il continua de parler.

— Notre accord sera scellé par la magie pour que ni l'un ni l'autre ne puissions le briser. Tu vas sentir la magie que j'invoque, mais n'aie pas peur.

— Je ne vous embrasserai pas ! refusai-je en secouant la tête.

Il haussa une épaule.

— Nous pourrions sceller ce marché par le sang, mais un baiser sera plus agréable. Pour nous deux. Et puis, comment puis-je espérer que tu rempliras un jour ta part du marché si tu refuses de m'accorder ne serait-ce qu'un baiser ?

Je déglutis en tâchant de me convaincre de ne pas faire la sainte-nitouche. Un baiser n'avait jamais tué personne, même venant d'un meurtrier de sang-froid. Je ne répondis rien, et l'Elferoi prit acte de mon consentement.

— Tu sentiras la magie affluer dès que j'aurai prononcé les termes de notre accord, annonça-t-il. La sensation va s'intensifier le temps de notre baiser, mais ce ne sera pas douloureux. Elle rendra aussi ce baiser… particulièrement agréable.

Je réprimai un frisson. Je n'avais pas envie de trouver ça agréable.

— Je ne veux pas que vous influenciez mes sensations.

— Je ne ferai rien de tel. C'est un effet secondaire de la magie. Si nous scellions notre accord par le sang, c'est la douleur qui serait intensifiée, tu comprendras pourquoi je préfère un baiser.

Il m'adressa un sourire de gamin qui détonnait avec son visage.

La chaleur soudaine de mes joues m'indiqua que je rougissais encore, et je détestais ça.

— Très bien. Je m'en fiche.

Si la magie ne faisait qu'intensifier ce que l'on ressentait déjà, je n'avais plus qu'à m'assurer que je ne prendrais aucun foutu plaisir à embrasser l'Elferoi.

Il inclina gracieusement la tête, amusé de ma réponse maussade.

— Si tu promets de me donner ta virginité, je promets en retour de libérer Ethan de la Chasse Infernale aujourd'hui même, et Connor le jour où tu auras rempli cet engagement.

Le fourmillement de la magie sur ma peau me coupa le souffle. Il était plus puissant que tout ce que j'avais éprouvé jusqu'ici, et tous les petits poils de mes bras se dressèrent. Je n'aurais pas été étonnée que mes cheveux s'y mettent aussi. Si la magie devait s'intensifier encore pendant notre baiser, je n'étais pas sûre de pouvoir y survivre. J'avais déjà l'impression d'avoir mis les doigts dans une prise électrique.

— Sois avertie, poursuivit l'Elferoi, que si tu manques à préserver ta virginité jusqu'au jour de remplir ton engagement, je reprendrai Ethan dans la Chasse Infernale et aucune puissance sur la terre comme au ciel ne pourra jamais l'en délivrer. Acceptes-tu les termes que je viens d'énoncer ?

La magie était si dense que j'avais du mal à respirer, et ma peau crépitait. Je n'étais pas certaine de pouvoir parler, mais l'Elferoi me dévorait des yeux, attendant ma réponse. Plus vite je répondrais, plus vite tout serait terminé.

— Oui, dis-je d'une voix que j'espérais audible.

La magie rugissait à présent à mes oreilles en plus de me piquer la peau.

Les yeux de l'Elferoi étincelèrent d'un éclat de triomphe, et il glissa sa grande main sur ma nuque pour saisir ma tête dans sa paume. Il se pencha vers moi, et je dus faire appel à toute ma volonté pour ne pas me dégager de son étreinte et m'enfuir en courant.

Ses lèvres étaient étonnamment douces quand elles touchèrent les miennes, et j'éprouvai une seconde de soulagement en pensant que ce chaste effleurement ferait l'affaire. Et soudain, la magie me pénétra comme une lame. Au lieu de la sentir fourmiller sur ma peau, elle semblait maintenant venir de l'intérieur.

Je hoquetai, et l'Elferoi fit de même. Il écrasa alors ses lèvres sur les miennes en attirant mon corps contre le sien. Je me blottis sans résistance dans ses bras tandis que la magie s'insinuait dans ma poitrine et dans mon ventre. J'ouvris la bouche, implorant presque le goût de sa langue, que l'Elferoi m'offrit.

Il m'embrassa avec tant d'ardeur que c'en fut presque douloureux, et je n'avais aucune envie de lui résister. Je passai mes bras autour de son cou et me pressai contre lui, éprouvant la chaleur de sa virilité montrant qu'il était prêt et plus que désireux de mettre notre marché à exécution dans l'instant. Je grognai dans sa bouche comme une vague de plaisir me parcourait de la tête aux pieds et des pieds à la tête. C'était la sensation la plus grisante que j'aie jamais éprouvée et j'en voulais encore. Rien en moi, ni mon corps ni mon esprit, ne se rappelait que j'étais en train d'embrasser mon ennemi mortel, et ce, en dépit de ma volonté.

La magie atteignit un sommet qui m'aurait fait crier sans la langue de l'Elferoi dans ma bouche. Je lui attrapai les cheveux à pleines mains comme une bouée à laquelle je me serais raccrochée pour ne pas me noyer.

Et puis soudain, tout s'arrêta.

Mes genoux se dérobèrent sous moi et je me serais effondrée si l'Elferoi ne m'avait soutenue. Ses lèvres s'attardèrent sur les miennes encore une seconde avant de rompre le contact, les mains sur mes épaules pour me retenir. J'avais la tête qui me tournait et je me sentais faible, trop sonnée pour me souvenir où j'étais et ce que je faisais exactement. J'eus du mal à dénouer mes doigts des cheveux de l'Elferoi et je ne résistai pas quand il me conduisit sur une chaise pour me faire asseoir.

Mes lèvres étaient encore meurtries de la force du baiser de l'Elferoi. Il s'accroupit devant moi et plongea ses yeux dans les miens en repoussant mes cheveux de mon visage.

— Est-ce que ça va ? s'enquit-il comme s'il s'en souciait vraiment. Est-ce que je t'ai fait mal ?

Il avait les pupilles dilatées et la respiration haletante. Je crois bien que son pantalon moulant de cuir noir était toujours tendu, mais en dépit de son désir manifeste il ne tenta pas de profiter de moi.

— Ça va, réussis-je à articuler, même si je n'en étais pas sûre.

Il me pressa la main.

— Pardonne-moi si je me suis montré brutal. C'était plus intense que je ne m'y attendais moi-même.

Je ne sais pas pourquoi, mais je le crus. Peut-être parce qu'il avait l'air de s'en faire pour moi en cet instant précis.

Je m'efforçais toujours de reprendre mes esprits quand Connor entra dans la pièce, le corps inconscient d'Ethan dans les bras, et toute pensée du baiser que je venais de recevoir déserta mon esprit.

Chapitre 18

Je crois que, inconsciemment, je n'avais jamais vraiment cru au succès de mon plan. Dans le cas contraire, j'aurais sans doute réfléchi à ce que j'allais faire d'Ethan après l'avoir récupéré. L'Elferoi m'avait prévenue qu'il ne serait pas en état de marcher. J'ai plus de force physique qu'une fille cent pour cent humaine de ma corpulence, mais certainement pas assez pour le porter à bout de bras.

Connor traversa la pièce jusqu'à un antique sofa, sur lequel il déposa doucement Ethan. Les jambes encore tremblantes de cette overdose de magie, je le rejoignis, n'osant pas encore croire que j'avais obtenu sa liberté.

— Ne t'inquiète pas pour lui, me dit l'Elferoi juste derrière moi, me faisant sursauter.

Un type aussi balaise ne devrait pas avoir le droit de se mouvoir aussi silencieusement !

— Il est affaibli par sa libération de la Chasse, mais il recouvrera progressivement ses forces.

— Dans combien de temps ?

Il haussa les épaules.

— C'est la première fois que je relâche l'un de mes hommes. Je ne saurais dire exactement combien de temps il lui faudra pour s'en remettre.

Sur le sofa, Ethan poussa un faible grognement et battit des paupières comme s'il voulait ouvrir les yeux.

— Ethan ! l'appelai-je en m'asseyant près de lui pour lui prendre la main. Est-ce que tu m'entends ?

Ses lèvres remuèrent faiblement, mais aucun son n'en sortit et ses yeux demeurèrent clos. Comment diable allais-je le ramener ?

Et qu'est-ce que j'allais raconter pour expliquer à tout le monde comment j'avais obtenu sa libération ? Il n'était pas question que je crie sur les toits que je l'avais échangé contre ma virginité ! Je n'avais pas non plus très envie que mon père ou Finn apprenne que je m'étais éclipsée en douce de mon bunker.

Mais chaque chose en son temps : je devais sortir Ethan d'ici et l'Elferoi ne m'avait pas proposé son aide.

— Puis-je utiliser votre téléphone ? lui demandai-je.

Il souleva un combiné sans fil de sa base et me le tendit sans un mot. Je tâchai d'ignorer le tremblement de mes mains et composai le numéro de Kimber en priant pour qu'elle réponde. Il était encore assez tôt, et elle ne reconnaîtrait pas le numéro qui devait s'afficher sur son téléphone.

À mon grand soulagement, elle décrocha et répondit d'une voix endormie.

— Allô ?

— Kimber, c'est Dana. Tu es réveillée ?

Elle émit un grognement de surprise embrumé de sommeil et je l'entendis se retourner dans son lit.

— Dana ? Où es-tu ? Tout va bien ?

— Ça va.

Je croisai les doigts en prononçant ces mots, une vieille habitude qui se rappelait à moi sous l'effet du stress.

— Je... Je suis chez l'Elferoi.

Kimber hoqueta de surprise. Elle devait être pleinement réveillée à présent.

— Quoi ?

— Il a accepté de laisser partir Ethan, mais ton frère est trop faible pour marcher et je ne peux pas le ramener seule.

— Attends une minute. Quoi ? Tu as dit que l'Elferoi le laissait partir ?

— Oui. Mais j'ai besoin de toi.

— Alors, l'Elferoi a accepté notre proposition ?

Elle semblait incrédule, et je ne pouvais pas lui en vouloir. Je crois bien que ni l'une ni l'autre n'avions réellement cru que notre plan fonctionnerait. Nous nous étions seulement bercées de l'illusion rassurante de pouvoir faire quelque chose.

— Euh, non. On a passé un autre marché. Mais je ne veux pas en parler maintenant. Tu peux venir m'aider pour ramener Ethan ?

— Je serai là dans un quart d'heure, dit-elle.

Je l'entendis sortir de sa chambre et s'affairer.

— Attends une seconde que je te donne l'adresse.

— Pas la peine. Je sais où c'est.

J'imagine que tout le monde en Avalon devait savoir où logeait l'Elferoi. Lui et sa Chasse n'étaient pas du genre discret.

— D'accord. À tout de suite.

— Ouais, dit-elle en raccrochant.

Je me frottai les bras pour me réchauffer, même si le feu dans la cheminée répandait une chaleur confortable. Pendant quelque temps, Kimber serait si contente de retrouver son frère qu'elle ne me casserait pas trop les pieds pour savoir quel genre de marché j'avais passé avec l'Elferoi. Mais je savais que ça ne durerait pas, et qu'elle finirait par me harceler jusqu'à ce que je lui dise la vérité. Je n'étais pas sûre de vouloir révéler à quiconque les détails de notre pacte, meilleure amie ou pas.

Je décidai que j'aviserais en temps voulu et m'efforçai d'écarter ces pensées.

Ethan était plus pâle que d'habitude, et il avait les yeux cernés. La marque de l'Elferoi ressortait violemment sur sa peau. Je me demandai s'il s'agissait d'un simple tatouage qu'il pourrait faire effacer ou s'il devrait la conserver toute sa vie. Ce n'était pas si moche dans le genre sauvage ou exotique, mais j'imagine qu'Ethan ne serait pas très chaud pour conserver un souvenir du temps passé au sein de la Chasse Infernale.

L'Elferoi s'assit sur une chaise à dossier droit et croisa les jambes en me regardant tenir la main abandonnée d'Ethan.

— Je t'ai dit plus tôt au téléphone qu'il était dans mon intérêt de te protéger, commença-t-il. C'est encore plus vrai à présent que nous avons conclu ce pacte. En vertu de quoi je dois te prévenir que Titania m'a accordé la permission de Chasser ta tante Grace.

— Quoi ?

Cette déclaration tombait comme un cheveu sur la soupe, et je ne compris pas tout de suite de quoi il parlait.

— La rumeur est arrivée aux oreilles de la reine des Lumières que Grace avait des vues sur son trône. Elle n'a pas très bien accueilli la nouvelle.

Ses lèvres s'incurvèrent en un sourire ironique.

Ça ne me faisait pas la moindre peine pour tante Grace. Si elle se faisait tuer parce qu'elle s'était mis en tête de se servir de moi pour renverser Titania, tant pis pour elle. Je ne sais pas si j'étais assez mesquine pour souhaiter la mort de ma tante, mais je ne la pleurerais certainement pas.

— Quel rapport avec ma sécurité ? m'étonnai-je.

— Grace est condamnée. Si elle se montre assez maline, elle pourra m'échapper un certain temps, mais quels que soient ses pouvoirs, je finirai par la débusquer. En supposant que les gens de la reine ne la trouvent pas les premiers, naturellement. Ta tante le sait. Même si elle parvenait à t'enlever et à t'emmener de force dans la Faëry, les gardes de la reine sont prévenus du danger et elle ne pourra jamais s'approcher suffisamment de la reine pour commettre son forfait.

— D'accord. Je ne vois toujours pas ce que j'ai à voir là-dedans.

— D'après mon expérience, lorsqu'une personne n'a plus rien à perdre et plus rien à gagner, on peut s'attendre à ce qu'elle commette une folie.

Il me regarda d'un air entendu, et je me souvins qu'il avait suggéré un peu plus tôt que tante Grace n'essayait plus de m'enlever, mais de me tuer. Je ne la connaissais pas très bien, mais je n'avais aucun mal à l'en croire capable. Mon arrivée en Avalon et ses tentatives avortées de faire de moi son Passemonde personnel l'avait fait dérailler. Et c'était bien le genre de personne à me rendre responsable du gâchis qu'elle avait fait de sa vie.

— Si elle veut me tuer, elle n'a qu'à prendre un ticket, soupirai-je.

Si je ne faisais pas gaffe, j'allais finir par devenir blasée avec tous ces gens qui voulaient ma peau.

Il approuva d'un signe de tête.

— J'admire ton courage, Passemonde. C'est une qualité très rare chez quelqu'un d'aussi jeune.

— Euh, merci. Et je croyais que vous ne deviez plus m'appeler comme ça. Mon nom est Dana.

— Toutes mes excuses, Dana. Et je m'appelle Arawn. Peu de gens osent m'appeler par mon nom, mais je t'y autorise expressément.

La sonnerie de la porte me dispensa de répondre. Kimber était arrivée.

L'Elferoi – Arawn, donc – souleva Ethan dans ses bras comme s'il ne pesait pas plus lourd qu'un nourrisson. Sans ajouter un mot, il se dirigea vers la porte et je me hâtai de le suivre.

Mon esprit s'engourdit un peu après ça. Kimber était à la fois folle de joie et paniquée quand Arawn lui rendit le corps inanimé de son frère. Avec sa force de faë, elle pouvait le porter, mais pas aussi facilement que l'Elferoi. Elle pleurait à chaudes larmes et avait abandonné l'irritabilité dont elle faisait habituellement preuve en présence d'Ethan. C'était sûrement aussi bien qu'il ne soit qu'à moitié conscient, parce qu'il ne l'aurait pas lâchée avec ça. Le soulagement de retrouver Ethan accapara suffisamment Kimber pour qu'elle s'abstienne de me demander comment j'avais obtenu sa libération. J'avais évité la première salve, mais je savais parfaitement qu'elle reviendrait à la charge dès qu'elle se serait reprise en main.

Nous nous séparâmes presque immédiatement. Kimber ramena Ethan chez leur père et je rentrai dans mon bunker. Après avoir longuement hésité par crainte de conséquences qu'Arawn aurait omis de mentionner, je finis néanmoins par me piquer le doigt avec la broche qu'il m'avait donnée. Sans gardes du corps et sans toute ma tête, je faisais une cible parfaite pour mes ennemis. J'estimai donc indispensable de me soustraire aux regards.

J'ai un sens de l'orientation pourri, mais j'avais assez souvent parcouru le chemin menant à mon bunker pour pouvoir retrouver ma route sans aide. Je n'avais pas de cerf pour m'éclairer cette fois-ci, mais Arawn avait eu la présence d'esprit de me fournir une lampe.

Finn faisait son boulot de garde du corps quand j'entrai dans la salle de garde, penché au-dessus d'un revolver qu'il nettoyait consciencieusement. Plusieurs armes à feu différentes étaient alignées sur la table, ainsi que deux ou trois poignards d'argent. Je retins mon souffle en poussant la porte, mais il ne me vit pas. Ça ne me plaisait guère mais je devais bien reconnaître que le cadeau de l'Elferoi était une sacrée bonne carte dans le genre « Vous sortez de prison ». Manifestement, Finn ne saurait jamais que je m'étais absentée.

Une fois à l'abri dans ma suite, j'hésitai entre m'offrir des litres de café bien fort et un plongeon au fond de mon plumard. Le lit l'emporta et j'étais si exténuée que je sombrai aussitôt dans le sommeil.

Malheureusement pour moi, ce ne fut pas un sommeil sans rêves. À peine eus-je fermé les yeux que je me retrouvai serrée entre les bras d'Arawn, qui me donnait un baiser. Un baiser aussi profond et ardent que celui que nous avions échangé dans la réalité, sauf que la magie n'y était pour rien. Je me pressais contre lui, goûtant le renflement de son désir contre mon ventre. À ce stade, j'aurais normalement dû m'inquiéter, mais non.

Je m'ouvris à lui en m'abandonnant, laissant sa langue fouiller ma bouche, et ne protestai pas quand ses mains descendirent sur mes reins pour me plaquer plus fort contre lui. Le plaisir et le désir m'ôtaient toute pensée.

Arawn interrompit notre baiser, et je laissai échapper un grognement de dépit. Il me sourit, les yeux sombres et luisants, puis me prit dans ses bras pour m'allonger sur mon lit. Une infime partie de moi enregistrait que ce n'était pas la réalité. Tout le reste de ma personne s'en moquait royalement.

Arawn s'allongea sur moi en prenant soin de ne pas m'écraser sous le poids de son corps musculeux. Sans que je sache comment, mes jambes s'étaient écartées et l'une de ses cuisses les maintenait ouvertes. Je me cambrai en grognant. Je suffoquais de désir pour lui, et mes mains se soulevèrent d'elles-mêmes pour déboutonner sa chemise.

Je ne sais pas jusqu'où ce rêve se serait poursuivi si je n'avais été réveillée par les coups de boutoir dont Finn martelait ma porte.

— Dana ! criait-il, comme si ce n'était pas la première fois qu'il m'appelait. Réponds ou je vais devoir forcer ta porte.

Sonnée et désorientée, je m'assis dans mon lit.

— J'arrive dans une minute, réussis-je à articuler.

— Ton père veut te voir, dit Finn. Tout de suite.

Argh. Ça n'annonçait rien de bon.

— Je suis là dans une seconde.

Je me dirigeai vers la salle de bains en frottant mes yeux englués de sommeil. Je voulais au moins me brosser les cheveux et me passer de l'eau fraîche sur le visage avant d'affronter mon père, qui devait avoir entendu dire qu'Ethan était rentré chez lui et se douter que j'y étais pour quelque chose.

Je me figeai en voyant mon reflet dans le miroir. Mon visage était rouge, et je me rendis compte que j'avais les joues en feu. Mes pupilles étaient dilatées comme sous l'effet de la drogue, et mes cheveux complètement emmêlés.

Je rougis de plus belle en me rappelant mon rêve. Je ne voulais *pas* penser à l'Elferoi de cette façon. Oui, il était beau comme un dieu et il avait cette séduction particulière des bad boys – les vrais, pas comme Keane. Mais il était cruel et maléfique, et cent mille millions de fois trop vieux pour moi. Je promenai mécaniquement mes doigts sur mes lèvres, me souvenant de la brutalité de son baiser dans la réalité. J'avais aimé ça sur le moment, mais d'y songer me mettait mal à l'aise. On m'avait embrassée deux fois en tout et pour tout dans ma vie, et chaque fois sous l'influence de la magie. Je me demandai à quoi pouvait ressembler un vrai baiser, et redoutai que la sensation ne me parût bien fade par comparaison.

Je me forçai à penser à autre chose et repoussai pour plus tard les souvenirs de ce véritable baiser et de celui de mon rêve.

Dans l'immédiat, avis de tempête imminente.

Chapitre 19

Les chances que je révèle à mon père ce que j'avais dû faire pour obtenir la liberté d'Ethan étaient très précisément de zéro, et j'avais dû me concocter une couverture qui me dispenserait d'avoir à raconter à *quiconque* l'embarrassante vérité avant de reprendre suffisamment mes esprits pour quitter ma chambre.

Papa m'attendait au salon en faisant les cent pas devant le canapé. Pendant la seconde dont je disposai avant qu'il ne me voie, je remarquai qu'il avait les traits tirés et les joues inhabituellement pâles, même pour lui. Je m'attendais à affronter son courroux, mais il ne semblait pas en colère. Il avait l'air… épouvanté.

Je n'eus pas le temps d'y réfléchir beaucoup, car il leva les yeux et m'aperçut. Il tenta de chasser le trouble de son visage, mais ce qui le préoccupait devait être assez grave pour qu'il ne parvienne pas à sa neutralité habituelle. Son regard croisa le mien et il secoua la tête.

— Dana, qu'est-ce que tu as fait ? me questionna-t-il tout de go.

Sa voix était glaciale et je me demandai l'espace d'une seconde s'il avait deviné la vérité. Je décidai que non. J'étais presque certaine qu'il aurait été hors de lui, et pas complètement flippé, s'il avait su que j'avais promis ma virginité à l'Elferoi.

Je relevai la tête en espérant ne pas rougir.

— Ce que j'avais à faire pour sauver Ethan de la Chasse Infernale.

— Et qu'est-ce que cela, exactement ?

Ayant souvent dû couvrir ma mère, j'étais efficacement entraînée à inventer des mensonges et à les délivrer de façon convaincante. Je savais qu'il fallait rester simple, et mêler au mensonge le plus de vérité possible. Et surtout, ne pas éviter le regard de son interlocuteur, un truc qui vous fait paraître coupable même quand vous êtes innocente.

Je regardai donc mon père droit dans les yeux pour lui débiter mon mensonge.

— Je n'ai rien fait du tout. J'ai simplement dû lui promettre de faire quelque chose dans le futur. Et avant que tu me le demandes, il m'a liée par une *geis* pour m'empêcher de dire de quoi il s'agit.

Ma réponse sembla le vider de ce qu'il lui restait d'énergie et il s'effondra comme une masse sur le canapé. On aurait dit que je venais de lui annoncer la mort de quelqu'un. Étant donné que je ne lui avais pas encore raconté grand-chose, je ne voyais pas ce qui était si terrible dans ce que j'avais dit.

Je fis quelques pas dans la pièce, sans m'asseoir. J'étais trop agitée pour ça.

— Qu'est-ce qui ne va pas, Papa ?

— Qu'est-ce qui ne va pas ? éclata-t-il avec un rire amer. Qu'est-ce qui pourrait ne pas aller quand ma fille a promis à l'Elferoi une chose qu'il désire à tel point qu'il est prêt à libérer l'un de ses Chasseurs pour l'obtenir ?

Il poussa un profond soupir.

— Tu n'en sais pas assez sur lui ni sur la Faëry pour prendre des décisions en toute connaissance de cause. Quoi que tu lui aies promis, tu ne dois pas le lui donner. Même si ça veut dire qu'il reprendra Ethan.

Il parlait d'un ton résigné, comme s'il s'attendait à ce que je n'en fasse qu'à ma tête de toute façon.

Je réfléchis à ma promesse, certaine que je ne la tiendrais pas de sitôt. Ce n'étaient pas des rêves érotiques qui allaient me donner envie de coucher avec le grand méchant loup. De plus, mon père avait raison. Je n'avais pas pris ma décision en toute connaissance de cause. Je n'avais pas la moindre idée de ce qui se passerait si notre pacte était honoré, et tant que je ne l'aurais pas découvert, il était parfaitement hors de question que cela se produise.

En prétendant être liée par une *geis* qui m'empêchait de révéler la promesse que j'avais faite, je me privais du même coup de la possibilité d'interroger ceux qui en savaient plus long que moi sur le royaume de Faëry et de découvrir ce que pouvait cacher cet accord. Dommage.

— Rien ne m'oblige à honorer ma promesse dans un proche avenir, si ça peut te rassurer, dis-je à mon père.

— Certainement pas ! aboya-t-il, et je distinguai enfin une pointe de cette colère que j'avais attendue. Écoute-moi bien, Dana : tu ne dois pas lui donner ce qu'il demande. Point final.

Je réprimai ma répulsion épidermique au fait qu'il me donne ainsi des ordres.

— Est-ce que tu sais ce qu'il veut de moi ? l'interrogeai-je, me demandant si ça pouvait expliquer la violence de sa réaction.

— Je n'en ai pas besoin, dit-il. Rien de ce que Titania, reine de la cour des Lumières, a pu offrir à l'Elferoi n'a su le convaincre de relâcher Connor. Crois-tu vraiment qu'il te rendrait Ethan sans que ce que tu lui as promis en échange ait de désastreuses conséquences ?

Non. J'ignorais quelles étaient ces conséquences, mais j'étais bien consciente qu'elles existaient forcément.

— Je ne pouvais pas lui laisser Ethan, me justifiai-je. Pas alors que j'avais la possibilité de le sauver. Il me faudra trouver un moyen d'éviter ces fâcheuses conséquences. Comme je te l'ai dit, ce n'est pas une promesse que je suis tenue d'honorer dans un proche avenir. J'ai le temps d'y réfléchir.

Du moins, je l'espérais.

Même si ma réponse ne l'avait pas apaisé, mon père battit en retraite momentanément. Mais je ne me faisais aucune illusion et savais qu'il reviendrait à l'attaque dans les prochains jours.

Il fronça soudain les sourcils en me regardant.

— Attends une seconde. Tu dis que l'Elferoi t'a liée par une *geis* ?

Ses yeux s'agrandirent, d'horreur semblait-il.

— Comment as-tu pu le rencontrer sans que Finn soit au courant ?

— Je ne l'ai pas rencontré, répondis-je sans me troubler bien que sa question me prenne au dépourvu. Il m'a téléphoné.

Là encore, une pincée de vérité ajoutée au mensonge afin d'obtenir une histoire crédible. Je ne voulais surtout pas que mon père soit au courant pour la broche. Il me l'aurait confisquée aussi sûr que deux et deux font quatre, et j'avais l'intuition qu'elle me servirait de nouveau.

— Il t'a liée par une *geis* au *téléphone* ?

Oups. J'imagine que ça ne devait pas sonner très juste. Mais j'avais la nette impression que personne ne savait exactement ce que pouvait ou ne pouvait pas faire l'Elferoi, et je m'accrochai à ma version.

— Oui. Ne me demande pas comment il a fait. Je ne comprends rien du tout à ce truc de magie.

Malheureusement pour moi, ce n'était que la pure vérité.

Je ne suis pas sûre de l'avoir convaincu, mais mon père ne me posa plus de questions. La prétendue capacité de l'Elferoi à me lier par une *geis* au téléphone n'était peut-être pas plus difficile à croire que la façon dont il m'avait réellement fait sortir de mon bunker au nez et à la barbe de Finn.

Je ne fus pas surprise le moins du monde que ma mère m'appelle peu après le départ de Papa. Même en la maintenant assignée à résidence, ce dernier la tenait tout de même au courant des événements. Elle n'avait pas la plus petite idée de ce que j'avais promis à l'Elferoi mais, comme mon père, elle était persuadée que c'était une chose terrible. Contrairement à mon père, en revanche, elle ne savait pas garder son calme par gros temps. J'avais toujours cru que c'était l'alcool qui déclenchait ses crises d'hystérie, mais apparemment non.

Je fis de mon mieux pour l'apaiser, mais elle pleurait toujours quand je raccrochai. Heureusement que Papa avait banni toute boisson alcoolisée de chez lui, ou elle se serait pris la cuite de sa vie.

Je fus beaucoup plus étonnée de recevoir un coup de fil d'Alistair, le père d'Ethan et de Kimber. En dépit de sa rivalité avec mon père, ils travaillaient, pourrait-on dire, main dans la main pour s'assurer que je parviendrais à l'âge adulte. Ils étaient assez proches pour que mon père lui ait donné mon numéro de téléphone, mais pas suffisamment pour qu'Alistair connaisse la localisation de mon bunker.

Alistair était un faë relativement jeune, qui était né en Avalon. Il était davantage sur son quant-à-soi qu'un Américain moyen, mais beaucoup moins que mon père. Il me déclara, lui aussi, que je ne devais pas donner à l'Elferoi ce que je lui avais promis, mais il me remercia avec tant de force de ce que j'avais fait pour Ethan que c'en était presque gênant. Je pense qu'Ethan croit que l'amour que lui porte son père est principalement dû à ses talents de magicien, dont il espère qu'ils serviront ses ambitions, mais ce n'est certainement pas l'impression que j'en retirai.

J'espérais toujours un appel d'Ethan, en vain. Je me dis qu'il devait être encore trop faible après son séjour au sein de la Chasse Infernale, sans en être entièrement convaincue. C'était déjà miraculeux que Kimber ne rejette pas sur moi la responsabilité de ce qui était arrivé à son frère, mais il n'était peut-être pas du même avis.

Que lui avait infligé l'Elferoi durant le temps de sa captivité ? J'étais certaine que faire partie de la Chasse ne se limitait pas à sillonner les rues de la ville à moto. L'Elferoi avait beau m'avoir assuré qu'Ethan était « indemne », je ne pensais pas que c'était synonyme d'« intact ».

Je m'endormis cette nuit-là hantée par la vision d'Ethan torturé par l'Elferoi et ses Chasseurs. Si crues soient ces images, elles ne m'empêchèrent pas de rêver d'Arawn. Je m'éveillai le lendemain matin avec seulement quelques bribes de souvenirs de mes rêves, mais je savais qu'ils avaient contenu des scènes déshabillées, et qu'ils avaient dû aller assez loin.

Je ne vous dirais pas que je n'avais jamais fait de rêve érotique jusqu'ici, mais rien de semblable. Jamais avec autant d'intensité ni si intimement mêlés à la réalité. Mon corps se souvenait encore des sensations que j'avais éprouvées collée serrée contre le torse de l'Elferoi pendant que sa langue explorait ma bouche. Et en dépit de ma volonté, ces souvenirs étaient très excitants.

Je n'avais toujours pas repris mes esprits quand arrivèrent 9 heures et le moment de mon cours avec Keane. Je me demandais s'il était au courant pour Ethan, mais j'eus ma réponse dès que je vis son visage. Il me jeta un regard sombre plein de colère. J'envisageai bien de l'amadouer, mais il ne semblait pas d'humeur loquace.

Ce fut la séance d'entraînement la plus rude et la plus brutale à laquelle il m'eût jamais soumise. Il retenait toujours ses coups pour ne pas risquer de me blesser ou j'aurais fini en morceaux, mais ça n'avait rien d'une partie de plaisir. Et comme si ça ne suffisait pas, il se lâcha aussi sur les insultes et le sarcasme. À l'en croire, je ne faisais rien de bien. Ses manières de sergent-instructeur me foutaient d'habitude en rogne, mais aujourd'hui elles pénétraient plus loin, et je me sentais plus blessée qu'en colère.

Au bout de moins de dix minutes de ce régime, je décidai que ça suffisait. Keane, évidemment, se moquait parfaitement de mes décisions et m'ignora quand je lui dis que je voulais arrêter. Il me balança son poing en pleine face, mais j'étais bien déterminée à mettre un terme à notre entraînement immédiatement. Je combattis mon instinct de défense et m'obligeai à rester immobile au lieu de parer au coup ou de l'esquiver.

Keane comprit à la dernière seconde que je ne me défendais pas, et ses yeux s'agrandirent d'une façon que j'aurais presque trouvée comique si je n'avais pas été en train de serrer les dents dans l'attente de l'impact. Un humain aurait été emporté par son élan, et c'était une sacrée bonne chose qu'il ne soit pas humain.

Son poing s'arrêta si près de mon visage que ses jointures touchèrent mon menton. Pas assez fort pour me faire mal, cependant, et je laissai échapper un soupir de soulagement. J'étais prête à prendre le coup s'il n'y avait pas d'autre moyen d'arrêter Keane, mais je n'y tenais pas du tout.

— C'est quoi, ça, putain de merde ? aboya-t-il, le poing toujours dressé.

— J'ai dit que ça suffisait, répondis-je, d'une voix que je fus satisfaite de trouver calme et assurée.

J'avais peut-être de l'avenir comme actrice, parce que le calme et l'assurance n'étaient pas exactement ce que j'éprouvais au fond de moi.

Keane poussa un drôle de grognement de frustration, mais abaissa le poing.

— Tu t'es levé du pied gauche, ou quoi ? lui demandai-je avec une belle imitation d'un de ses sourires sarcastiques.

Son regard devint glacial. Une expression que je n'avais encore jamais vue sur son visage. Les colères de Keane avaient toujours été incandescentes, du genre à s'enflammer d'un coup et retomber tout aussi vite. Là, c'était autre chose, et une partie de moi eut envie de reculer d'un pas de géant.

— Tu fais des plaisanteries, dit-il d'une voix aussi glaciale que ses yeux. Je suppose que tout ça n'est qu'un grand terrain de jeu pour toi, et que tu prends tes séances d'entraînement aussi sérieusement que tes cours d'E.P.S. à l'école.

— Quoi ? D'où est-ce que tu sors ça ?

Il secoua la tête.

— Tu sais quoi ? Tu ne vaux pas la peine que je perde mon temps.

Sans un mot de plus, il quitta le tapis et me le tira pratiquement de sous les pieds pour pouvoir le rouler.

— Bon sang, dis-je en levant les mains au ciel. Je savais que tu n'aimais pas Ethan, mais je ne m'attendais pas à ce que tu fasses un caprice comme un gros bébé.

Il bondit sur ses pieds et frappa sauvagement le matelas roulé.

— Tu crois que c'est à cause d'*Ethan* ?

Son regard n'était plus aussi froid, mais je ne dirais pas que c'était une grande amélioration.

Je clignai les yeux, un peu perdue.

— Si ce n'est pas à cause d'Ethan, alors de quoi s'agit-il ?

— Tu es une psychopathe.

Il passa une main dans ses cheveux et je crois bien qu'il s'en arracha quelques-uns au passage. Il prit ensuite une longue inspiration et prononça très lentement les mots suivants, comme si j'étais une débile mentale à qui il fallait expliquer les choses avec des mots simples.

— Ce n'est pas à cause d'Ethan, c'est à cause de *toi*. Je ne vois pas la putain d'utilité de t'apprendre à te défendre pour que tu ailles te jeter toi-même dans les bras de tes ennemis !

Je vis beaucoup de choses dans ses yeux en cet instant, dont une bonne partie que je n'étais sûrement pas censée voir.

Outre mon professeur d'autodéfense, Keane était aussi mon ami et avait tous les droits de s'inquiéter pour moi – même s'il ne savait pas jusqu'à quel point. Mais la violence de sa réponse, l'angoisse de son regard… Cela allait au-delà de la réaction d'un ami s'inquiétant pour un autre.

Et merde ! Je n'avais vraiment pas besoin d'une complication de plus dans ma vie.

Que faites-vous quand quelqu'un que vous considérez comme un ami vous fait comprendre qu'il souhaite aller plus loin ? Je fis la seule chose possible à ce moment-là : je prétendis n'avoir rien vu.

— Je ne me suis pas « jetée dans les bras de mes ennemis », répondis-je. J'ai pris un risque calculé en négociant avec l'Elferoi, mais je n'avais pas le choix. Je ne pouvais pas le laisser garder Ethan prisonnier alors que j'avais la possibilité de le sauver. J'aurais fait la même chose pour toi.

Et j'aurais sans doute mieux fait de garder cette dernière information pour moi, mais c'était la stricte vérité. Ce qui ne signifiait pas pour autant que je m'intéressais sentimentalement à Keane. J'aurais aussi passé le même marché pour sauver Kimber.

J'aimais bien Keane… dans les rares occasions où il n'était pas un trou du cul. Il était canon, et indéniablement sexy. Et oui, l'intérêt que lui manifestait visiblement Kimber m'avait transpercée d'une jalousie inattendue. Mais j'avais déjà un garçon suffisamment compliqué dans ma vie, et je venais d'y adjoindre un homme qui l'était encore plus. Rajouter Keane à tout cela aurait été au-delà de mes forces. De plus, Kimber était ma meilleure amie. Quel genre d'amie sortait avec un type sur lequel elle savait que sa copine avait des vues ?

— Je ne t'en demande pas tant, grommela Keane, qui avait tout de même perdu une bonne partie de sa virulence.

— Je ne suis pas le genre de fille qui reste les bras croisés en attendant que les autres s'occupent de ses problèmes à sa place, ajoutai-je. Et je ne le serai jamais. Si tu penses que tu perds ton temps à m'enseigner l'autodéfense, je trouverai un autre professeur.

Il fit la grimace, comme si je venais de me montrer cruelle. Ce n'était pas mon avis.

— Non, je ne perds pas mon temps, reconnut-il en baissant la tête. Plus tu te fourreras dans ces merdiers stupides, plus tu auras besoin de savoir te défendre.

J'émis un son entre le rire et le grognement.

— Toujours plein de tact et d'un grand soutien. Avec des amis comme toi, mes ennemis n'ont qu'à profiter du spectacle.

— À cause de toi, j'aurai des cheveux blancs avant vingt ans.

Je haussai les épaules.

— De toute façon, tu les teins. Tu ne t'en apercevras même pas.

Il daigna m'accorder un sourire.

— Alors, on est toujours amis ? demandai-je en lui tendant la main.

Il me lança un regard impénétrable, et prit ma main, qu'il serra dans la sienne.

— D'accord. Amis.

Il réussit à ne pas mettre de sarcasme dans ces mots, et je fis semblant de les accepter, même si je savais bien qu'il n'y croyait pas réellement lui-même.

Chapitre 20

Je m'éveillais chaque matin en espérant des nouvelles d'Ethan, mais il n'appela pas. J'aurais pu me persuader qu'il était encore trop affaibli si Kimber ne m'avait pas informée qu'il allait beaucoup mieux quand je lui posai la question. Je fus très tentée de lui demander si elle savait pourquoi il ne m'appelait pas, mais elle avait l'air à la fois épuisée et préoccupée, et je décidai de m'en tenir à des sujets moins chargés émotionnellement. Elle ne chercha même pas à découvrir quel marché j'avais passé avec l'Elferoi. Je ne savais pas si ça voulait dire qu'elle avait déjà entendu parler de la fameuse *geis* qui me liait, ou si elle s'en fichait.

Il s'écoula ainsi presque une semaine. Je voyais mes parents chaque jour, ou du moins je leur parlais au téléphone, ce qui aurait pu être sympa sans toute ces tensions. Papa était visiblement toujours inquiet, et Maman était… Bon, Maman était une épave. La sobriété ne lui réussissait pas en période de stress. Au point qu'elle me prit à part un jour où j'étais venue en visite chez mon père, profitant de ce qu'il était absorbé par un coup de téléphone important.

Elle avait encore plus de tics qu'au cours des premiers jours après sa crise de delirium tremens, et je remarquai tout de suite qu'elle avait maigri. Ses vêtements flottaient sur son corps et elle ne portait plus la bague de Claddagh, deux mains tenant un cœur surmonté d'une couronne, que je ne l'avais jamais vue quitter. On distinguait encore la marque de l'anneau sur son doigt. Elle suivit mon regard et se frotta l'annulaire d'un air gêné.

— Elle glisse tout le temps, dit-elle. Je vais devoir la faire réduire.

— Tu t'es mise au régime ? lui demandai-je, même si je connaissais la réponse.

Elle avait toujours été un peu ronde, mais ne s'était jamais souciée de sa ligne, et je ne croyais pas que cela avait changé.

— Pas volontairement, dit-elle avec un sourire contrit. C'est juste que je n'ai pas très faim en ce moment, ajouta-t-elle en se touchant le ventre. Je perds toujours l'appétit quand je suis stressée.

Je hochai la tête. Je crois que je comprenais. Quand elle était stressée dans le passé, elle perdait peut-être son appétit pour la nourriture, mais pas pour l'alcool. Ce n'est pas un aliment très nourrissant, mais c'est calorique. Et aussi, quand on y pense, un moyen efficace de se détendre, même si le prix à payer en est élevé.

Je tendis la main et lui tapotait maladroitement l'épaule.

— Je t'en prie, ne t'en fais pas pour moi. Tout ira bien.

— Je sais que tout ira bien, approuva-t-elle avec un enthousiasme forcé, avant de retomber dans son silence ponctué de tics.

J'attendis de voir si elle allait reprendre la parole, mais non.

— Tu ne voulais pas me dire quelque chose ? finis-je par la relancer, sans être sûre de vouloir savoir quoi.

Elle prit une profonde inspiration, puis se tourna vers moi, le visage sombre mais déterminé. Maintenant, j'étais sûre de ne pas vouloir le savoir.

— Tu comprends que ton père me retient ici contre ma volonté, n'est-ce pas ?

Je fis la grimace. Oui, je le savais. Elle et moi étions toutes les deux ses prisonnières chacune à sa façon.

— Est-ce que tu sais pourquoi ?

La question me surprit. J'étais bien placée pour le savoir. Le fait que mon père oblige ma mère à rester sobre était un des seuls points vraiment positifs depuis mon arrivée en Avalon. Naturellement, Maman ne voyait pas les choses du même œil, puisqu'elle refusait obstinément d'admettre son problème d'alcoolisme.

— Il te retient ici pour t'empêcher de boire, dis-je en me préparant à recevoir ses dénégations.

Ma mère secoua la tête.

— Non. Il me retient parce qu'il pense que c'est ce que tu veux.

— Quoi ?

— Il me retient parce que tu penses que je suis alcoolique, et il croit que me garder enfermée en me privant d'alcool te fait plaisir.

Je n'avais jamais envisagé les choses sous cet angle ; elle avait sans doute raison. Mais qu'elle ne compte pas sur moi pour me sentir coupable !

— Et alors ? demandai-je avec un zeste de froideur, que Maman choisit d'ignorer.

— Et alors, si tu demandais à ton père de me rendre ma liberté, il le ferait certainement. Je suis donc autant ta prisonnière que celle de ton père.

Je laissai échapper un rire, mais il était amer et empli de colère.

— Tu veux que je demande à Papa de te rendre ta liberté pour reprendre la vie que tu menais avant ? Mais c'est génial, Maman. Tout simplement génial. Tu veux redevenir une pauvre loque imbibée d'alcool.

Elle recula comme si je l'avais giflée.

— Dana !

À l'époque où elle était tout le temps saoule, je faisais de gros efforts pour contenir ma rage. Lui crier dessus ou tenter de la raisonner quand elle avait bu était parfaitement inutile. Mais aujourd'hui elle était à jeun, et je lui balançai tout. Maintenant qu'elle était abstinente

– même contre son gré –, peut-être serait-elle capable de comprendre à quel point son alcoolisme m'avait pourri la vie.

— Tu veux que je te dise que je me fiche que tu préfères te saouler et cuver ton vin plutôt que de passer du temps avec ta fille ?

— Ce n'est pas...

— Ou que ce n'est pas grave que tu sois tout le temps tellement à l'ouest que tu ne penses même pas à payer les factures ? Tu crois que ça m'était égal d'être obligée de mentir pour te couvrir durant toutes ces années ?

— Ça suffit !

— Non, ça ne suffit pas !

La colère me submergea. Je serrais si fort les poings que je ne sentais plus mes doigts, et j'avais l'impression que j'allais exploser.

— Toute ma vie, tu n'as été qu'un simulacre de mère, mais ces dernières semaines, je commençais à me dire que tu étais capable de mieux. Et toi, tu me demandes de te faciliter les choses pour revenir à...

Ma mère me gifla, ce qui me coupa la chique. Elle ne m'avait jamais frappée de toute ma vie. Elle tremblait de colère, mais les larmes qui brillaient dans ses yeux disaient que je l'avais blessée.

— J'ai dit : « Ça suffit », répéta-t-elle d'une voix rauque.

Elle se leva, me tourna le dos, et s'éloigna d'un pas raide.

J'aurais dû m'estimer heureuse d'avoir pu libérer Ethan de la Chasse Infernale, qu'importait la promesse que ça m'avait coûté. Pourtant, je me sentais misérable. Papa était inquiet pour moi. Maman était furieuse. Keane avait l'air d'attendre quelque chose que je ne pouvais pas lui donner, et Ethan, apparemment, ne m'adressait plus la parole.

Je finis par en avoir assez d'attendre qu'il m'appelle et pris mon courage à deux mains pour composer son numéro. Il ne répondit pas et ne me rappela pas malgré le message que je lui laissai. Cela me fit penser au traitement que je lui avais réservé après l'avoir vu avec cette Tiffany à la soirée de Kimber, sauf que je n'avais rien fait pour mériter ça. Enfin, pas que je sache.

À défaut de pouvoir appeler Ethan, j'appelai Kimber. Je ne l'avais eue qu'une seule fois au téléphone depuis le jour où j'étais allée chez l'Elferoi, et notre conversation avait été brève. J'étais bien décidée cette fois-ci à connaître le fin mot de l'histoire au sujet d'Ethan.

J'avais plus ou moins zappé le fait que Kimber n'avait pas encore eu l'occasion de m'interroger sur la façon dont j'avais obtenu la liberté d'Ethan. Elle me le rappela presque immédiatement.

— Alors, tu disais que tu avais dû conclure un autre marché avec l'Elferoi que celui que nous avions préparé, dit-elle, me tirant une grimace chagrinée que je fus heureuse qu'elle ne puisse pas voir. De quoi s'agit-il ? Personne ne semble le savoir.

Oui, et je voulais que les choses demeurent ainsi. Et quand bien même je me sentais un peu coupable, je servis à Kimber le même mensonge qu'à mon père.

— L'Elferoi m'a liée par une *geis* pour m'empêcher de révéler à quiconque ce que je lui ai promis.

Il y eut un long silence.

— Han-han, dit-elle enfin, et j'entendis clairement le scepticisme dans sa voix.

Cela me mit mal à l'aise. Je n'avais pas été gênée de mentir à mon père. Enfin oui, quoi, il avait beau être mon père, je le connaissais à peine. Et il était hors de question que je parle de sexe avec lui. Point à la ligne.

Mais Kimber était ma meilleure amie, et si je pouvais me confier à quelqu'un, c'était bien elle. Je lui avais raconté mon secret honteux à propos de ma mère alors que je ne la connaissais que depuis vingt-quatre heures.

Nous étions à présent plus proches, et j'aurais dû partager avec elle mon nouveau secret très embarrassant.

Et pourtant, ce que j'avais promis à l'Elferoi me paraissait autrement plus difficile à révéler que l'alcoolisme de ma mère. Honnêtement, comment appelle-t-on quelqu'un qui promet du sexe en échange d'une faveur ? Je ne le savais que trop bien, et les joues me brûlaient rien que d'y penser.

— Tu peux tout me dire, tu sais, mon opinion de toi ne changera pas. Tu as sauvé Ethan alors que tout le monde avait baissé les bras.

Je ravalai la boule d'émotion qui se formait au fond de ma gorge. Kimber pensait sans doute que j'avais promis à l'Elferoi de l'aider à tuer quelqu'un. Quelqu'un d'autre que les reines de Faëry, s'entend. Aux yeux de tous, il n'y avait que ça qui l'intéressait vraiment. Toutes choses étant égales, tuer quelqu'un se trouve bien plus haut dans la hiérarchie des mauvaises actions que de vendre son corps, mais je crois que j'aurais eu moins de mal à lui avouer un meurtre que la vérité.

— Je ne peux pas en parler, Kimber, répondis-je. Je suis navrée, mais je ne peux pas.

— Très bien, dit-elle d'un ton qui signifiait le contraire. Comme tu voudras.

— Kimber...

— J'ai dit : « Très bien ! » Tu ne veux pas en parler, nous n'en parlerons pas. Je te suis toujours reconnaissante d'avoir aidé Ethan.

Les mots restaient aimables, mais sa voix était froide et distante.

J'aurais voulu trouver un truc à dire pour arrondir les angles, mais je ne trouvai rien. Le mieux à faire était de changer de sujet en espérant qu'avec le temps Kimber finirait par me pardonner. Ou que je trouverais finalement le courage de lui dire la vérité, mais rien ne pressait de ce côté-là.

— Comment va Ethan ? demandai-je. Il ne m'a pas donné de ses nouvelles.

Il y eut un long silence, pendant lequel je ne sus ce que pensait Kimber. Quand elle me répondit enfin, sa voix n'était plus froide, seulement inquiète.

— Physiquement, il a retrouvé ses forces, mais... ce n'est plus le même. Il refuse de parler de ce qui est arrivé et répète à l'envi qu'il va bien, mais ce n'est pas vrai.

J'éprouvai un autre pincement de remords. Ça devait être dur pour Kimber qu'on lui ferme la porte des deux côtés. Cela suffirait-il à me faire changer d'avis et lui raconter toute l'histoire ? Euh, non.

— Qu'est-ce que tu veux dire ?

— Je veux dire qu'à part ce stupide tatouage, il ressemble à Ethan, mais ce n'est pas Ethan. Il n'a pas souri une seule fois depuis qu'il est rentré, il est tout le temps absorbé dans ses pensées et d'humeur sombre. Je n'aurais jamais cru dire ça un jour, mais je regrette le jeune crétin arrogant qu'il était.

Ça me fit presque rire, mais pas tout à fait.

— On dirait qu'il ne veut pas me parler. Je l'ai appelé une ou deux fois, mais il ne répond pas et ne me rappelle pas. Est-ce que... Est-ce qu'il m'en veut pour ce qui est arrivé ?

Kimber était peut-être fâchée et se sentait blessée que je refuse de me confier à elle, mais je suppose qu'elle était toujours mon amie, parce qu'elle prit aussitôt ma défense.

— Bien sûr que non ! Combien de fois devrai-je te dire que ce n'est pas ta faute ?

— Oui, eh bien, même si ce n'est pas ma faute, il pourrait quand même m'en vouloir pour ce qui est arrivé.

— Si c'est ce qu'il pense, je te jure que je le lui ferai regretter.

Cette fois, je ne pus m'empêcher de laisser échapper un petit rire.

— Je donnerais cher pour voir ça.

— Tu m'étonnes. Mais sérieux, Dana. Je ne sais pas pourquoi il ne te rappelle pas, mais je doute que ce soit parce qu'il t'en veut. C'est juste qu'il n'est plus lui-même en ce moment, et, quel que soit son problème, je ne sais pas quoi faire, et notre père non plus.

— Je suis désolée, dis-je, sans trop savoir exactement pourquoi.

Tout à la fois, certainement.

Après avoir raccroché, je décidai de procéder de la même façon qu'Ethan. Il ne voulait pas me rappeler ? Très bien. J'irais le voir en personne. Et, grâce au cadeau judicieux de l'Elferoi, je pourrais me rendre chez lui sans avoir toute ma suite sur le dos. Je ne prenais habituellement pas ce genre de risque à la légère, mais j'avais eu l'occasion de vérifier que la broche de l'Elferoi remplissait parfaitement son office. Lorsque j'invoquais ses pouvoirs, je devenais complètement invisible. Je pouvais donc quitter ma forteresse non accompagnée sans courir le moindre danger. Du moins, en théorie. Et le temps était venu de la mettre à l'épreuve.

Chapitre 21

Ma seule chance de me rendre chez Ethan sans que personne sache que j'avais quitté mon bunker, c'était d'y aller de nuit, après m'être prétendument couchée. Finn venait rarement dans ma suite, et restait dans son coin à moins que je ne l'appelle, mais je ne voulais pas tenter le diable. Il suffisait que je décide de m'absenter en pleine journée pour que ce soit justement le moment où il aurait quelque chose à me demander.

C'était complètement stupide de ma part, mais je passai une bonne demi-heure à choisir des vêtements pour mon expédition interdite. Je crois bien qu'Ethan ne s'était jamais intéressé à ce que je pouvais porter, et qu'il y avait encore moins de chances que ça arrive désormais. Je changeai tout de même trois fois de tenue. Je me décidai finalement pour un jean avec une simple chemise blanche et un sublime pull en cachemire gris scandaleusement doux que m'avait acheté ma mère.

Cette tenue n'avait rien d'extraordinaire – ce qui était justement le but. Je ne voulais surtout pas qu'Ethan pense que je m'étais habillée pour lui, même si c'était le cas. Le petit plus étant que, dans l'éventualité où il me prendrait dans ses bras, le délicieux toucher du cachemire ne pourrait que lui plaire.

Je me fis les gros yeux devant le miroir de la salle de bains, et me nattai les cheveux pour éviter l'électricité statique de la laine. Ce n'était pas un rendez-vous galant, et ça n'y ressemblait même pas vaguement. J'allais parler avec Ethan pour tâcher de savoir ce qui n'allait pas chez lui, et les chances qu'il goûte à la douceur du cachemire étaient proches de zéro.

J'attendis 23 heures pour me piquer le doigt avec la broche de l'Elferoi. J'étais sûre qu'Ethan ne serait pas encore couché, mais il était assez tard pour que Finn suppose que je dormais. Je respirai un grand coup pour me donner du courage, puis traversai le salon sur la pointe des pieds et entrouvris la porte de la salle de garde.

Ces précautions étaient inutiles grâce à la magie de la broche de l'Elferoi, bien sûr. Finn lisait un magazine dans son fauteuil relax avec la télé en bruit de fond. Il ne leva pas les yeux de son journal quand la porte s'ouvrit et ne me vit pas plus passer à côté de lui et me glisser dehors. J'ignore ce que faisait exactement l'amulette de l'Elferoi, mais j'étais plus qu'invisible, carrément indétectable.

Je pris une autre profonde inspiration pour me donner du cœur au ventre, allumai ma lampe torche et m'engageai dans les galeries.

Il y avait un accès aux souterrains dans la cour de l'immeuble où habitait Ethan, mais je n'avais pas la moindre idée de la façon de m'y rendre depuis ma forteresse. Maintenant que j'y songeais, je n'aurais pas non plus été capable de soulever la dalle qui dissimulait cet accès. Je devais donc prendre le chemin le plus long. L'Elferoi avait dit que les effets de sa broche duraient une demi-heure, aussi m'obligeai-je à marcher d'un bon pas. J'avais largement le temps, mais avec mon sens de l'orientation pourri, mieux valait prévoir une ou deux mauvaises bifurcations.

Il existait quelques rares lieux de vie nocturne en Avalon, comme *L'Abysse*, mais la plupart des rues étaient désertes après la tombée de la nuit. Une fois sortie des souterrains, dans la rue principale d'Avalon, je ne croisai que quelques voitures et encore moins de piétons. Les rues n'avaient jamais été très animées la nuit, mais je pense qu'elles étaient d'autant plus calmes que personne n'ignorait la présence de la Chasse Infernale.

Je progressai vite et pour une fois je ne me perdis pas. Il me restait encore dix bonnes minutes d'invisibilité lorsque je débouchai dans la cité universitaire où vivaient Kimber et Ethan. La lumière était allumée dans l'appartement d'Ethan, et je distinguai une ombre derrière les rideaux de sa fenêtre. Il était bien chez lui et n'était pas couché.

Maintenant que j'étais là, je dus cependant combattre une envie presque intolérable de m'enfuir en courant.

Et si Ethan refusait carrément de me parler ? J'étais déjà blessée qu'il ne réponde pas à mes appels, mais s'il me chassait de chez lui, je crois bien que je mourrais sur place. Une idée encore plus terrible me passa soudain par l'esprit : et s'il n'était pas seul ? Si je trouvais une autre fille, là, avec lui, quand il ouvrirait la porte...

— Oh, arrête ton char ! m'ordonnai-je en grognant.

Il y avait peu de chances qu'il soit avec une fille, alors que Kimber m'avait dit qu'il broyait du noir. Et je ne m'étais pas traînée jusqu'ici en pleine nuit pour rester plantée dans la cour à mater sa fenêtre comme une midinette transie d'amour.

Mes doutes et mes inquiétudes toujours présents à l'esprit, je m'obligeai à mettre un pied devant l'autre et à monter l'escalier de béton qui menait au premier étage. Je m'encourageai mentalement une dernière fois, debout devant la porte d'Ethan, l'estomac faisant des claquettes et le cœur battant la chamade.

Je frappai à la porte, d'abord doucement. Comme personne ne répondait, je frappai un peu plus fort. Je retins mon souffle. Ethan m'avait certainement entendue cette fois, mais il ne vint pas ouvrir. Je m'apprêtai à frapper une troisième fois, quand je remarquai un bouton de sonnette, que j'enfonçai. La sonnerie retentit, suivie d'un bruit de pas. Une nouvelle fois, je cessai de respirer.

La porte s'ouvrit et la silhouette d'Ethan se découpa dans la lumière de son appartement. Il portait un vieux tee-shirt froissé et délavé sur un jean déchiré. Ses cheveux étaient salement ébouriffés, et il était si pâle que le cerf bleu tatoué sur sa tempe paraissait presque noir contre sa peau. Il était pourtant toujours aussi beau. J'avais été à deux doigts de le perdre à jamais sans avoir eu l'occasion de faire le point sur mes sentiments pour lui, et je n'avais pas l'intention de commettre deux fois la même erreur.

— Salut, lançai-je avec un sourire nerveux, les paumes moites. Désolée de me pointer si tard, mais...

Sauf que le regard d'Ethan me traversa comme si je n'étais pas là. Les coins de sa bouche s'abaissèrent en une moue et il secoua la tête. Il referma ensuite la porte sans prononcer un mot.

La douleur qui me transperça la poitrine devant ce rejet sans équivoque était au-delà de tout ce que j'avais éprouvé jusqu'ici. Je pensais que ça m'avait fait mal de le voir sur la piste de danse avec une autre fille, mais la souffrance que je ressentis quand il me ferma la porte au nez sans un mot était presque insoutenable. La colère arriverait sans doute plus tard, quand je songerais à ce que j'avais fait pour le sauver de la Chasse Infernale et à la façon dont il m'en remerciait, mais dans l'immédiat, il n'y avait que la blessure à vif.

Je fis demi-tour, m'efforçant de ne pas pleurer, et me dirigeai vers l'escalier. Je consultai ma montre pour voir combien de temps il me restait avant que la magie de l'Elferoi se dissipe, et c'est alors que la réalité me frappa comme un coup sur la tête, m'arrachant un rire quasi hystérique.

Quelle idiote ! Arawn avait bien précisé que le pouvoir de son amulette allait au-delà de la simple invisibilité, et que j'étais indétectable même si on me rentrait dedans. Le regard d'Ethan m'avait traversée comme si je n'étais pas là parce qu'il ne pouvait pas me voir... ni m'entendre.

Le soulagement me donna le vertige, et je crus un instant que mes genoux allaient céder sous moi. Je pris appui contre le mur qui encadrait la porte d'Ethan en respirant lentement et à fond, et retrouvai progressivement mon calme. Puis, je regardai la grande aiguille de ma montre égrener les minutes jusqu'à ce que le sortilège de l'Elferoi ait épuisé son temps.

J'attendis encore un peu, au cas où la durée du sort ne serait pas aussi précise, mais je me sentais mal à l'aise dehors à la vue d'éventuels passants. Les chances qu'un de mes ennemis m'aperçoive justement durant les deux ou trois minutes où je serais visible étaient très minces, mais je n'avais pas vraiment des nerfs d'acier.

Je pressai la sonnette une seconde fois. Lorsque j'entendis les pas d'Ethan, ils me parurent lourds, comme s'il traînait les pieds. Il ouvrit la porte, et la magie me chatouilla la peau. Son visage renfrogné exprimait une violence que je ne lui connaissais pas, ses poings étaient serrés le long de son corps. La sensation de la magie s'intensifia, puis ma bouche s'ouvrit quand je me rendis compte qu'il était sur le point de jeter un sort. Et sûrement pas quelque chose d'agréable.

Les yeux d'Ethan s'arrêtèrent sur moi, je n'eus alors aucun doute qu'il me voyait, cette fois. La magie se dissipa, et son rictus céda la place à une expression plus neutre et plus contrôlée.

— Dana ? s'exclama-t-il, comme s'il n'en croyait pas ses yeux.

Je fourrai mes mains au fond de mes poches et voûtai le dos de nervosité.

— En chair et en os.

Il cligna les yeux plusieurs fois, puis jeta un coup d'œil circulaire sur le palier, prenant acte du fait que je n'avais pas de gardes du corps.

— Idiote, marmonna-t-il entre ses dents.

Il me prit par le bras et me tira brutalement à l'intérieur en me serrant assez fort pour me faire un bleu avant de claquer la porte derrière lui.

J'étais trop choquée de ses manières pour protester. J'étais sûre et certaine qu'il allait s'excuser de ses façons brutales, au lieu de quoi il me poussa contre le mur de l'entrée en agitant un doigt sous mon nez.

— Ne bouge pas d'ici ! m'ordonna-t-il en se dirigeant à grandes enjambées vers le salon, dont il secoua les rideaux pour supprimer tout interstice.

Kimber ne racontait pas des craques quand elle disait qu'il n'était plus lui-même. Ignorant son ordre, je le suivis dans le salon, résistant à l'envie de me frotter le bras à l'endroit où ses doigts avaient laissé leur marque.

— Laisse donc ces rideaux tranquilles, lui dis-je. Personne ne va me voir à travers cette fente minuscule.

Il lâcha les rideaux avec un grognement irrité. Il se tourna vers moi, le regard juste au-dessus de mon épaule comme s'il ne pouvait supporter de me regarder dans les yeux.

— Qu'est-ce que tu fous ici ? grommela-t-il.

Ce n'était définitivement pas l'accueil que j'avais espéré, et je sentis toute ma confiance en moi se débiner. Je me sentais dans la peau d'une stupide collégienne pathétiquement amoureuse d'un type qu'elle ne pourrait jamais avoir. Je fis de mon mieux pour que ça ne se voie pas.

— Tu ne m'as pas rappelée, dis-je, détestant immédiatement le ton geignard de ma voix.

Il m'avait envoyé un signal très clair en refusant de me contacter. Pourquoi ne l'avais-je pas écouté ?

— Bon Dieu, Dana ! La moitié de l'univers veut te voir morte, et tu décides que c'est le bon moment pour aller te balader au milieu de la nuit toute seule dans les rues d'Avalon ? Est-ce que tu as envie de mourir ou tu es juste dingue ?

Chacun de ses mots me fit l'effet d'un poignard en plein cœur. Je compris qu'il devait se ficher de moi depuis le début. Il ne se serait jamais montré aussi cruel s'il tenait un tant soit peu à moi. Je m'étais attendue à sa colère, mais j'avais supposé que ce serait en lien avec l'Elferoi. Sa réaction me prit complètement de court.

J'aurais pu me défendre en lui parlant de l'amulette de l'Elferoi. Je ne voulais pas qu'il pense que j'étais assez stupide pour me passer de mes gardes du corps sans autre forme de protection. Mais pour lui expliquer tout ça, j'aurais dû rester là, ce que je n'avais pas le courage de faire.

— Si j'avais su, je t'aurais laissé à l'Elferoi, lui assenai-je, et j'eus la satisfaction de le voir frémir.

Je ne le pensais pas, bien sûr. Une vie immortelle d'esclavage était une punition un peu violente pour s'être comporté comme un trou du cul. Mais j'avais pris la sale habitude de me lâcher ces derniers temps, et je n'avais en cet instant précis aucune envie de me retenir.

— Désolée de t'avoir dérangé, continuai-je en me tournant vers la porte. Je vais essayer de rentrer chez moi sans me faire tuer, mais vu que je suis complètement folle et que je souffre d'une pulsion de mort, je ne peux rien te promettre.

Je saisis la poignée de la porte, mais Ethan franchit la distance qui nous séparait et me prit par le bras sans me laisser le temps de la tourner.

Cette fois encore, il me plaqua contre le mur, sauf qu'il m'emprisonna entre ses bras, une main de chaque côté de mon visage. Il ouvrit la bouche comme pour dire quelque chose – et d'après la tête qu'il faisait, quelque chose que je n'avais pas envie d'entendre – mais aucun son n'en sortit.

Mon cœur saignait toujours de son accueil plus que glacial, mais je ne pus m'empêcher de noter la fragrance boisée qui émanait de lui. Tout comme la chaleur de son corps contre le mien, et le bleu turquoise presque fluorescent de ses yeux. Il se pencha vers moi. Je crus d'abord qu'il allait m'embrasser, et mon cœur se mit à cogner dans ma poitrine pour d'autres raisons que la colère.

Il se contenta d'appuyer son front sur le mien et ferma les yeux. Je ne savais pas trop quoi penser de ce geste. Je tentai de me persuader que j'étais soulagée de m'être trompée sur ses intentions, mais mon corps ne gobait pas ça. Ma peau fourmillait de tension, et mon cœur battait toujours à cent à l'heure. Mes mains trouvèrent toutes seules le chemin de la taille d'Ethan, timidement, au cas où j'aurais mal interprété ses signaux.

Il se rapprocha de moi, faisant glisser mes bras autour de lui. Il releva la tête et ses yeux plongèrent dans les miens. Ils étaient emplis de beaucoup de désir, mais aussi d'autre chose. Quelque chose que je ne compris pas, mais que, d'emblée, je n'aimai pas.

J'étais sur le point de lui demander ce qui n'allait pas, mais il ne m'en laissa pas le temps. Il inclina la tête vers moi, et ses lèvres légèrement entrouvertes ne me laissèrent plus aucun doute sur ses intentions. J'oubliai pourquoi j'étais venue, j'oubliai mes sentiments mitigés à son égard, la dureté de ses paroles.

Quand sa bouche rencontra la mienne, je ne pus retenir un petit cri. Elle était douce et chaude, délicate sans être timide. C'était le plus léger des baisers, un simple effleurement, mais il résonna dans tous les nerfs de mon corps.

— Encore, murmurai-je contre sa bouche, et il répondit à ma demande en approfondissant son baiser.

Mes bras se resserrèrent autour de lui, mes doigts malaxèrent son dos et j'ouvris les lèvres pour l'inviter à aller plus loin.

Le petit gémissement qui lui échappa lorsqu'il goûta ma bouche me fit frissonner de la tête aux pieds. Ses mains avaient quitté le mur. L'une d'elles encadrait le côté de mon visage, tenant ma tête dans l'angle parfait pour recevoir son baiser. L'autre était sur ma taille, juste au-dessus de la ceinture de mon jean. Tandis que sa langue m'explorait, il se mit à me caresser le flanc de haut en bas. Son pouce effleurait le côté de mon sein à chaque passage, et je ne songeai même pas à m'en offusquer.

Dans un élan de hardiesse, je laissai mes mains descendre dans son dos jusqu'au bas de son tee-shirt et les glissai dessous pour sentir le contact de sa peau. Son corps était délicieusement chaud, sa peau douce comme de la soie. Il cessa de respirer quand mes mains le touchèrent, mais c'était loin de ressembler à de la désapprobation.

J'imagine qu'Ethan était d'humeur téméraire, lui aussi, parce que sa main s'aventura alors sur le devant de mon corps, sans cesser ses caresses, avec une lenteur étudiée, pour me laisser le temps de comprendre jusqu'où irait cette main et l'arrêter si je le souhaitais. Mais je ne l'arrêtai pas.

Je me cambrai presque malgré moi quand sa main prit mon sein. La sensation était atténuée par mon pull, ma chemise et mon soutien-gorge, mais cela n'empêcha pas mes mamelons de se durcir comme de petits bourgeons, ni une brusque chaleur d'envahir mon bas-ventre.

Les gestes d'Ethan étaient moins retenus à présent. Ses lèvres écrasaient les miennes presque trop fort, et ça ne lui suffisait plus de me caresser à travers toutes ces épaisseurs. Ses mains soulevèrent mon pull et ma chemise, les remontant presque sous mon menton pour exposer mon soutien-gorge.

Il allait un peu trop vite en besogne pour moi, assez pour que je retrouve mes esprits une fraction de seconde et que l'idée m'effleure que ça allait peut-être trop loin. Cela suffit pour que ma raison reprenne le dessus.

Ethan n'était pas dans son état normal, me rappelai-je soudain. Kimber s'en était aperçue, et je l'avais remarqué aussi quand il m'avait brutalement tirée à l'intérieur. Ce n'était pas le bon moment pour explorer notre attirance mutuelle, quoi qu'en disent nos corps. Ethan avait déjà essayé une fois de profiter de moi, et j'avais peur que dans son état actuel il ne soit pas capable de se maîtriser si je laissais les choses déraper.

Ses mains étaient maintenant dans mon dos, où elles se débattaient avec l'agrafe de mon soutien-gorge, et même si une part de moi était plus que d'accord pour aller plus loin, la partie rationnelle de mon cerveau avait repris les commandes. Sa langue dans ma bouche m'empêchait de parler, je posai donc mes mains sur son torse pour le repousser.

Ethan émit un son guttural, entre le grognement et le gémissement et, bien qu'il cessât de se battre avec mon soutien-gorge, il laissa ses mains où elles étaient et continua de m'embrasser. Je ne pouvais nier l'excitation qu'il avait suscitée en moi mais, maintenant que j'avais recouvré mon esprit cartésien, je ne pouvais plus ignorer ses arguments.

J'avais des tas de raisons de ne pas me fier totalement à Ethan mais, même ainsi, je me refusais à croire qu'il m'obligerait à faire quelque chose contre ma volonté. Ce que je redoutais surtout, c'est que sa force de persuasion et mes propres désirs ne me fassent oublier la sagesse. Et je devais absolument stopper là. Le marché que j'avais passé avec l'Elferoi signifiait que je ne pouvais pas aller jusqu'au bout avec Ethan sans le perdre à jamais. Je compris seulement alors à quel point ce marché était insidieux. Si jamais les problèmes qui nous opposaient disparaissaient et que j'eusse envie de faire l'amour avec Ethan, je devrais d'abord passer par le lit d'Arawn. Je suis peut-être dingue, mais je ne crois pas que ça plairait à Ethan – ni à aucun autre garçon d'ailleurs. Je m'étais fait baiser dans les grandes largeurs. Enfin, façon de parler.

Je repoussai plus fort Ethan, mes récentes découvertes ayant cassé l'ambiance. Mon geste aurait sans doute été plus convaincant si j'avais interrompu notre baiser, mais c'était divinement bon… C'était, décrétai-je, mon premier vrai baiser, libre de toute influence de la magie.

J'émis un grognement de protestation et continuai de repousser Ethan. S'il avait insisté encore longtemps, je suis sûre que j'aurais trouvé la volonté de détourner la tête, mais il dut finir par décider que mes signaux « stop » devaient l'emporter sur mes signaux « encore ». Il s'arracha à ma bouche, et j'eus le temps de voir l'expression de colère frustrée sur son visage quand il se recula avant de me tourner le dos.

J'étais une salope d'allumeuse, même si je ne l'avais pas fait exprès. J'ouvris la bouche pour dire quelque chose d'apaisant, mais je me ravisai. Lui expliquer le sacrifice auquel j'avais dû consentir pour regagner sa liberté n'arrangerait rien du tout.

— Je suis désolée, dis-je finalement, et je me sentais minable en remettant en place ma chemise et mon pull.

Ethan se retourna brusquement vers moi, les yeux arrondis de surprise.

— Et de quoi donc ?

Je clignai bêtement les yeux. Il avait l'air sincère, mais je n'avais pas rêvé l'expression de colère que j'avais aperçue avant qu'il se détourne.

— Je n'avais pas l'intention de te séduire, répondis-je d'une toute petite voix qui ne semblait pas m'appartenir.

Je n'étais pas si timide habituellement, mais rien dans ma vie d'avant ne m'avait préparée à gérer Ethan.

Il tendit les bras et posa ses deux mains sur mes épaules, qu'il serra fermement.

— Tu n'as rien fait de mal.

Là encore, il semblait sincère.

— Pourquoi es-tu tellement en colère, alors ?

Il lâcha mes épaules et s'adossa contre le mur en face de moi.

— Ce n'était pas contre toi, m'assura-t-il. Écoute, je sais que tu es… inexpérimentée. Je n'aurais pas dû y aller si fort.

Mes joues s'enflammèrent, et je ne pus soutenir son regard. Je ne cessais d'oublier que je ne faisais pas le poids avec Ethan. Il avait l'habitude des femmes mûres et averties, et je me sentais dans la peau d'une gamine, bien au-delà de nos deux ans de différence.

Ethan ne me regardait pas à ce moment-là, aussi ne vit-il pas la honte qui me submergeait, et il continua sur sa lancée.

— Je n'aurais même pas dû t'embrasser, pas dans l'état où je suis.

L'idée qu'il puisse regretter de m'avoir embrassée se fraya un chemin douloureux dans ma poitrine, mais je me forçai à me focaliser sur la partie la plus importante de sa déclaration.

— Dans quel état es-tu ?

Ce qui était, après tout, la raison de ma venue chez lui en dépit de la pancarte « Ne pas déranger » qu'il avait virtuellement accrochée.

— C'est juste… Je ne suis plus moi-même, répondit-il évasivement, en évitant mon regard.

— Que veux-tu dire par là ?

Il se redressa et décolla son dos du mur.

— Hé, tu veux boire quelque chose ? On ne va pas rester debout dans l'entrée. Viens donc t'asseoir.

— Subtil, commençai-je, mais je me ravisai en voyant la panique poindre dans ses yeux. Je prendrais bien un Coca si tu en as.

— Oui. Bien sûr. Assieds-toi. Je reviens tout de suite.

Il se réfugia dans la cuisine sans me laisser le temps de répondre. Je fus tentée de le suivre, mais sentis qu'il serait plus sage de lui laisser un peu d'espace. Il venait de couper brutalement court à la conversation, mais il voulait que je reste, et tout espoir n'était pas perdu. Il n'était sans doute pas encore prêt à me confier ce qui n'allait pas, mais il en trouverait peut-être le courage avant la fin de la soirée.

Tout en lissant mon pull pour m'assurer que mes vêtements étaient en ordre, je me laissai tomber dans le canapé de cuir très masculin de son salon et attendis.

Chapitre 22

Ethan mit beaucoup plus longtemps que prévu à revenir avec nos boissons, au point que je songeai à aller le chercher à la cuisine. Je décidai finalement de patienter, car j'avais autant que lui besoin de ce temps mort pour me reprendre.

Apparemment, peu importait ce que me dictaient la logique et le bon sens au sujet d'Ethan et toutes les raisons que j'avais de me méfier de lui. Lorsqu'il était près de moi, lorsqu'il me touchait, la raison n'existait plus. J'avais résisté ce soir, mais il était gênant de penser à quel point cela m'avait coûté. Et si je finissais un jour par sortir vraiment avec lui, qui savait jusqu'où je pourrais aller. Ce type faisait de la bouillie de mon cerveau. La situation était ridiculement dangereuse, pour tous les deux. Mais ça, Ethan ne le savait pas, car je doutais fort que l'Elferoi l'eût mis dans la confidence de notre transaction.

Il avait l'air un peu mieux quand il revint enfin au salon, avec une de ces bouteilles de Coca en verre à l'ancienne pour moi et un truc appelé Old Peculier pour lui. C'était une bière épaisse et sombre, et je parie que ça devait coûter la peau des fesses. Sa bouteille était déjà à moitié vide, ce qui n'était sûrement pas bon signe. Il me tendit le Coca, puis vint s'asseoir à côté de moi sur le canapé et but une longue rasade de sa bière. Un silence gêné s'installa entre nous.

Je cherchais une façon subtile de lui demander une nouvelle fois ce qui n'allait pas, mais la subtilité n'est pas ma qualité première. Il faisait rouler sa bouteille entre ses mains et la regardait sans la voir. Kimber avait raison. De toute évidence, quelque chose clochait chez lui. Nous n'étions peut-être pas assez proches pour qu'il se confie à moi, mais ça ne m'arrêta pas.

— Que t'a fait l'Elferoi ? demandai-je à voix basse.

Ethan cligna les yeux et sortit de sa torpeur. Il porta de nouveau la bouteille à ses lèvres et lui régla son compte. Je ne suis en aucun cas une amatrice de bière, mais j'étais presque sûre que la Old Peculier devait se siroter lentement et pas se boire cul sec.

— Je n'ai pas envie d'en parler, répondit-il en reposant la bouteille vide sur la table basse devant lui avant de se plonger de nouveau dans sa contemplation.

— Je crois que j'avais compris, répliquai-je. Mais si tu refuses d'en parler, comment comptes-tu t'en sortir ? Même si je ne sais pas de quoi tu dois sortir.

En prononçant ces mots, je savais qu'ils s'appliquaient aussi à ma propre situation, mais je n'étais pas encore prête à parler à quiconque du pacte que j'avais passé avec l'Elferoi.

Il secoua la tête.

— C'est quelque chose que je vais devoir gérer tout seul.

— Encore un de ces trucs de mec, c'est ça ? Tu crois que si tu ne parles pas de tes problèmes, ils vont disparaître ?

Il me regarda finalement dans les yeux et son visage était fermé.

— Je t'ai dit que je ne voulais pas en parler.

J'aurais peut-être mieux fait de laisser tomber. Si j'avais été à sa place et qu'il soit en train de me passer sur le gril pour savoir ce que j'avais offert à l'Elferoi en échange de sa liberté, ses questions m'auraient bien énervée. Mais quelque chose me poussait à continuer, un instinct qui me disait qu'Ethan avait secrètement envie de tout raconter.

— Tu sais que j'ai pratiquement vendu mon âme au diable pour te récupérer, lui dis-je, et je vis à son tressaillement que j'avais touché un point sensible. Arawn n'a cessé de me répéter que tu étais « indemne », et j'ai le droit de savoir si c'est la vérité, ou il pourrait m'avoir menti pour d'autres choses aussi.

Mon argumentation était un peu vaseuse, mais vu la façon dont les poings d'Ethan se serrèrent sur ses genoux, je devinai que j'étais parvenue à le toucher avec cette approche. Il rumina encore une minute ou deux, puis desserra les poings et secoua les mains. Il toucha alors le tatouage sur sa tempe qui encadrait son œil.

— Il m'a libéré de la Chasse Infernale, commença-t-il en tapotant toujours son tatouage, mais je ne suis pas libre pour autant.

Il reposa sa main sur ses genoux et se tourna vers moi, le regard hanté.

— Je suis toujours lié à lui, Dana. Je suis dispensé de chevaucher avec la Chasse, mais je reste sa créature à jamais.

— Je ne comprends pas, dis-je, même si je crois bien que je commençais à deviner.

— Lorsqu'il m'a lié à la Chasse, qu'il a apposé sa marque sur moi…

Il porta de nouveau la main à son tatouage.

— Je ne pourrai jamais lui désobéir. Sa magie ne me le permettra pas.

Avec un cri de désespoir mêlé de frustration, Ethan se renfonça dans le canapé, et renversa sa tête contre le dossier. La souffrance était si intense dans son regard que je dus détourner les yeux.

— Je n'ai été qu'une putain de marionnette toute ma vie, reprit-il, la voix teintée d'une nouvelle amertume. J'ai toujours joué les fils modèles, toujours fait ce que mon père attendait de moi. Quand il m'a demandé de te séduire, même si je devais pour ça mentir comme un salaud, il ne m'est même pas venu à l'idée de refuser.

» Et puis, quand je t'ai connue un peu mieux…, poursuivit-il en secouant la tête sans la décoller du canapé. Tu as ton petit caractère, Dana. Je sais que ton père voudrait te diriger de la même façon que le mien, mais tu ne te laisses pas faire. Tu prends tes propres décisions, et tu ne laisses personne te marcher sur les pieds. Je me suis dit que peut-être… je pourrais essayer de t'imiter. Et que la prochaine fois que mon père me demanderait de faire quelque chose qui ne me plaît pas, je refuserais.

» Tu t'imagines bien qu'il n'a pas été ravi quand j'ai tenté de t'aider à quitter Avalon. C'était la première fois que je le défiais ouvertement, et j'ai adoré ça. Mais maintenant…

Il laissa échapper un rire sans joie.

— Maintenant que j'ai enfin trouvé le courage d'affronter mon père, me voilà avec les griffes de l'Elferoi plantées si profondément en moi que je ne m'en libérerai jamais.

Je serrai les dents en songeant que je m'étais montrée stupide. J'étais consciente que les termes de mon marché avec l'Elferoi devaient être formulés soigneusement, à la lettre près. J'avais bêtement cru que libérer Ethan de la Chasse Infernale revenait à le libérer de l'Elferoi, mais en y repensant, je voyais bien que cette supposition était stupide.

— Je suis navrée, Ethan, m'excusai-je, accablée de culpabilité.

Il se redressa, puis se pencha vers moi pour me passer un bras autour des épaules et m'attirer contre lui.

— Tu n'as rien à te reprocher. Je serais resté l'esclave de l'Elferoi toute ma vie si tu ne m'avais pas sauvé.

Il me prit dans ses bras. Je ne résistai pas et appuyai ma tête sur sa poitrine, écoutant les battements réguliers de son cœur.

— Je ne peux pas m'empêcher de me demander comment tu y es parvenue, dit Ethan tandis que je me blottissais contre lui, et que ses bras se refermaient sur moi. Que t'a-t-il demandé en échange, Dana ?

Sa voix mourut.

J'avais très envie de lui dire quelque chose de rassurant, qui apaiserait la culpabilité que j'entendais dans sa voix. La vérité ne remplissait pas ces critères, et si j'avais été capable de fabriquer un mensonge qui tienne la route, je m'en serais déjà servi pour calmer tout le monde. Mon silence dura suffisamment longtemps pour qu'Ethan comprenne que je ne répondrais pas, car il poussa un long soupir et tenta un autre angle d'attaque.

— C'est vrai, ce que tu as dit à Kimber ? Que l'Elferoi t'a liée par une *geis* ?

Mon premier réflexe fut de lui mentir. J'avais rabâché ce mensonge si souvent qu'il avait presque le goût de la vérité. Mais je ne pouvais pas mentir à Ethan alors qu'il venait de m'ouvrir son cœur. Je n'étais pas prête à lui dire la vérité, mais je n'étais pas obligée de lui mentir pour autant.

— Il n'y a pas de *geis*, avouai-je. Je t'en prie, ne le répète à personne. C'est une chose dont je ne peux pas parler. J'ai dit à tout le monde que j'étais liée par une *geis* pour qu'ils me fichent la paix.

Son menton se posa sur le haut de ma tête, où il le fit glisser machinalement. Je sentais toujours sa chaleur, et mon attirance pour lui, mais ce contact était plus serein.

— Je peux peut-être te retourner le compliment de tout à l'heure ? suggéra-t-il doucement.

Je soupirai.

— Sans doute, mais je ne peux pas en parler. Pas encore.

Et peut-être même jamais, mais il n'avait pas besoin de le savoir.

— Très bien, accepta-t-il. Je ne te questionnerai pas. Mais si tu as envie d'en parler, je suis là.

Mon cœur se serra de gratitude, et tous mes doutes et mes inquiétudes au sujet d'Ethan s'envolèrent. J'étais déjà trop accrochée, et tant qu'il voudrait de moi, je serais à lui pieds et poings liés.

Je restai environ une heure chez Ethan. Nous ne parlâmes pas beaucoup, mais nous ne nous embrassâmes plus. J'aurais été franchement déçue s'il n'avait pas été si agréable de juste se blottir dans ses bras sur le canapé. J'aurais pu rester là toute la nuit, mais je finis par me mettre à bâiller.

— Tu devrais rentrer chez toi, me dit Ethan, et je savais qu'il avait raison.

Il se leva, m'entraînant avec lui.

— Je n'arrive toujours pas à croire que tu t'es promenée toute seule en ville, dit-il d'une voix durcie par la désapprobation. Et comment as-tu pu fausser compagnie à Finn ? Je croyais qu'il était installé entre ta suite et la porte donnant sur l'extérieur.

Je regardai Ethan en fronçant les sourcils. Pour autant que je m'en souvienne, je ne lui avais jamais décrit la topographie de mon bunker. Je suppose qu'il pouvait se l'imaginer, mais il avait l'air de savoir de quoi il parlait.

Il vit la confusion sur mon visage, et répondit sans que j'aie besoin de lui poser la question.

— L'Elferoi sait où tu vis.

Oui, je m'en étais aperçue lorsque j'avais trouvé son amulette sur ma table de nuit.

— Et il te l'a dit ?

Je ne voyais pas pourquoi il aurait fait une chose pareille, et je n'aimais guère l'idée qu'Ethan sache où j'habite. J'avais beau être à moitié amoureuse de lui, je ne lui faisais toujours pas entièrement confiance. Je n'avais pas peur qu'il me fasse du mal, mais il pouvait très bien en informer la mauvaise personne.

Ethan regardait ses chaussures.

— Oui. Il a dit qu'il pourrait avoir besoin de m'envoyer là-bas un jour ou l'autre. Il est déterminé à faire tout ce qu'il faut pour que tu restes en vie, au moins jusqu'à ce que tu lui aies donné ce qu'il veut.

Je secouai la tête.

— J'imagine que ça ne changera pas grand-chose si je lui dis que je ne veux pas de sa protection.

— Non, je ne pense pas, grogna Ethan. Et ne crois pas que tu vas t'en tirer comme ça. Comment as-tu faussé compagnie à Finn ?

Je m'apprêtais à lui parler de la broche, mais je me ravisai. Il pourrait avoir pas mal de raisons de décider que c'était une mauvaise chose, la première étant qu'elle venait de l'Elferoi. Il pourrait aussi se mettre en tête de me protéger malgré moi en faisant en sorte que je ne puisse plus quitter mon bunker en catimini. Il était beaucoup plus grand et plus fort que moi, et malgré mes cours d'autodéfense, je n'étais pas sûre de pouvoir l'empêcher de me la prendre s'il le voulait vraiment.

— Je me suis faufilée en douce pendant qu'il était aux toilettes, dis-je en espérant qu'Ethan ne remarquerait pas mon hésitation. Tout le monde croit que je suis une fille raisonnable, et on ne m'enferme pas à clé ni rien. Pour Finn, je suis toujours dans ma chambre en train de dormir.

Ethan ne parut pas entièrement convaincu, mais il ne mit pas non plus mon histoire en doute.

— Je vais te raccompagner, annonça-t-il, et sa voix me fit comprendre qu'il était inutile d'argumenter.

Je me mordis les lèvres. J'aurais été beaucoup plus en sécurité sans lui, parce que j'aurais pu utiliser la broche. Mais je savais que je ne le convaincrais pas de renoncer sans une explication que je ne voulais pas lui fournir. Oui, ce serait un peu dangereux de déambuler dans les rues d'Avalon avec Ethan pour seule protection, mais je décidai que le risque était acceptable.

Je fus confortée dans l'idée d'avoir pris la bonne décision quand Ethan m'emmena directement dans les souterrains en empruntant l'accès dissimulé sous les pavés de la cour. Se déplacer dans les rues d'Avalon, même à cette heure de la nuit, rendait possible – même si c'était peu probable – une rencontre avec l'un de mes ennemis. Mais dans l'immense labyrinthe des souterrains, peu de zones étaient fréquentées, et je pourrais facilement les éviter en compagnie de mon guide autochtone.

L'accès que nous utilisâmes débouchait directement sur une partie non aménagée des souterrains. J'avais ma lampe de poche, mais Ethan fit usage d'une vraie torche, qu'il alluma avec sa magie. Elle éclairait bien mieux que ma lampe électrique, mais je ne pus m'empêcher de trouver la flamme – et les ombres dansantes qu'elle créait – complètement flippante.

Ethan ouvrait la voie en tenant la torche de côté car la galerie était trop basse pour qu'il puisse la brandir. Nos pas renvoyaient un écho sinistre sur les parois rocheuses, et j'avais les nerfs en pelote au moindre crépitement de flamme. C'était l'effet que me faisaient généralement ces souterrains. Je n'avais pas le souvenir d'avoir été claustrophobe avant de venir en Avalon, mais manifestement les choses avaient changé.

Nous ne parlâmes pas beaucoup ni l'un ni l'autre. Le silence était oppressant, et l'écho du moindre chuchotement me mettait les nerfs à vif. J'avais toujours trouvé ces souterrains plutôt flippants, mais cette nuit plus que jamais. Les épaules contractées d'Ethan et les précautions qu'il prenait m'indiquèrent que je n'étais pas la seule. Je tentai de me persuader que c'était notre imagination et que c'était normal d'éprouver de l'appréhension dans ces tunnels obscurs, déserts et tous semblables au milieu de la nuit. Ce qui n'empêcha pas les petits cheveux de ma nuque de se rappeler à mon attention.

Ethan tendit le bras derrière lui pour me prendre la main, entremêlant nos doigts. Sa paume était moite, ce

237

qui ne fit rien pour apaiser mes craintes. Je déglutis, tâchant en vain de me convaincre que j'étais ridicule, et Ethan s'arrêta quelques secondes plus tard.

— Il y a quelque chose qui ne va pas, chuchota-t-il à mi-voix.

J'étais on ne peut plus d'accord avec lui.

— Qu'est-ce qu'on fait ? lui demandai-je le plus doucement possible.

Mais je ne voyais pas bien ce qu'on pouvait faire d'autre à part continuer d'avancer.

Ethan plissait les yeux pour sonder l'obscurité devant nous. Les faës ont une meilleure vision que les humains, mais il ne détecta rien qui parut l'inquiéter. Avec une sombre détermination, il se remit en route, sa main serrant la mienne un peu plus fort. Il allait me couper la circulation s'il continuait, mais j'étais trop angoissée pour me plaindre.

Quelque chose dans la galerie devant nous émit un bruit ressemblant à une toux puis je vis comme une étincelle. Ethan poussa un cri et sa torche lui tomba des mains.

Je me tournai vers lui, soudain alarmée.

— Ethan ? Qu'est-ce qu'il y a ?

J'avais du mal à le distinguer nettement dans la lumière erratique de la torche tombée au sol, mais je vis une tache sombre et humide sur son épaule droite, juste en dessous de la clavicule.

Il tomba à genoux, ses doigts s'amollissaient entre les miens.

— Cours, Dana, dit-il en s'efforçant de me pousser dans la direction d'où nous venions.

La tache sur son tee-shirt s'élargissait et il vacillait.

— Cours ! répéta-t-il.

— Sûrement pas, répliquai-je en le tirant par l'autre bras pour le remettre sur pied.

Je ne savais pas encore très bien ce qui se passait, mais je savais qu'il était hors de question que je m'enfuie en courant en abandonnant Ethan. Je glissai mon épaule sous son bras.

— Viens !

Des bruits de pas résonnèrent devant nous tandis qu'une boule de feu se formait et grandissait près du plafond. Je parvins à remettre Ethan debout, mais presque tout son poids reposait sur moi et il était à peine conscient, trop mal en point pour utiliser sa propre magie de guérisseur. Je savais que nous n'irions pas très loin comme ça, mais ça ne m'empêcha pas d'essayer. Je rebroussai chemin et progressai de deux ou trois pas. Je m'attendais à tout instant à entendre le bruit d'une arme à feu – comment expliquer autrement le claquement sec que j'avais entendu ? – et à ressentir la douleur de l'impact d'une balle dans mon dos. Ce n'est pas ce qui se produisit, mais quelque chose de bien pire. Le sort d'illumination atteignit son intensité maximale, éclairant le souterrain à des centaines de mètres des deux côtés.

Au milieu de la galerie, me bloquant le passage à l'aide d'un calibre aussi gros qu'un canon, se tenait ma tante Grace.

Chapitre 23

La première fois que j'avais vu tante Grace, elle m'avait confortée dans tous les stéréotypes que j'avais jamais entendus sur les faës. Beaucoup trop belle pour être humaine, réservée jusqu'à la froideur, arrogante au possible. C'était toujours la même, avec une bonne dose de folie par-dessus le marché. Son sourire triomphant étincelait tandis qu'elle pointait le canon de sa putain d'arme sur ma tête. Le barbu à moitié faë qui s'était fait passer pour Lachlan était à côté d'elle. Je suppose qu'elle avait dû payer sa caution pour le faire sortir de prison. Lui aussi était armé.

Je regardai par-dessus mon épaule, certaine de trouver derrière moi un troisième adversaire armé. Il était bien là, un humain imposant à la mine patibulaire. Il était bâti comme un joueur de football américain – un de ces types énormes et surpuissants qui jouent en première ligne –, rendu plus impressionnant encore par son crâne rasé et la cicatrice en dents de scie qui lui balafrait le visage. Son arme était d'un calibre beaucoup plus petit que celle de tante Grace, mais le canon était prolongé d'un silencieux.

Nous étions faits comme des rats.

Le cœur battant à tout rompre, je reposai précautionneusement Ethan par terre. Sa respiration était saccadée, son visage tordu par la souffrance, mais au moins était-il conscient. L'hémorragie semblait s'être ralentie, et je songeai qu'il ne mourrait peut-être pas si je parvenais par miracle à nous sortir d'ici. En attendant, je ne pouvais pas compter sur lui pour m'aider.

Je me relevai lentement, le dos contre la paroi de manière à garder un œil à la fois sur Grace et sur son mastodonte.

— Comme on se retrouve, ma chère nièce, dit-elle en me gratifiant d'un sourire carnassier.

— Ô joie, répondis-je, même si je savais que j'aurais mieux fait de la boucler.

Dès notre première rencontre, j'avais eu envie de lui balancer des piques, et elle me faisait manifestement toujours le même effet.

Son sourire s'éteignit et ses yeux me clouèrent sur place, faisant courir un frisson glacé le long de ma colonne vertébrale.

— Tu n'as toujours pas appris le respect dû à tes supérieurs, à ce que je vois.

Je relevai le menton et la regardai dans les yeux, tâchant d'avoir l'air sûre de moi tandis que mon esprit cherchait furieusement un moyen de m'échapper.

— Elle est un peu facile, celle-là, répondis-je.

Peut-être que si je la faisais sortir de ses gonds, elle me donnerait une ouverture que je pourrais utiliser. Oui, c'était un espoir ridiculement mince, mais je n'avais rien de mieux.

— Tu chanteras une autre chanson quand j'en aurai fini avec toi, dit-elle, sa bonne humeur ravivée par ce qu'elle avait en tête. Si j'avais su ce que tu ferais de ma vie, je t'aurais tuée dès ton arrivée. Cela aurait été si facile.

Elle secoua la tête avec regret.

Arawn m'avait prévenue qu'elle n'avait plus l'intention de m'utiliser contre Titania, et qu'il y avait de fortes chances qu'elle veuille me supprimer. Le fait que je sois toujours en vie suggérait soit qu'Arawn s'était trompé, soit qu'elle me réservait un sort bien pire qu'une mort rapide. L'effroi m'étreignit les tripes, car je ne pensais pas qu'Arawn s'était trompé.

— Pourquoi ? lui demandai-je afin de gagner du temps. Je ne vous ai jamais rien fait. Pourquoi désirez-vous tellement ma mort ? Je ne suis qu'une enfant. L'enfant de votre propre frère.

Pourtant, Grace n'avait jamais montré aucun signe d'affection envers mon père, même si, de son côté, je le pensais attaché à elle d'une façon ou d'une autre.

Elle éclata de rire.

— Avant que tu ne débarques en Avalon, j'étais une des candidates les mieux placées pour le poste de Consul. J'étais riche, respectée et puissante. Je suis aujourd'hui bannie de chez moi, ma tête est mise à prix dans tout le royaume de Faëry et la Chasse Infernale est à mes trousses. Tout ça à cause de toi.

Ouaip. Elle était bonne à enfermer. Et visiblement très déterminée à me faire porter le chapeau pour le gros merdier qu'elle avait fait de sa vie.

— D'abord, personne ne vous a obligée à m'enlever. Si vous aviez continué à vivre votre vie telle qu'elle était, rien de tout ça ne serait arrivé.

Je savais bien évidemment que je ne pourrais pas la faire renoncer à sa vendetta par de belles paroles. Quand la logique et la folie s'affrontent, la folie l'emporte toujours. Et Grace avait beau penser que sa vie n'était qu'un chemin de roses avant mon arrivée en Avalon, une personne équilibrée en phase avec la société ne devient pas une tueuse psychopathe du jour au lendemain. Son problème, quel qu'il soit, devait couver depuis un bout de temps. Mon arrivée n'avait été que le déclencheur.

Tante Grace ne pouvait pas réfuter cette allégation, aussi l'ignora-t-elle.

— J'aurais été très étonnée que tu finisses l'année en vie, même sans mon intervention. Seamus n'est qu'un imbécile d'avoir fait venir ici une stupide enfant mortelle sachant tous les problèmes que tu apporterais.

Je réprimai l'envie de lui répondre que je n'étais pas stupide, vu la facilité avec laquelle elle m'avait coincée dans ce tunnel. Si seulement j'avais accepté de parler de la broche à Ethan, je serais en parfaite sécurité à l'heure qu'il est et personne ne lui aurait tiré dessus.

M'efforçant d'avoir l'air naturel, je glissai la main dans la poche de mon jean. La broche était toujours là, et il me suffisait de me piquer le doigt pour que ni tante Grace ni son homme de main ne puissent plus me voir. Je dois bien avouer que c'était tentant, mais je redoutais les réactions de Grace à ma soudaine disparition

Je glissai un regard furtif à Ethan. Il était adossé contre la paroi de la galerie, les yeux clos et le visage livide. Je ne crois pas qu'il avait perdu connaissance, mais il n'était pas au mieux de sa forme. Si je disparaissais, il ne faisait pas un pli que Grace se servirait de lui comme otage. Il m'était impossible de rompre le sortilège de l'Elferoi avant son terme, ce qui signifiait donc la mort d'Ethan.

— Ce garçon est ton talon d'Achille, dit Grace. Je savais qu'en le surveillant de près, tu finirais par te pointer devant chez lui, mais je n'aurais jamais rêvé que tu aies l'obligeance de venir seule.

Elle arma son fusil et le pointa sur Ethan.

Je ne réfléchis pas, et m'interposai entre lui et le canon. Elle eut un sourire sarcastique.

— Tu ne peux pas le protéger à la fois de Fred et de moi. Mais je n'ai pas l'intention de le tuer. Sauf si tu m'y obliges, bien entendu. Je le veux vivant.

— Pourquoi ? m'étonnai-je, ne voyant pas ce qu'elle avait à gagner en le laissant partir.

Son sourire s'élargit.

— Je vais t'expliquer ça dans une seconde.

Ethan tenta de m'avertir, mais il était trop tard. J'esquissai une volte-face, mais je ne pus éviter le poing de Fred l'armoire à glace, qui vint s'écraser sur mon menton et m'envoya heurter le mur opposé. Le monde sembla basculer, et les parois du souterrain m'engloutirent.

Ma situation ne s'était pas améliorée quand je repris conscience. Ma tête palpitait douloureusement, et j'étais nauséeuse. Je battis des paupières et me redressai en position assise.

J'étais toujours à terre, à peu près à l'endroit où j'avais atterri après l'uppercut de Fred. Ce dernier me dominait de toute sa hauteur, les bras croisés sur son torse puissant. Il était si massif qu'il remplissait pratiquement la galerie, et même si je n'avais pas eu le tournis, je n'aurais jamais pu le contourner.

Je regardai de l'autre côté, et j'eus un haut-le-cœur. Pendant que j'étais dans les vapes, Grace et son second comparse avaient tiré Ethan une dizaine de mètres plus loin dans le tunnel. Le barbu maintenait soulevé le corps affaissé d'Ethan en lui bloquant les bras dans le dos, et Grace braquait le canon de son arme contre sa tempe. Elle me sourit encore une fois. Elle avait l'air de beaucoup s'amuser.

— Je disais qu'il était ton talon d'Achille, dit-elle en se léchant les lèvres. Tu étais prête à prendre tous les risques pour lui quand l'Elferoi l'a capturé, n'est-ce pas ?

Je doutais qu'elle attende réellement une réponse, aussi me contentai-je de la regarder fixement. Comment diable allais-je me sortir de là ? Et Ethan ? Je n'avais pas entrepris tout ça pour laisser tante Grace le tuer.

— Connais-tu mon âge ? me demanda-t-elle, et je fus scotchée par sa question qui semblait totalement hors de propos.

Je secouai la tête en signe de dénégation. J'aurais pu ajouter que je n'en avais rien à foutre, mais j'étais encore trop sonnée après le coup que j'avais reçu à la tête.

— J'ai presque deux mille ans, poursuivit-elle.

Mon cerveau eut du mal à encaisser ça. Je savais qu'elle était très, très vieille, mais j'avais supposé que son âge se comptait en siècles, pas en millénaires, et c'était carrément flippant.

— Quand j'étais une jeune femme, tout le royaume de Faëry était pratiquement en état de siège.

— À cause de l'Elferoi, dis-je parce que je ne voyais pas d'autre raison pour qu'elle me parle de ça.

— En effet, confirma-t-elle en hochant la tête. L'Elferoi et sa Chasse Infernale étaient des créatures de cauchemar, même aux yeux de la cour des Ténèbres, qui en possède pourtant son lot. Personne n'osait l'admettre à haute voix, mais il était déjà capable de tenir tête aux reines elles-mêmes, et son pouvoir allait croissant. Jusqu'au jour où l'un des espions de Mab découvrit le secret de sa puissance, le pouvoir grâce auquel il devenait toujours plus fort, et Mab répandit la nouvelle à travers tout le royaume.

Ses yeux brillaient à la lumière artificielle de son sort d'illumination, et je constatai qu'elle s'éclatait vraiment beaucoup. Ce qui signifiait que j'allais détester la chute de son histoire.

— C'est à la même époque que Titania lança sa grande campagne contre l'Elferoi, et apprit à ses dépens qu'il était devenu trop fort pour elle. Il captura mon neveu et l'incorpora de force dans sa Chasse Infernale. C'était un coup hardi et brillant, qui montra aux deux reines qu'il avait le pouvoir de leur ravir jusqu'à leurs proches. Cependant, les deux cours connaissaient dorénavant le secret de sa puissance et purent s'en servir contre lui. L'Elferoi proposa alors aux reines de conclure un pacte. Il ne Chasserait plus jamais aucun de leurs sujets sans leur autorisation. En échange de quoi, elles lieraient les sujets de leurs cours par le silence afin que son secret demeure caché aux générations futures.

Elle m'en avait déjà dit davantage que tout ce que mon père m'avait révélé à propos du marché que l'Elferoi avait passé avec les reines. Il m'avait donné l'impression que la *geis* qui le liait l'empêchait même d'aborder le sujet, ce qui n'était de toute évidence pas le cas de tante Grace.

— Veux-tu que je te révèle le secret de l'Elferoi ? me demanda-t-elle en gloussant.

Je la regardai en clignant les yeux. Mon cœur battait comme celui d'un lapin pris au piège et ma bouche était complètement sèche. Ce qui la rendait aussi joyeuse était forcément mauvais pour moi. Très mauvais.

— Vous ne le pouvez pas, commençai-je d'une voix que la terreur rendait presque inaudible. La *geis*…

Elle éclata d'un rire qui se répercuta sur les parois rocheuses.

— Mais si, je le peux, ma chère enfant. Tu vois, la *geis* lie uniquement les sujets des deux cours. Les faës nés en Faëry sont affiliés aux cours dès leur plus tendre enfance, et nous le demeurons toute notre vie durant à moins d'accomplir un rituel pour rompre formellement nos liens. Avalon a beau avoir signé plusieurs traités avec le royaume de Faëry, si les reines rappelaient leurs sujets, la plupart des faës obtempéreraient.

» Mais grâce à toi, ma reine bien-aimée a ordonné mon exécution et a lancé la Chasse Infernale à mes trousses.

Son visage se déforma en une expression féroce et la haine dans ses yeux était si palpable que j'eus l'impression de recevoir un coup.

— Ma vie étant foutue quoi qu'il arrive, cela ne m'a pas coûté grand-chose de rompre mes liens avec la cour des Lumières. Ainsi, la *geis* qui m'obligeait à me taire a été levée.

Mon esprit se mit en branle pendant que j'encaissais ces révélations. Les choses se mettaient petit à petit en place dans un coin de mon cerveau. Je ne parvenais pas encore à m'en faire une image d'ensemble, mais j'étais sûre et certaine de ne pas en avoir envie.

— Laisse-moi deviner ce que tu as pu promettre à l'Elferoi en échange de la liberté de ton petit ami, poursuivit-elle, les yeux incandescents. Par le plus grand des hasards, lui aurais-tu promis ta virginité ?

J'avais une folle envie de nier, mais j'étais trop sonnée pour répondre. Même dans son état, Ethan parvint à relever la tête pour me regarder avec des yeux ronds. Je détestai ma lâcheté quand je détournai les miens.

— Évidemment que c'est ce que tu lui as promis, car il n'y a rien qu'il puisse désirer davantage de toi. Parce que, vois-tu, là réside le secret de sa puissance. Lorsqu'une jeune vierge se donne à lui de son plein gré, il reçoit d'elle tout ce qu'elle a, tout ce qu'elle est. Tous ses pouvoirs deviennent siens, et lorsqu'il en a terminé, elle n'est plus qu'une coquille vide ayant contenu une personne qu'elle ne sera jamais plus.

Chapitre 24

L'enchaînement des événements depuis que l'Elferoi avait débarqué en Avalon prit soudain tout son sens, et c'était écœurant. J'avais présumé qu'il voulait que je l'accompagne, lui et sa Chasse, pour y prendre son pied en massacrant des humains. Mais je comprenais à présent qu'il s'était joué de moi depuis le début. Il avait justement prévu que je refuserais de l'emmener dans le monde des mortels, et m'avait sorti le grand jeu pour me persuader qu'il le désirait ardemment, afin de me faire croire qu'une échappée sauvage avec sa Chasse en ma compagnie était son but ultime, le Mal Suprême. Il voulait en réalité plus que ça. Bien plus.

— Ce que vous êtes en train de me dire, c'est que si je… euh… remplis ma part du marché, l'Elferoi deviendra lui-même un Passemonde ? reformulai-je, pour être sûre de bien comprendre ce que Grace avait dit.

Il y avait toujours une infime possibilité qu'elle soit en train de me mentir, mais ses paroles avaient les accents dévastateurs de la vérité.

— Exactement, répondit Grace d'un ton incroyablement satisfait. Et ce serait le commencement d'un règne de terreur tel que le monde des mortels n'en a jamais connu. Mab et Titania ont également deviné les intentions de l'Elferoi, bien sûr. Ce serait un fléau pour le monde des mortels, mais les reines sont surtout horrifiées à l'idée qu'il absorbe la capacité d'un Passemonde à apporter le danger de la technologie dans la Faëry. Ce qui ne les rend que plus déterminées à te tuer.

Elle tordit son visage en une moue faussement contrite.

— Dommage pour elles, elles n'en auront pas l'occasion.

Ah ça ouais, c'était vraiment dommage. Mais je n'étais pas encore morte, et chaque parole que m'assenait Grace me le faisait regretter davantage.

Elle passa la pointe de sa langue sur sa lèvre supérieure comme pour savourer littéralement le goût de la victoire.

— Je pourrais bien sûr te tuer, dit-elle d'un air détaché en éloignant le canon de son arme de la tête d'Ethan pour le faire pivoter vers moi.

J'eus la vague intuition que j'aurais dû profiter du fait qu'Ethan n'était plus à quelques millimètres d'une mort assurée pour faire quelque chose… mais quoi ?

— Mais ce ne serait pas drôle, poursuivit Grace, s'attirant les rires de Fred la Montagne.

Le canon revint sur la tempe d'Ethan. Du coin de l'œil, je vis Fred se frotter les mains par avance.

— Naturellement, je ne connais pas les termes exacts de ton accord avec l'Elferoi, reprit tante Grace. Mais je peux faire des suppositions éclairées. Il a libéré ton petit ami de la Chasse Infernale, on peut donc supposer qu'il pense s'être acquis ta pleine coopération. Cela signifie qu'il a dû y inclure des conséquences désagréables au cas où tu ne lui réserverais pas ta virginité.

Mon estomac se révulsa quand je compris où Grace voulait exactement en venir.

— Il ne peut tuer personne sans le consentement exprès d'une des reines, et n'a donc pas pu te menacer de tuer ta famille. Sauf peut-être ton frère, qui n'est assujetti à aucune des deux cours, mais tu ne connais pas Connor et je ne crois pas que cela constitue un levier assez puissant.

Elle se tourna vers Ethan.

— Mais celui-là, c'est une autre histoire. Il porte encore la marque des Chasseurs. Et je suis prête à parier que si tu devais perdre ta virginité avec quelqu'un d'autre que l'Elferoi, votre marché serait caduc et chéri d'amour ici présent serait rappelé au sein de la Chasse.

Je tentai de museler mes émotions, ma peur et ma consternation. Je ne voulais pas montrer à Grace qu'elle avait vu juste, et je ne voulais pas non plus lui donner cette satisfaction. J'échouai misérablement. Mon estomac se révulsa encore et, cette fois, je fus incapable de le contrôler. Je vomis tout son contenu.

— Répugnante créature, lâcha tante Grace en plissant le nez d'un air délicat. Tu es sûr que tu veux toujours d'elle, Fred ?

Fred émit un gros rire malveillant.

— Ce n'est pas vraiment mon genre, mais pour le prix que vous payez, je ferai avec joie le sacrifice suprême.

Et je voyais très bien à quel point il comptait se sacrifier.

Je crachai deux ou trois fois pour me débarrasser du mauvais goût dans ma bouche, mais il était tenace. J'adressai à Grace mon regard le plus implorant, même si je savais que je n'avais pas une putain de chance que ça marche avec elle.

— Vous n'êtes pas obligée de faire ça, suppliai-je d'une voix faible. C'est à moi que vous en voulez, pas à Ethan. Laissez-le partir. S'il vous plaît.

Je donnais à Grace précisément ce qu'elle voulait et ses joues rosirent de plaisir. Je verrouillai donc mes mâchoires et résistai à l'envie de l'implorer davantage.

Sans se soucier de l'arme pointée sur sa tête, Ethan se débattait entre les mains de l'autre acolyte de Grace. Je crois qu'au point où il en était, Grace lui aurait fait un cadeau en lui tirant dessus, ce qui était sans doute la raison pour laquelle elle ne le faisait pas. Il était trop gravement touché pour avoir une chance de s'échapper, et son visage était marqué par la souffrance.

Grace le regarda en fronçant les sourcils.

— Je ne veux pas de distraction. Je veux savourer chaque instant de ce qui va suivre.

Au lieu de lui tirer une balle, elle cogna la crosse de son arme sur la blessure d'Ethan, qui poussa un cri strident avant de s'effondrer. L'ami moitié humain de Grace laissa le corps d'Ethan s'affaler mollement sur le sol, puis posa un pied dans son dos, son arme pointée sur sa tête.

— Je le surveille, dit-il à Grace.

Sa voix n'exprimait aucune émotion, comme s'il se moquait bien de ce qui allait se passer, dans un sens ou dans l'autre.

Grace reporta toute son attention sur moi et je crois que j'aurais de nouveau vomi si mon estomac n'avait pas été vide. Fred me prit par un bras et me remit debout si brutalement que je serais retombée s'il ne m'avait pas maintenue. Il me projeta ensuite contre le mur, vidant mes poumons de leur air. Alors que je luttais encore pour reprendre mon souffle, il saisit mes poignets et les releva au-dessus de ma tête, les maintenant contre le mur d'une seule de ses immenses mains en me serrant si fort que je sentis mes os craquer. Ethan poussa un cri de protestation mais, blessé et cloué au sol comme il l'était, il ne pouvait rien pour moi.

Personne ne pouvait m'aider. Ni aider Ethan. Hormis nos agresseurs, personne ne savait même où nous étions, et nous étions déjà loin des zones fréquentées. Fred allait me violer, condamnant Ethan à retourner au sein de la Chasse Infernale. Ensuite, Grace me tuerait.

En dépit de mes longs entraînements avec Keane, j'étais consciente que ma technique d'autodéfense ne suffirait pas à repousser les assauts de Fred. Il était beaucoup trop massif et puissant pour moi. Le mieux que je puisse espérer était de le ralentir.

L'épouvante se tordait dans ma poitrine et mon ventre comme une créature dotée d'une vie autonome. Les larmes coulaient sur mes joues, mais je m'en moquais, je me moquais de quoi j'avais l'air et de la satisfaction que ma souffrance et ma terreur procuraient à Grace.

Je savais maintenant ce qu'était la haine. Une sensation de brûlure glacée dans mes entrailles. Un cri de rage qui se frayait un chemin à coups de griffes dans ma gorge. Le rétrécissement de mon univers jusqu'à ce qu'il n'y ait plus que moi, ma haine et son objet. Fred posa une main sur mon sein qu'il malaxa avec brutalité. Cela me fit mal, et ma part humaine eut un mouvement de recul, mais ma haine était aux commandes à présent, et Fred ne l'intéressait pas.

Je tournai la tête vers Grace. Grace, qui me faisait porter la responsabilité de toutes ses erreurs. Grace, dont la soif de vengeance ne se satisfaisait pas de ma mort, mais qui devait me torturer et condamner Ethan.

J'étais dans un état second, et toutes mes actions furent purement instinctives.

Je commençai à fredonner à mi-voix, d'abord sans air particulier, mais ma fureur cherchait à se couler dans le chant le plus guerrier que je connaissais, et je finis par entonner « Ô Fortuna » du *Carmina Burana*. Fred était en train de soulever mon pull, mais je l'ignorai, concentrée de tout mon être sur l'air que je chantais si doucement que personne ne pouvait m'entendre.

J'éprouvai presque instantanément les premiers fourmillements de la magie. Je n'avais pas la plus petite idée de ce que j'allais faire, vu que je n'avais jamais réussi à jeter ce qui ressemblait à un sort, mais je n'avais rien à perdre.

Mon absence totale de réaction à ses attouchements avait satisfait Fred, certain qu'il m'avait soumise et que j'étais à sa merci. Et je pouvais dire à la bosse qui renflait sa braguette combien ça lui plaisait.

J'étais peut-être réellement sans défense. Je ne pourrais peut-être rien faire de la magie. Mais je n'allais certainement pas tout perdre sans me battre jusqu'au bout. La magie affluait toujours, je savais cependant que je pouvais en invoquer davantage, que plus la magie serait dense, plus puissant serait le sort hypothétique que je pourrais lancer.

Je devais donc trouver le moyen de gagner du temps avant que Fred ne passe aux choses sérieuses.

Ce n'est pas évident de chanter et de se battre en même temps, mais j'avais développé une sorte de mémoire musculaire grâce à toutes mes leçons avec Keane, et j'étais capable d'agir presque automatiquement. Étant donné que Fred avait eu l'imprudence de me laisser une certaine liberté de mouvement, je réussis à lui marcher violemment sur le pied.

Il m'immobilisait toutefois suffisamment pour m'empêcher de prendre beaucoup d'élan. Je crois que je le pris surtout par surprise, à défaut de lui faire mal, mais j'avais atteint mon but qui était de le distraire et de le ralentir. La magie s'accumulait toujours, et j'espérais très fort que Grace soit assez loin pour ne pas la sentir, ou elle aurait réduit ma dernière chance à néant. Mais Fred n'avait pas apprécié que je lui marche sur le pied. Il répliqua par un soufflet du dos de la main qui me fit tourner la tête, malgré le peu d'élan qu'il avait pu prendre du fait qu'il me plaquait contre le mur.

Ma bouche s'emplit de sang, et mon chant s'interrompit brutalement. La magie reflua aussitôt, et je tentai furieusement de la rattraper, le chant montant de nouveau dans ma gorge. Fred me regardait bizarrement, ce qui signifiait sans doute que je chantais désormais assez fort pour qu'il m'entende. Il dut penser qu'il me manquait une case, mais cela ne ralentit pas ses ardeurs. Ses mains descendirent vers mon jean, qu'il entreprit hâtivement de déboutonner.

La terreur menaça de m'envahir, mais je la combattis de toutes mes forces. Si je cédais à la panique, j'étais condamnée, et Ethan avec moi. Nous l'étions probablement de toute façon, mais j'avais bien l'intention de tenter coûte que coûte ce dernier coup.

La magie m'entourait à présent, si dense que je pouvais à peine respirer. Fred était si pressé de se mettre à l'ouvrage qu'il n'arrivait pas à ouvrir mon jean. Tant que la magie continuait à croître, je poursuivis mon chant, bien décidée à ne la relâcher qu'au dernier moment, une fois que j'aurais rassemblé les dernières miettes que je pouvais espérer.

La fermeture Éclair de mon jean venait de glisser et je me rendis compte que c'était presque trop tard. La magie était à présent tellement concentrée que j'estimai ne plus être en mesure d'aspirer assez d'air pour continuer à chanter, et j'avais la tête qui tournait.

Fred avait beau constituer pour moi la menace la plus immédiate, ce n'était pas de lui que je voulais me débarrasser, enfin pas en premier. Je n'aurais sans doute droit qu'à un seul essai – à supposer que j'en aie un – et je destinais cette explosion de rage à une unique personne.

Fred essayait de faire glisser mon jean quand je libérai toute la magie que j'avais rassemblée, la dirigeant sur Grace avec un cri de rage inarticulé, une note soutenue si aiguë qu'elle aurait brisé tous les verres à la ronde s'il y en avait eu.

Tout le monde se figea en entendant mon cri, y compris Fred qui en oublia mon jean pour me regarder bouche bée.

L'explosion de magie frappa Grace de plein fouet et la fit reculer d'un pas. Ses yeux s'écarquillèrent de stupeur et d'horreur. Son sort d'illumination s'éteignit en crépitant, laissant la galerie éclairée par la seule torche qu'Ethan avait lâchée.

J'aurais voulu que Grace disparaisse d'un coup d'un seul, qu'elle se dissolve en une flaque de matière gluante ou qu'elle se consume dans les flammes. Un signe que ma magie l'avait touchée et allait la détruire même si au final je ne pouvais pas nous sauver. Mais hormis ce pas en arrière et la disparition de son sort d'illumination, rien ne se produisit.

Grace secoua la tête et fit un pas en avant pour se porter à la hauteur de son homme de main et d'Ethan. L'inquiétude pointait encore dans son regard, mais elle semblait indemne et m'adressa une fois de plus son sourire démoniaque.

Je fermai les yeux de désespoir. J'avais échoué.

Chapitre 25

Fred revint à ses affaires, et j'étais tellement découragée par l'échec de mon sort qu'il me restait à peine la volonté de me défendre. À quoi bon se battre, à présent ? Ce n'était que reculer pour mieux sauter. Mais je suis une des personnes les plus obstinées que je connaisse, et, même si le cœur n'y était pas, je luttai suffisamment pour que Fred se mette à jurer. J'ouvris les yeux juste au moment où il prenait son élan pour me balancer un coup de poing.

— Maintenant ! cria une voix grave et familière dont l'écho rendait difficile de deviner la provenance.

Tout le monde sursauta et se tourna frénétiquement de tous côtés pour tenter d'en localiser la source. Grace se mit tout de suite à marmonner ce que j'identifiai comme les prémices d'un de ses affreux sorts d'attaque.

L'un d'entre nous, pourtant, ne fut apparemment pas surpris par la voix. Ethan profita de l'inattention momentanée de son cerbère pour bondir sur ses pieds et le projeter au sol. Avec un sentiment de déjà-vu, j'entrevis l'éclat de l'argent dans sa main et compris que c'était son poignard, surgi une fois de plus d'on ne savait où.

Grace se tourna vers lui et je hurlai pour l'avertir. J'avais vu à l'œuvre la magie de Grace, capable de réduire une voiture en un tas de tôles. Pourtant, bien que Grace hurlât à présent les mots de son incantation, rien ne se produisit et Ethan se jeta sur elle. Son poignard trouva son chemin entre ses côtes, où il l'y enfonça jusqu'à la garde.

À bout de forces, Ethan lâcha le poignard et s'effondra mollement sur le sol. Grace demeura debout, les yeux fixés sur l'arme plantée dans son thorax. Sa main tremblait quand elle en saisit le manche. Elle poussa un cri de douleur, et le sang jaillit de la blessure quand elle eut retiré la lame.

Une silhouette encapuchonnée vêtue d'un long manteau surgit de l'ombre à quelques mètres de Fred et de moi. Ayant décidé que le nouveau venu était plus menaçant, Fred me lâcha pour se jeter sur lui avec un cri de guerre qui aurait été intimidant si sa cible avait pu être intimidée. La main de Fred chercha le pistolet à l'arrière de la ceinture de son pantalon.

— Non ! hurla Grace.

Qu'il l'ait entendue ou pas, Fred l'ignora et fit feu, un coup étouffé par le silencieux qui atteignit Arawn en pleine tête et le fit momentanément reculer. Mais l'Elferoi avait survécu à la décapitation, et la balle ne parut pas le gêner beaucoup. Il fit glisser son capuchon afin de montrer à Fred que son visage était intact.

Soit Fred n'était pas très malin, soit il n'avait plus rien à perdre, car il continua de tirer même après avoir constaté l'inutilité de son arme. C'est-à-dire, jusqu'à ce que l'épée d'Arawn lui transperce la poitrine de part en part. La lumière s'éteignit dans les yeux de Fred, et le pistolet lui tomba des mains. L'Elferoi prit calmement appui sur l'épaule du défunt pour retirer sa lame ensanglantée.

L'autre complice de Grace fit montre de plus d'intelligence et détala comme un damné, disparaissant rapidement dans l'obscurité des tunnels. J'aurais parié qu'il avait une lampe torche, mais il n'en fit pas usage. Il préférait sans doute courir à l'aveuglette plutôt que d'allumer une balise permettant de le localiser.

— Il n'ira pas loin, déclara Arawn tandis que le corps de Fred s'affaissait en tas à ses pieds. Ma Chasse l'attend.

Grace était tombée à genoux, le visage terreux, et le sang coulait toujours à flots de sa blessure. Elle se comprimait la poitrine à deux mains, ce qui ne semblait pas servir à grand-chose. Ethan se traîna hors de sa portée. Il était encore très faible et souffrait visiblement toujours, mais il était en meilleure forme que Grace. Même l'effort qu'il venait de fournir pour se mettre debout et poignarder ma tante n'avait pas rouvert sa blessure.

Ou bien Ethan avait touché un organe vital, ou bien mon sort avait fait plus d'effet à Grace que je ne l'avais cru. Je repensai au sort d'illumination qui s'était éteint, et à l'attaque magique qu'elle avait tenté de lancer sur Ethan juste avant qu'il ne la frappe, et qui avait échoué.

Arawn repoussa du pied le cadavre de Fred et se dirigea vers Grace, qui en oublia sa blessure pour tendre les mains devant elle dans un geste de défense.

— Non ! implora-t-elle, mais Arawn avançait toujours.

Je me demandais ce qu'il avait en tête. Arawn avait pu tuer Fred, parce que ce dernier l'avait attaqué, mais Grace était au sol, sans défense, et saignait comme un bœuf. Je songeai qu'il comptait peut-être ruser pour l'obliger à se défendre, comme il l'avait fait pour Ethan, mais elle ne semblait franchement pas en état d'en prendre l'initiative même si elle en avait eu l'intention.

— Pitié, tenta de nouveau Grace.

Cette fois, à ma grande stupeur, le sang lui sortit par la bouche et elle émit une sorte de borborygme étranglé. Un coup de poignard, si bien placé fût-il, n'aurait pas dû suffire à tuer une sidhe de la Faëry, même si mon sort l'avait privée de sa magie guérisseuse. Alors pourquoi donnait-elle l'impression d'avoir reçu un coup mortel ?

L'épée de l'Elferoi fendit l'air à une vitesse fulgurante en émettant un sifflement, et trancha le cou de Grace sans même ralentir sa course.

Je ne vis qu'une bribe de ce qui arriva, car l'Elferoi s'empressa de s'interposer entre nous de façon que son manteau me dissimule complètement la scène. Mais ce bref aperçu était plus que suffisant pour alimenter mes cauchemars pour les années à venir. C'était peut-être une mort rapide, mais ce n'était certainement pas beau à voir. Même Ethan devint vert.

Le sang gouttant toujours de sa lame, l'Elferoi se tourna vers moi.

— Est-ce que tout va bien ? me demanda-t-il, et c'était si absurde que je fus prise d'un fou rire.

— Oh, oui, c'est la grande forme, répondis-je entre deux hoquets. J'ai failli me faire violer, puis je vous ai vu tuer ce type et décapiter ma tante d'un coup d'épée, oh, et j'ai reçu plusieurs coups de poing, mais à part ça, tout va très bien.

Je riais toujours, mais mon visage était baigné de larmes et j'avais du mal à respirer. Bon, d'accord, peut-être que le bruit que je produisais ressemblait davantage à des sanglots qu'à un rire.

Je distinguai mal le visage de l'Elferoi dans la lumière dansante et erratique de la torche restée au sol. Ses yeux étaient dissimulés dans l'ombre, mais je les sentais posés sur moi, même lorsqu'il tira un chiffon de sa pèlerine pour essuyer le sang souillant sa lame.

— Je suis navré de ne pas être arrivé plus tôt, j'aurais pu t'éviter une partie de ce que tu as enduré, dit-il, et il semblait sincère.

Le calme de sa voix et de ses manières apaisa mon fou rire, mais je me mis aussitôt à trembler.

— Comment se fait-il que vous soyez venu ? m'étonnai-je.

Il faisait trop sombre pour en avoir le cœur net, mais je crois qu'il sourit.

— Comme Ethan a dû maintenant te le dire, il est toujours lié à ma personne même s'il a quitté ma Chasse.

Lorsqu'il a été blessé, je l'ai senti. Je n'ai eu qu'à suivre notre lien pour le trouver.

— Et communiquer avec lui, ajoutai-je.

Je me souvenais que l'Elferoi avait crié : « Maintenant ! », ce qui était manifestement le signal qu'Ethan attendait pour agir.

Arawn hocha la tête.

— En effet.

— Mais comment avez-vous pu tuer Grace ? C'est une citoyenne d'Avalon, et vous n'êtes autorisé à tuer en Avalon que pour votre défense.

— Il existe une autre condition qui m'autorise à tuer en Avalon, répondit-il.

Mais oui. Lui-même et Grace avaient mentionné qu'il était à ses trousses, et mon père avait dit que l'Elferoi était autorisé à poursuivre ses proies en Avalon. J'avais présumé que l'Elferoi avait traversé la frontière pour Chasser le faë que je l'avais vu tuer le jour de son arrivée, mais je comprenais à présent que ce faë n'était qu'un bonus et que sa véritable proie était Grace.

Ethan se redressa difficilement en grognant de douleur. Arawn se détourna momentanément de moi pour s'agenouiller près de son ancien Chasseur. Je ne mettrais pas ma main au feu qu'il l'avait fait exprès, mais il se plaça de telle façon que son ombre dissimulait à ma vue le corps décapité de Grace.

— Allonge-toi, ordonna l'Elferoi à Ethan, qui obéit en dépit de l'éclair de révolte que je lus dans ses yeux.

Il n'avait sans doute pas le choix. L'Elferoi posa une main sur la blessure d'Ethan, et appuya très fort. Ethan hurla de douleur et je fis mine de me relever. Mais qu'aurais-je donc pu faire pour le défendre contre l'Elferoi, à votre avis ? Après ce cri, le corps d'Ethan retomba comme une poupée de chiffon.

L'espace d'une minute atroce, je crus qu'il était mort. Puis, l'Elferoi retira sa main de l'épaule d'Ethan, tenant un objet entre le pouce et l'index. La balle.

— Il fallait la retirer pour qu'il puisse guérir correctement.

Je me retins au mur d'une main.

— Vous auriez pu l'emmener auprès d'un guérisseur qui l'aurait soigné sans douleur.

Il acquiesça.

— Absolument. Mais il aurait continué de souffrir dans l'intervalle. Mieux vaut en terminer le plus rapidement possible, tu ne crois pas ?

J'avais envie de le contredire par principe, mais cela aurait fait de moi une hypocrite. Après tout, quand je m'étais blessée, j'avais autorisé Keane à soigner ma main exactement pour la même raison.

Laissant tomber la balle au sol, Arawn se remit debout. Les ombres et son grand manteau noir le rendaient encore plus impressionnant.

— Je crois que tu comprends maintenant pleinement les termes de notre marché.

— Oui, répondis-je faiblement.

J'aurais pu lui mentir, mais Ethan avait entendu la grande révélation de Grace, et l'Elferoi savait tout ce que savait Ethan.

Je fermai les yeux pour refouler les larmes qui menaçaient de couler. J'avais su dès le début qu'Arawn cherchait à obtenir davantage qu'une partie de jambes en l'air, et que lui donner ma virginité aurait des conséquences déplaisantes. Alors, bon sang, pourquoi est-ce que j'étais blessée de découvrir que ces conséquences auraient inclus ma propre mort ? Il était l'ennemi, un tueur de sang-froid qui n'avait pas de cœur. Oui, il venait de me sauver la vie, mais c'était uniquement dans son propre intérêt. Parce que je ne pouvais pas lui donner ce qu'il voulait si j'étais morte. Je n'aurais pas dû être surprise qu'il ait l'intention de m'utiliser puis de me tuer, exactement comme Grace.

— Je n'aurais pas pris ta vie, dit l'Elferoi, et je sursautai parce qu'il était beaucoup plus près que je ne m'y attendais.

J'ouvris les yeux et le regardai.

— Ben voyons.

— Dana, je n'ai pas besoin de ta vie. Je ne veux que ta magie de Passemonde.

— Eh bien, vous n'aurez ni l'un ni l'autre.

En prononçant ces mots, je faisais vœu de chasteté jusqu'à la fin de mes jours. Cette réalité me rattraperait tôt ou tard, j'en étais consciente, mais maintenant que je connaissais la vérité, il était parfaitement hors de question que j'aie un jour des relations sexuelles. Choisir l'Elferoi pour premier partenaire signerait mon arrêt de mort – et de je ne sais combien d'innocents – et choisir quelqu'un d'autre signifiait qu'Ethan retournerait dans la Chasse Infernale.

L'Elferoi me sourit.

— On ne sait jamais de quoi demain sera fait.

— En l'occurrence, je crois que si.

Il me regarda d'un air très sûr de lui.

— Tu parles avec la certitude de la grande jeunesse. Nous verrons bien si avec le temps je ne sais pas te faire changer d'avis. Je te promets dès à présent que je ne prendrai pas ta vie si tu remplis ta part de notre accord. J'accepterai même d'être lié par une *geis*.

— Qu'il nous faudra sceller par un baiser ou par le sang, c'est bien ça ?

Il hocha la tête.

— Non merci.

Je ne voulais plus de sang, je ne voulais plus souffrir, je ne voulais plus de baisers.

Il haussa les épaules.

— Alors, tu devras te contenter de me croire sur parole.

Son expression se durcit.

— Et tu peux me croire sur parole pour autre chose aussi : si tu révèles mon secret à quiconque ne le connaît déjà, je jure que je ferai souffrir mille morts à ton frère chaque jour de sa vie d'immortel.

Je ravalais la boule que la peur forma dans ma gorge. Je ne doutais pas un seul instant que l'Elferoi tiendrait parole. Je ne connaissais pas Connor, mais je ne pouvais pas le faire châtier à ma place parce que j'aurais ouvert ma grande gueule.

— Je ne dirai rien, murmurai-je.

Son visage se réchauffa et il me sourit de nouveau.

— Je sais que tu ne diras rien, dit-il, d'une voix étonnamment douce. C'est pour cette raison que je peux te menacer en toute bonne conscience. Tu es très protectrice avec ceux qui comptent à tes yeux, et il suffit pour cela de bien peu de chose.

Je ne trouvai rien à répondre, et restai silencieuse.

Chapitre 26

Ethan reprit connaissance au bout de quelques minutes. Le sort de guérison de l'Elferoi était impressionnant, car il ne semblait plus souffrir du tout. Pas physiquement, en tout cas. Mais il avait du mal à me regarder en face. Je me demandai s'il me considérait comme une traînée maintenant qu'il savait ce que j'avais promis à l'Elferoi, mais je ne voulais pas lui poser la question. Si c'était le cas, je préférais ne pas le savoir.

Cinq autres membres de la Chasse Infernale firent leur apparition peu après qu'Ethan fut revenu à lui. Pour la première fois, ils ne portaient ni masque ni casque et je pus voir leurs visages. Ils avaient tous la beauté typique des faës, mais leurs regards hantés disaient qu'ils n'étaient pas heureux d'être les esclaves de l'Elferoi.

L'un d'eux portait le corps du complice de Grace en travers de l'épaule. Le visage de l'homme était couvert de sang, et la blessure béante qui traversait sa gorge de part en part m'apprit qu'il ne retournerait pas en prison. Les Chasseurs avaient dû l'obliger à porter le premier coup. L'Elferoi approuva de la tête.

— Bien joué, dit-il en donnant une tape sur l'épaule de son Chasseur. Je vais raccompagner Dana chez elle, ajouta-t-il, avant de désigner les corps de Fred et de Grace d'un geste de la main. Occupez-vous de ces deux-là, et regagnez la maison.

Il se tourna vers Ethan.

— Tu devrais rentrer chez toi. Dana est en sécurité avec moi.

Ethan lui lança un regard empli de peur et de colère mêlées.

— Vraiment ?

L'Elferoi éclata de rire.

— Plus qu'avec toi, mon garçon, répliqua-t-il en désignant de nouveau le corps de mes ennemis.

Ethan rougit jusqu'à la racine des cheveux, et baissa les yeux. J'imagine que j'étais trop sonnée par tout ce qui s'était passé pour éprouver le moindre instinct de conservation, car je donnai un coup de pied dans le tibia d'Arawn comme s'il n'était pas l'homme le plus dangereux d'Avalon.

— Ne parlez pas de cette façon à Ethan ! aboyai-je. Ce n'est pas sa faute si on lui a tiré dessus et qu'il ne pouvait pas m'aider.

Arawn eut un sourire mutin.

— Tu viens de m'attaquer, Passemonde ?

Mon instinct de survie revint à toute vapeur, et mon estomac se décrocha comme si je me trouvais dans un ascenseur à grande vitesse. Mais Arawn souriait toujours, une lueur moqueuse au fond des yeux. Il ne me regarderait pas ainsi si je venais de lui fournir le prétexte de m'inclure dans sa Chasse et d'absorber tous mes pouvoirs. Je me demandai si c'était l'innocuité de mon coup de pied qui m'avait sauvée ou le fait d'être une fille. Après tout, il n'y avait pas de femmes dans la Chasse Infernale, pour autant que je sache.

Arawn me fit la surprise d'une explication.

— C'est l'intention qui compte, dit-il. Ton objectif n'était pas réellement de m'agresser – ton coup de pied n'était qu'une réprimande. Cela ne compte donc pas pour une attaque. C'est le même principe qui m'a permis de feindre de menacer ta vie pour tromper celui-ci, ajouta-t-il avec un regard de côté à Ethan. Si j'avais eu l'intention de t'agresser, je n'aurais pas été en mesure d'abaisser mon épée.

Je hochai la tête, me demandant si j'arriverais jamais un jour à absorber toutes les subtilités de la magie des faës. Ce qui me fit songer à mon propre sort, l'attaque désespérée que j'avais lancée contre Grace. J'avais d'abord pensé que c'était un échec cinglant, mais je n'en étais plus si sûre.

Mes yeux dérivèrent vers le corps de ma tante, même si je n'avais aucun désir de le voir. Heureusement, la partie supérieure de son corps – et sa tête – était perdue dans l'ombre. J'eus cependant un haut-le-cœur et détournai les yeux.

La capacité d'Arawn à lire en moi était effrayante. Il répondit à la question que je ne voulais pas formuler.

— Je n'ai encore jamais vu de magie pareille à la tienne, me dit-il. Je suis beaucoup plus âgé que Grace, et je n'ai pourtant jamais entendu parler d'un pouvoir similaire.

— Mmm, de quel pouvoir, exactement ?

— À vue de nez, je dirais que tu as fait d'elle une mortelle.

— Quoi ? m'écriai-je.

Ethan et les Chasseurs eux-mêmes parurent surpris.

— Lorsque tu as lancé ton sort, tu as annihilé sa connexion avec la magie, expliqua l'Elferoi. Son sortilège actif s'est interrompu, et elle s'est montrée incapable d'en lancer un autre, malgré son grand pouvoir. La blessure que lui a infligée Ethan était sérieuse, mais pas mortelle, pas pour un sidhe de la Faëry. Pourtant, tout porte à croire qu'elle y aurait succombé même si je ne lui avais pas porté un coup fatal.

Si effectivement j'avais accompli cela, les reines de Faëry avaient plus de raisons de s'inquiéter qu'elles ne le pensaient. Comme si j'avais besoin d'un motif supplémentaire pour attiser leur volonté de me détruire ! J'avais donc le pouvoir de rendre mortel un faë immortel…

Je m'efforçai de ne pas laisser mes pensées transparaître, mais l'Elferoi n'avait pas vécu tant de siècles sans avoir appris un truc ou deux sur le décryptage des expressions. Ou peut-être la même pensée lui avait-elle traversé l'esprit. Il me dévisagea d'un regard grave et légèrement sinistre.

— Serais-tu tentée d'employer ce sort-là contre moi, tu dois garder certains éléments à l'esprit. Tu as jeté ce sort dans un moment de stress intense. Comment peux-tu être certaine d'être capable de le reproduire à volonté ? Tu ne disposes d'aucune possibilité d'entraînement, à moins d'être bien plus impitoyable que tu n'en as l'air. Et puis, bien sûr, le fait qu'il ait fonctionné sur ta tante Grace ne garantit aucunement qu'il serait efficace contre moi. Je ne suis pas un sidhe.

— Et qu'êtes-vous donc, si vous n'êtes pas un sidhe ? demandai-je, même si cette question demeurait secondaire.

Un coin de sa bouche se releva.

— Je suis l'Elferoi. Il n'y en a qu'un comme moi.

Venant de quelqu'un d'autre, une telle assertion aurait pu paraître arrogante, mais Arawn l'avait présentée comme un simple fait, sans en tirer aucune fierté.

— Heureusement pour votre monde et le mien, dis-je, et il éclata de rire une nouvelle fois.

Il semblait me trouver amusante, compte tenu du fait que nous discutions de la possibilité que je sois sa Kryptonite, la seule et unique personne dans tout l'univers capable de le tuer.

Encore une fois, il sembla lire dans mes pensées.

— Je ne crains rien de toi, Passemonde. Tu ne tenteras pas de me détruire par malveillance, et je ne me mettrai pas en situation de te donner une bonne raison de déchaîner tes pouvoirs contre moi. De plus, si tu essaies et que tu échoues, tu rejoindras ma Chasse pour cette attaque patente.

Je le croyais quand il disait ne rien craindre de moi, et, malheureusement, il semblait avoir mis le doigt sur l'essentiel. Aurais-je pu lancer ce sort à Grace autrement que dans le feu de la bataille ? Malgré la haine que je lui portais, aurais-je été capable de la tuer de sang-froid ? J'en doutais fort.

— Viens, dit-il. Je vais te ramener chez toi.

Il me tardait de quitter ce lieu, de partir loin du sang et des cadavres. J'étais persuadée qu'Ethan nous accompagnerait. Après tout, l'Elferoi ne lui avait techniquement pas ordonné de rentrer chez lui, mais il ramassa sa torche en marmonnant une excuse et s'éclipsa sans me laisser le temps de protester.

Arawn préleva une lampe torche sur le corps de Fred, qu'il me tendit avant d'invoquer un sort d'illumination qui la rendit inutile. Plaçant une main entre mes omoplates, il me poussa en avant pendant que ses Chasseurs se rapprochaient des corps. Il bifurqua dans la première galerie, certainement davantage pour m'éloigner du carnage que parce que c'était la bonne direction.

— Vous n'aurez qu'à me conduire jusqu'à un endroit que je connais, et je pourrai me servir de votre amulette, dis-je.

Ce que j'aurais dû faire depuis le début.

— Pas la peine, répondit-il. Je vais te raccompagner jusqu'à chez toi.

Je m'arrêtai.

— Non, vous ne ferez pas ça. Personne ne sait que j'ai quitté mon bunker, et j'entends que les choses restent ainsi.

Arawn se tourna vers moi en haussant un sourcil.

— Tu n'as donc l'intention de parler à personne du décès de ta tante et du rôle que tu y as joué ?

Mes yeux s'écarquillèrent.

— Bien sûr que non ! Les gens font la queue à chaque coin de rue pour me tuer. Je n'ai pas envie de leur donner une raison supplémentaire de le faire. Sans oublier que mon père piquerait une crise s'il apprenait que j'ai fait le mur.

Et après ce qui avait failli m'arriver cette nuit, sa colère serait parfaitement justifiée.

— Tu sous-estimes ta puissance, dit Arawn, et j'aurais juré qu'il y avait de l'admiration dans sa voix. Tu n'es pas si facile à tuer.

— Je ne serais pourtant plus de ce monde si vous n'étiez pas arrivé, ce soir.

— Mais je suis venu. Je t'ai déjà expliqué que je ne laisserai personne te faire du mal. Ta force ne réside pas seulement dans ce que tu es capable de faire toi-même, mais également dans ce que les autres sont capables de faire pour toi. Il est bon d'avoir quelqu'un comme moi à tes côtés quand les deux reines de Faëry ont décidé ta mort.

— Oui, eh bien, disons que je ne suis pas douée pour compter sur les autres.

Je ne sais pas ce qui me poussait à être si franche avec lui. Une fille intelligente pèserait sans doute attentivement chacune de ses paroles face à quelqu'un comme l'Elferoi, mais je discutais à bâtons rompus avec lui comme si nous étions les meilleurs amis du monde.

Il approuva de la tête.

— Tu dois toujours compter sur toi-même avant tout. Mais ne néglige pas tes amis et tes alliés.

Je plongeai mon regard dans ses yeux tellement bleus.

— Même les alliés qui se sont joués de moi et avaient l'intention de me tuer dès qu'ils auraient obtenu ce qu'ils voulaient ?

Il ne cilla pas.

— Je n'ai jamais eu l'intention de te tuer. Je ne fais pas forcément tout ce dont je suis capable. Quant à me jouer de toi...

Il haussa les épaules.

— Tu as passé un marché avec le seul et unique roi de Faëry. Tu ne pouvais pas espérer t'en tirer sans dommages. En fait, je sais que tu ne l'espérais pas. J'ai joué mon rôle et tu as joué le tien. Tu as peut-être l'impression que je t'ai trompée, mais j'ai bel et bien libéré Ethan de ma Chasse.

— Mais vous ne l'avez pas libéré de vous-même.

— Ce qui est une bonne chose, rétorqua-t-il. Ou cette nuit aurait connu une issue bien différente.

Fatiguée de discuter, je baissai les bras.

— Ça veut dire que vous n'allez pas me laisser rentrer chez moi en douce et ne rien raconter à personne, c'est ça ?

Arawn s'adossa à la paroi, les bras croisés sur la poitrine. Les yeux perdus dans le lointain, il parut réfléchir intensément. Il garda la posture durant une bonne minute, assez pour que le silence commence à me peser.

— Tu ne fais pas partie de ma Chasse, répondit-il enfin. Ce n'est pas à moi de décider si tu dois livrer le récit de tes... aventures à tes gardiens. Mais en tant qu'allié, je peux te donner un conseil : n'aie pas trop de secrets pour ceux qui peuvent t'aider. Ton père et ton garde du corps constituent des atouts non négligeables, et tu as intérêt à ne rien leur cacher, pour ne pas risquer de te priver de leur confiance quand la vérité sortira inévitablement au grand jour.

Malheureusement, j'avais bien peur qu'il ne soit un peu trop tard pour ça. Finn m'avait pardonné d'avoir fait le mur avec Keane, et accordé l'énorme faveur de ne rien dire à mon père. Mais s'il découvrait que j'avais filé en douce en deux autres occasions, il serait terriblement déçu. Et grandes étaient les chances qu'il ne me fasse plus jamais confiance. Il parlerait sans doute alors à mon père du premier incident, ce qui provoquerait des problèmes à la chaîne. Papa serait fâché contre moi, bien sûr, mais aussi contre Finn qui ne lui avait rien dit et contre Keane qui m'avait servi de complice. Et ne parlons même pas de ce qu'ils penseraient s'ils découvraient mes pouvoirs de magicienne !

Je comprenais très bien le sens des mots d'Arawn, que garder d'aussi lourds secrets pouvait se retourner contre moi. Mais j'avais dépassé le point de non-retour depuis belle lurette, et si je voulais pouvoir jouir d'un minimum de liberté, je ne devais rien dire à personne.

— Je ne veux pas qu'ils sachent que j'ai filé en douce, dis-je à Arawn. Montrez-moi la bonne direction et laissez-moi utiliser la broche pour rentrer chez moi.

Il fronça les sourcils, comme si ma décision lui déplaisait. Il haussa ensuite les épaules.

— Très bien. Si c'est ce que tu souhaites.

— C'est ce que je souhaite, dis-je.

Au tout dernier moment, j'aurais juré voir une lueur de triomphe dans les prunelles d'Arawn, et il me vint à l'esprit qu'il pouvait encore se jouer de moi. Mais j'étais trop exténuée pour m'y attarder, et je laissai filer.

Chapitre 27

Nous n'échangeâmes plus un mot tandis que l'Elferoi me guidait à travers le labyrinthe des souterrains. Il n'hésita pas une seule fois, alors que j'avais un mal fou à distinguer une galerie d'une autre.

Finalement, la galerie où nous progressions déboucha dans un secteur éclairé, et nous arrivâmes bientôt en terrain familier, près de l'accès que j'empruntais habituellement pour rejoindre la ville proprement dite. À partir d'ici, j'étais capable de retrouver sans problème le chemin de mon bunker.

— Rien ne m'oblige à te laisser ici, dit Arawn, lisant une fois de plus dans mes pensées. Je peux t'accompagner plus loin sans m'annoncer à ton garde du corps.

Je respirai un grand coup pour me donner du courage.

— J'apprécie l'attention, mais je vais me débrouiller à partir d'ici. Je serai chez moi dans quelques minutes.

Il secoua la tête en souriant.

— Très pointilleuse sur l'indépendance.

Ouais, c'était moi tout craché. Mais j'avais comme l'impression que si je rechignais aujourd'hui à me déplacer seule dans les souterrains, j'aurais du mal à me défaire de mes peurs plus tard.

— Merci, dis-je, même si ce mot paraissait déplacé adressé à l'Elferoi. Vous m'avez sauvé la vie cette nuit. Je ne l'oublierai pas.

Il balaya ma gratitude d'un revers de la main.

— Tu n'as pas à me remercier d'avoir agi au plus près de mes intérêts, objecta-t-il, et je me souvins qu'il ne m'avait pas sauvé la vie pour mes beaux yeux.

J'ouvris la broche pour en exposer la pointe. Ce n'était que la troisième fois que j'utilisais cette amulette, mais j'étais déjà fatiguée de me piquer le doigt. Je le fis néanmoins.

Quand je m'étais servie de l'amulette les fois précédentes, il n'y avait jamais eu de signe extérieur de son fonctionnement, aucun picotement magique pour me dire qu'elle était activée. Cette fois, pourtant, j'éprouvai un fourmillement juste au-dessus de l'omoplate gauche, un picotement qui devint rapidement une brûlure. Je levai les yeux vers Arawn, paniquée. Il me prit la main, qu'il serra fermement.

— Cela va passer dans un instant, dit-il d'une voix rassurante alors que la sensation de brûlure s'intensifiait au point de me faire monter les larmes aux yeux.

— Qu'avez-vous fait ? lui demandai-je en serrant les dents.

Ma voix était lourde d'accusations, mais je me raccrochai quand même à sa main comme à une bouée de sauvetage.

— Rien que tu aies à craindre, répondit-il, et la douleur disparut comme elle était venue.

Je pris soudain conscience que je lui tenais la main, et la lâchai précipitamment avec un mouvement de recul.

— Qu'est-ce que vous m'avez fait ? répétai-je, pratiquement dans un cri cette fois.

Après tous les événements de cette nuit, j'aurais cru que mon corps avait épuisé ses réserves d'adrénaline, mais la soudaine accélération de mon pouls me prouva le contraire.

L'Elferoi agita les mains d'un geste apaisant.

— Rien de grave, je t'assure. Une certaine magie des plus élaborées naît du sang et du pouvoir du chiffre trois. Tu viens d'activer l'amulette pour la troisième fois en faisant usage de ton sang, ce qui a déclenché le sortilège secondaire que j'ai lié à cette broche.

Merde, merde et merde ! Le bâtard m'avait encore roulée dans la farine ! La peur et la colère se disputaient en moi tandis que j'attendais les explications de l'Elferoi.

— Tu portes à présent ma marque sur l'épaule. Cette marque n'a pas la puissance de celle de mes Chasseurs, mais elle me permettra de te localiser où que tu sois. Pas dans le monde des mortels, bien entendu, mais au moins en Avalon et dans la Faëry.

J'ouvris la bouche pour le traiter de tous les noms d'oiseau que je connaissais, et bien d'autres encore, mais il me réduisit au silence en posant un doigt sur mes lèvres.

— Ce n'est pas un sort maléfique, Dana. Si un jour tu as besoin de mon aide, il te suffit s'insuffler un peu de magie dans ta marque pour que je vienne à ton secours aussi vite que possible. Je ne peux pas toujours compter sur la présence d'Ethan à tes côtés pour m'avertir que tu es en danger.

Je détournai la tête et il laissa retomber son doigt.

— C'est pour mon propre bien ? C'est ce que vous êtes en train de me dire ?

— En quelque sorte.

Je secouai la tête en grognant, dégoûtée d'être aussi crédule. Je m'étais déjà sentie suffisamment vulnérable en apprenant qu'il savait où j'habitais et qu'il était capable d'arriver jusqu'à moi malgré toutes mes protections, mais c'était pire, mille fois pire. Je ne pourrais plus jamais lui échapper, plus jamais me cacher de lui, et mon instinct me soufflait que j'en aurais besoin un jour.

— Vous étiez tellement sûr que c'était pour mon bien que vous avez décidé de ne pas me prévenir de ce qui allait se passer quand j'utiliserais la broche pour la troisième fois.

— Je ne suis pas un imbécile, et toi non plus.

Cela restait contestable, du moins en ce qui me concernait.

— Ce n'est pas un sort maléfique, et tu peux t'en servir dans ton propre intérêt. Ta tante Grace n'était qu'un danger mineur comparé à ce que sont tes véritables ennemis. Je peux te protéger contre eux en cas de besoin. Mais je ne prétendrai pas que ce sortilège ne m'est pas également profitable, et je sais pertinemment que tu n'aurais pas utilisé ma broche une troisième fois si tu avais été au courant.

Il avait raison sur ce dernier point, pour sûr. Je me sentais dans la peau d'un chien de compagnie à qui l'on a implanté une puce. Peut-être qu'à l'avenir je me souviendrai de me méfier des rois de Faëry qui me font des cadeaux. Je lui tendis la broche, et je crus l'espace d'un instant qu'il allait la reprendre. Au lieu de quoi il referma mes doigts sur le bijou une fois de plus.

— Elle fonctionne toujours comme avant, dit-il. Et je n'y ai lié aucun autre sort.

— Oui, il faut que je vous croie sur parole ?

— Je t'autoriserai à douter de mes paroles quand tu m'auras pris en flagrant délit de mensonge. Je ne t'ai jamais menti autrement que par omission, et je ne le ferai jamais.

— D'accord, et si la broche fonctionne comme avant, comment se fait-il que vous puissiez me voir ?

Il parut amusé.

— Parce que c'est de ma propre magie que tu te sers. Elle ne fonctionne pas contre moi, bien qu'elle reste efficace contre mes Chasseurs et Ethan.

Waouh. Il m'offrait volontairement des informations. Il tenait beaucoup à ce que je conserve son stupide cadeau.

J'avais envie de rester ferme, de lui dire que je ne commettrais plus jamais l'erreur de le croire. J'avais envie de jeter la broche à ses pieds et de partir la tête haute.

Le problème, c'est que je ne voulais pas m'en séparer. Cette broche était mon ticket pour l'indépendance, ou ce qui s'en rapprochait le plus. Sans elle, je ne pourrais plus quitter mon bunker sans garde du corps, et ce n'était pas une façon de vivre.

Je lui lançai un regard noir, pour bien lui faire comprendre que la situation ne me ravissait pas, et rempochai la broche. Il hocha brièvement la tête sans un mot comme je lui tournai le dos et m'éloignai à grands pas dans le souterrain qui me ramènerait chez moi.

Je regagnai mon bunker sans autres mésaventures, Dieu merci. Il était plus de 2 heures du matin quand j'arrivai, Finn avait installé le canapé-lit dans la salle de garde et il était couché. Il dormait face à l'entrée, et j'étais sûre qu'il se redresserait au moindre bruit, mais la broche de l'Elferoi me permit de me glisser dans la pièce sans l'alerter.

Une fois dans ma suite, et malgré l'envie de me jeter sur mon lit et de dormir pendant une semaine, je ne pus résister au besoin de voir la marque de l'Elferoi sur mon épaule. Je retirai mon pull et mon tee-shirt, et me plantai dos au miroir de la salle de bains, me dévissant le cou pour regarder.

La marque était plus petite que celle qu'arboraient les Chasseurs, mais sinon en tout point identique. Elle représentait un cerf stylisé en plein saut. Si je n'avais pas su ce qu'elle était et ce qu'elle signifiait, je l'aurais presque trouvée jolie.

Je décidai de ne jamais l'activer. Je ne pourrais pas m'en débarrasser, ni empêcher qu'elle serve de radio-balise à l'Elferoi, mais rien ne m'obligeait à en faire usage. Pour tout dire, si je pouvais ne jamais revoir Arawn ni lui parler, tout serait pour le mieux dans le meilleur des mondes. Sa fourberie me laissait sans défense, même quand je pensais prendre toutes les précautions nécessaires. Puisque je ne pouvais pas lutter, le mieux était de l'éviter.

Pourtant, était-ce une si bonne idée ? L'Elferoi était de beaucoup mon plus puissant allié, même si ses intentions étaient loin d'être pures. Il était redouté de tous, jusqu'aux reines de Faëry, et tant qu'il voudrait quelque chose de moi et nourrirait l'espoir de l'obtenir un jour, il me défendrait au mieux de ses immenses facultés. Bien sûr, il finirait tôt ou tard par comprendre que je ne lui donnerais *jamais* ce qu'il désire. Alors son masque de gentillesse tomberait, et je me trouverais face au cauchemar de la Faëry.

Toutes ces questions demeuraient sans réponse satisfaisante. Ce qui n'empêcha pas mon esprit de continuer à carburer, et cela ne fit qu'empirer lorsque je me couchai et tentai de trouver le sommeil.

Tout en me tournant et me retournant misérablement dans mon lit, je commençai réellement à comprendre les implications de ce que m'avait révélé Grace dans l'intention de me faire souffrir avant de me tuer.

Grace était assez âgée pour se souvenir du temps où l'Elferoi n'avait pas encore conclu son pacte avec les deux reines de Faëry. Mon père aussi. Tante Grace avait été capable d'extrapoler à partir de ses connaissances que l'Elferoi chercherait un moyen de me convaincre de lui donner ma virginité. Mon père aussi. Tante Grace savait exactement ce que j'avais promis à l'Elferoi en échange de la libération d'Ethan. Mon père aussi.

Tante Grace avait été tellement obnubilée par sa vengeance que me tuer ne lui suffisait pas. Cherchant à me faire le plus de mal possible et à me montrer combien j'avais été stupide, elle avait rompu ses liens avec la cour des Lumières dans le seul but de pouvoir me révéler le secret de l'Elferoi. Pas mon père. Il savait pourtant ce qui était en jeu, et ne pouvait ignorer le danger que je courais, mais il avait choisi de ne pas rompre ses liens avec sa précieuse cour des Lumières pour pouvoir m'avertir. Il avait préféré s'en tenir à de vagues avertissements parfaitement inutiles, et à me recommander de ne jamais faire ce que l'Elferoi m'avait demandé. Des avertissements si vagues qu'ils avaient toutes les chances d'entrer par une oreille pour ressortir par l'autre.

Bien sûr, je n'avais pas eu besoin des avertissements de mon père pour comprendre dès le début que le marché passé avec l'Elferoi était plus subtil qu'il n'y paraissait, et je n'avais jamais eu l'intention de l'honorer sans en saisir toutes les ramifications. Il était aussi vrai que mon père ignorait que la surveillance rapprochée qu'il avait instaurée ne m'empêchait pas de rencontrer l'Elferoi. Papa aurait peut-être fini par décider qu'il n'avait pas d'autre choix que de rompre ses liens avec la cour des Lumières. Mais je ne voulais pas oublier – je ne pouvais pas oublier – que dans un premier temps, au moins, il avait choisi de me laisser dans l'ignorance.

Je me raccrochai à l'idée que mon père m'aimait, et que son amour dépassait le simple opportunisme politique. Mais mon père était l'un de ces anciens faës dont le système de valeurs différait grandement de celui des simples mortels. Je me jurai de ne plus jamais l'oublier.

Chapitre 28

Après les événements pour le moins dramatiques qui s'étaient produits cette nuit-là dans les souterrains, ma vie reprit à peu près son cours normal – enfin, ce qui passe pour « normal » par les temps qui courent.

Il y eut bien sûr quelques répercussions, dont la nécessité de garder constamment cachée la marque de l'Elfe-roi n'était qu'une des moindres. Ce fut la fin des débardeurs pour mes entraînements avec Keane. Heureusement, il ne faisait jamais assez chaud en Avalon pour me faire regretter de ne pas pouvoir en porter à l'extérieur. Et si Keane remarqua mon changement de tenue, il n'en souffla mot. Il était toujours aussi revêche et désagréable, et lorsque je tentai de calmer le jeu après notre dernière dispute, il me répondit par un balayage. Il ne voulait pas en parler, comportement typiquement masculin, mais qui, pour tout vous dire, me convenait parfaitement.

Une répercussion autrement plus conséquente fut la visite que rendit l'Elferoi à mon père. Je n'étais pas présente, mais ma mère me fit son rapport. Elle se comportait comme si nous ne nous étions jamais disputées, et je la laissai faire avec joie. Il y avait beaucoup de choses que je regrettais depuis mon arrivée en Avalon, mais l'abstinence forcée de ma mère n'était pas du nombre.

Arawn informa mon père du décès de tante Grace. Selon Maman, Papa avait encaissé la nouvelle avec un stoïcisme tout elfique, même s'il devait en être à la fois soulagé et attristé. Grace avait tout de même été sa sœur.

Maman n'avait pas assisté à toute leur conversation, mais il semblait qu'Arawn ait réussi d'une façon ou d'une autre à convaincre mon père que je n'avais rien à craindre de la Chasse Infernale. J'imagine que ça n'avait pas dû être très difficile. Après tout, sachant ce que l'Elferoi voulait de moi, mon père ne pouvait ignorer que me garder en vie était dans l'intérêt de ce dernier.

Résultat des courses, ce n'était plus le branle-bas de combat chaque fois que je voulais quitter mon bunker. J'étais toujours tenue d'emmener Finn avec moi partout où j'allais, mais je n'étais plus obligée de demander la permission à Papa, ni de dénicher un second garde du corps. Je me sentais positivement libérée. Marrant comme mes critères ont évolué depuis mon arrivée en Avalon, n'est-ce pas ?

Malgré cette nouvelle « liberté », ce n'était pas évident de trouver un moyen de passer un moment en tête à tête avec Ethan. Il fallait pourtant que nous parlions. Je tentai de l'appeler une ou deux fois, mais il semblait toujours très pris et ne pouvait pas rester longtemps au téléphone. J'étais sûre qu'il mentait, mais je ne voulais pas entamer notre discussion à cœur ouvert par des accusations. Il savait quel marché j'avais contracté avec Arawn et possédait un certain nombre de raisons de préférer ne plus rien avoir à faire avec moi, mais je devais assainir nos relations quoi qu'il en soit. Même s'il n'était pas – et ne serait désormais jamais – mon petit ami, il était indéniable qu'il occupait une place importante dans ma vie.

Je décidai finalement que le meilleur moyen de l'obliger à parler était de me pointer chez lui une fois de plus. J'envisageai brièvement l'idée de me servir de la broche de l'Elferoi, mais j'avais toujours cette désagréable impression qu'il valait mieux que je ne parle pas de l'amulette à Ethan. Ce qui signifiait que Finn devrait m'accompagner. Je n'avais pas fait attention à la disposition des lieux la dernière fois que j'étais allée chez lui, mais j'imaginais que c'était identique à l'appartement de Kimber, et que le seul endroit où l'on pouvait jouir d'un minimum d'intimité était sa chambre. Je n'étais pas certaine que Finn me laisserait faire (souvenez-vous comme il avait joué les chaperons au cinéma), mais je n'avais pas vraiment le choix.

J'appelai Kimber avant de partir pour lui demander de s'assurer de la présence d'Ethan. Elle fut ravie de me rendre ce service, et je compris qu'Ethan ne lui avait pas révélé ce qu'il avait appris au sujet de mon pacte avec l'Elferoi. Elle me pensait toujours liée par une *geis* m'empêchant d'en parler. Encore un de ces secrets qui pourraient se retourner contre moi. Kimber serait vraiment très fâchée si elle apprenait un jour la vérité.

Je déboulai sur le palier d'Ethan par un après-midi d'été typique d'Avalon. C'est-à-dire gris, froid et maussade. Finn me gratifia d'un regard désapprobateur dès qu'il comprit que c'était Ethan et non Kimber que je venais voir, mais il s'abstint de passer en mode paternel et de m'aboyer des ordres.

Kimber devait guetter mon arrivée, car elle entrouvrit sa porte lorsque je sonnai chez Ethan. Elle ne dit rien, se contentant de m'offrir un sourire d'encouragement et un « bonne chance » articulé silencieusement. J'appréciai son soutien, tout en éprouvant un pincement de culpabilité. Elle pensait certainement que je venais tenter de remonter le moral à son frère après ce qu'il avait enduré au sein de la Chasse Infernale. Et le comportement d'Ethan n'était pas plus normal qu'avant notre rencontre avec tante Grace.

Le regard qu'il me lança quand il ouvrit la porte était indifférent à faire mal. Je relevai la tête et m'obligeai à le regarder dans les yeux.

— Salut, dis-je, et je me serais claquée d'être aussi nulle.

J'avais l'air timide, presque effrayée. Bon, d'accord, j'en avais aussi la chanson, mais pas besoin de le montrer.

— Je peux entrer ?

Ethan jeta un regard rapide à Finn, mais il devait bien se douter que l'on formait un lot.

— Bien sûr, répondit-il sans aucun enthousiasme.

Je ne devais pas oublier que je n'avais rien fait de mal. Rien qui méritât ce traitement, en tout cas. Ce n'était pas facile de le regarder en face maintenant qu'il connaissait les termes de mon accord avec l'Elferoi, et je me sentais malgré moi dans la peau d'une Marie-couche-toi-là, mais c'était pour Ethan que j'avais accompli tout ça. Cela ne lui plaisait peut-être pas, mais il aurait au moins pu m'en être un peu reconnaissant.

Finn et moi entrâmes dans l'appartement. Ethan me fit signe de le suivre au salon, et Finn demeura devant la porte, s'efforçant une fois de plus de me laisser un peu d'intimité. Mais ce n'était pas assez pour la discussion qui allait suivre. Je me retournai vers mon garde du corps, tâchant d'évaluer la difficulté que j'allais avoir à le convaincre.

— Ethan et moi avons deux ou trois choses à discuter en privé, lui dis-je. Est-ce que vous pourriez monter la garde à l'extérieur, à tout hasard ?

Je m'inspirais de la tactique de l'Elferoi en lui demandant une faveur que je n'espérais pas obtenir afin que ma seconde proposition – qu'il me laisse aller dans la chambre d'Ethan – lui paraisse plus raisonnable. À ma grande surprise, Finn acquiesça.

— J'attendrai dehors, annonça-t-il en dardant sur Ethan un regard pénétrant. Je suis sûr que tu te comporteras en gentleman.

Ethan écarquilla des yeux comme des soucoupes en levant les mains en signe d'innocence.

— Ne vous inquiétez pas. Je ne tenterai rien.

Finn parut se satisfaire de cette assertion et retourna sur le palier, me laissant seule avec Ethan. Je m'assis sur son canapé, me demandant par où commencer.

— Tu veux boire quelque chose ? proposa-t-il sans vraiment me regarder.

— Non, refusai-je plus sèchement que je n'en avais eu l'intention. Je voudrais que tu viennes sur le canapé pour parler avec moi.

— Très bien.

Au lieu de s'asseoir à côté de moi, il posa ses fesses le plus loin possible dans une posture rigide et formelle. Était-ce vraiment le même garçon qui m'avait embrassée avec tant de fougue seulement quelques jours plus tôt ? On aurait dit qu'il lui tardait de se débarrasser de moi. Je ne savais pas ce qui l'emportait entre la colère et la peine. Certainement un peu des deux.

— Alors, tu vas donc me traiter comme une pestiférée ? lui demandai-je d'une voix que j'espérais neutre.

— Je ne te traite pas comme une pestiférée.

Waouh. Très convaincant comme argument, et ça me faisait vraiment chaud au cœur d'entendre ses dénégations.

— Tu ne me regardes pas, tu refuses de me parler et tu t'assois aussi loin de moi que possible, énumérai-je pour enfoncer le clou.

Avec un grognement de frustration, il se tourna pour me faire face, sans se rapprocher d'un millimètre pour autant. Ses yeux, habituellement chauds et vivants, étaient froids comme la glace.

— Excuse-moi si je n'apprécie guère que ma petite amie ait promis ses faveurs à un autre homme.

J'en restai bouche bée.

— Je ne suis pas ta petite amie, protestai-je, et cela parut vain même à mes propres oreilles.

Vu que notre dernière séance de flirt avait comporté des moments de nudité partielle, je comprenais qu'il puisse me considérer comme telle, même si je n'en étais pas moi-même totalement convaincue.

Ethan leva les yeux au ciel.

— Si tu apprenais que j'avais promis à une autre fille de coucher avec elle, ça ne te ferait rien du tout ?

Je sentis le rouge me monter aux joues. Je n'allais pas lui disputer ce point, pas après le cirque que je lui avais fait rien que pour avoir *dansé* avec une autre fille. Et ce fut à mon tour d'avoir du mal à soutenir son regard.

— Tu sais pourquoi je l'ai fait, murmurai-je en contemplant mes doigts crispés sur mes genoux. Aurais-tu préféré que je te laisse aux mains de l'Elferoi ?

— Je ne sais pas, dit-il.

Je fus tellement surprise que je levai les yeux sur lui.

— Tu ne sais pas ? répétai-je, et mon cœur se serra. Tu es en train de me dire que j'ai fait tout ça pour rien ?

Ma voix monta dans les aigus, se rapprochant du hurlement.

— Je me suis condamnée à rester vierge toute ma vie, et non seulement tu ne m'en es pas reconnaissant, mais tu es en plus en colère contre moi au point de pouvoir à peine supporter ma vue.

La douleur et la colère mêlées me vidèrent de toute émotion. C'en était trop, ce qui était finalement une bonne chose, parce que cela me permit de garder les yeux secs. Je pleurerais plus tard toutes les larmes de mon corps, mais je ne voulais pas offrir ce spectacle à Ethan.

— Je ne suis pas en colère contre toi ! réfuta-t-il rageusement.

— À qui tu veux faire croire ça ? Et je ne suis qu'une imbécile d'être venue ici.

Je fis mine de me lever, mais, d'une façon étrangement similaire à la dernière fois, Ethan me prit le bras pour m'empêcher de partir.

— S'il faut qu'on parle de tout ça, alors parlons-en, fulmina-t-il encore.

Je voulais m'en aller, faire comme si je n'étais jamais venue. Je n'avais jamais su gérer ma relation avec Ethan, et j'aurais dû me douter que les récents événements ne feraient qu'empirer les choses.

— Qu'y a-t-il à ajouter ? demandai-je avec amertume. Tu me prends pour une sorte de pute parce que je tiens suffisamment à toi pour n'avoir reculé devant rien pour qu'Arawn te relâche. Je ne le regrette pas, mais si c'est ce que tu penses de moi, je ne veux plus rien avoir à faire avec toi.

Je tentai de nouveau de me lever, mais Ethan me retenait toujours.

— Tu vas arrêter ça ? demanda-t-il d'une voix un peu plus calme, ce qui sembla lui réclamer un gros effort. Tu me fais dire ce que je n'ai pas dit.

— Tu n'as pas besoin de le formuler tout haut pour faire passer le message. Si tu voyais ta tête juste à l'instant, tu saurais que je te reçois cinq sur cinq.

— Tu as visiblement encore des progrès à faire. Je te le répète : je ne suis pas en colère contre toi.

J'ouvris la bouche pour protester avec véhémence, mais il parla plus fort que moi.

— Arrête de faire l'idiote ! C'est contre moi que je suis en colère, pas contre toi !

La surprise me laissa sans voix.

Ethan me lâcha le bras et se passa une main dans les cheveux, s'en arrachant probablement quelques-uns au passage.

— Tu ne vois donc pas, Dana ? Je suis tombé dans le piège grossier que m'a tendu l'Elferoi. J'étais si imbu de moi-même et tellement désireux de t'impressionner qu'il a fallu que je joue les héros alors que j'aurais dû me méfier. Et à cause de cette erreur stupide, je suis lié à lui pour toujours, et tu as conclu un pacte avec le diable. Je me suis vraiment illustré, pas vrai ?

Il était si bouleversé qu'il se détourna de moi pour cogner violemment dans l'accoudoir du canapé. Heureusement que ce machin était rembourré ou il aurait pu se fracturer la main.

Ma colère et mon chagrin s'apaisèrent au fur et à mesure que je réfléchissais à ce qu'il venait de m'avouer. Je le soupçonnais de ne pas dire toute la vérité en prétendant ne pas être en colère contre moi, mais je voulais bien croire qu'il l'était davantage contre lui-même. Je ravalai mes émotions tumultueuses et respirai à fond pour essayer de me calmer.

— Sans toi, relevai-je, j'aurais perdu la vie il y a déjà plusieurs semaines, quand tante Grace m'a jetée dans les douves.

Il haussa les épaules.

— La seule bonne action que j'ai accomplie. Mais j'en ai fait tant d'autres de mauvaises que je n'ai pas de quoi pavoiser.

Timidement, je lui posai une main sur l'épaule et serrai.

— Tu sais que jusqu'ici, tu es la troisième personne après Kimber et moi à se sentir coupable de ta capture par l'Elferoi ?

Ethan cligna les yeux d'étonnement.

— Quoi ?

— Je m'en voulais parce que tout ça ne serait jamais arrivé si je n'étais pas venue en Avalon. Kimber s'en voulait parce que c'était son idée de s'installer dehors dans le patio et parce qu'elle nous a laissés seuls. Et je ne serais pas étonnée que mon père et Finn culpabilisent également. Après tout, s'ils avaient monté la garde plus près au lieu d'avoir la gentillesse de me laisser un peu d'espace, la Chasse Infernale n'aurait pas pu nous isoler comme ils l'ont fait. Je crois qu'on devrait tous se détendre côté culpabilité.

Ethan rumina mes paroles un long moment avant de laisser échapper un gros soupir.

— Tout ça est bien joli, acquiesça-t-il. Mais c'est plus facile à dire qu'à faire.

Je tentai faiblement de rire.

— À qui le dis-tu.

Il se rapprocha finalement de moi sur le canapé, m'entoura de ses bras et me tint contre lui. Je fermai les yeux en respirant son odeur. Pendant quelques minutes, je me laissai aller au plaisir sensuel de me lover dans ses bras. La douleur et la rage qui m'avaient enflammée se dissipèrent au profit d'un sentiment proche de l'apaisement. Je savais que ça ne durerait pas, mais j'en profitai tant que je le pouvais.

Ethan frotta sa joue sur le haut de mon crâne.

— Tu es sûre que tu n'es pas ma petite amie ? demanda-t-il doucement.

Sa question me chatouilla agréablement les entrailles, mais chassa l'impression de paix qui s'était emparée de moi. Je me décollai de lui pour plonger mes yeux dans les siens.

— Je n'ai rien de la petite amie idéale en ce moment.

Ethan me sourit. Son sourire était toujours chaleureux mais sa nature avait changé depuis sa capture par l'Elferoi. Ce sourire-là paraissait plus âgé, et d'une certaine façon, plus triste.

Il repoussa une mèche de cheveux de mon visage.

— Laisse-moi juge en la matière. Et je dirai que tu ne te débrouilles pas mal du tout.

Une bouffée de désir me serra la gorge.

— Tu dis ça aujourd'hui, mais soyons réalistes. Je ne pourrai jamais… aller jusqu'au bout avec toi. À moins de passer dans le lit d'Arawn avant, et ça n'arrivera pas.

— Non, ça n'arrivera pas, approuva Ethan en grinçant des dents.

— Combien de temps crois-tu pouvoir rester avec une fille qui ne couchera jamais avec toi ?

Il arbora son expression la plus butée.

— Il n'y a pas que le sexe dans la vie.

Je le croyais sincère, en l'occurrence. Mais je croyais aussi que la frustration aurait raison de lui et qu'il changerait d'avis. Il avait déjà fait la preuve de son impatience alors que je n'avais pas le couperet du pacte avec l'Elferoi au-dessus de ma tête. Ethan avait beau me répéter que Tiffany ne signifiait rien pour lui, je me souviendrais toujours de la façon ouvertement sensuelle dont il avait dansé avec elle à la fête de Kimber. Il était avec moi depuis seulement quelques jours, et se conduisait déjà comme si j'étais l'amour de sa vie, mais ça ne l'avait pas empêché de se frotter lascivement contre elle. Ce n'était pas le comportement d'un type qui saurait se satisfaire d'une relation condamnée à rester platonique. Si je me laissais aller à tomber plus amoureuse de lui, il allait me briser le cœur.

Ethan prit ma joue dans sa main.

— Ne renonce pas à moi. S'il te plaît.

— Je ne renonce pas à toi. C'est juste que…

— Alors, dis-moi que tu me donnes une chance. Donne-moi une chance de te prouver que tu comptes beaucoup plus pour moi que le sexe. Je préfère t'avoir toi sans te toucher que toutes les autres filles que j'ai connues avant.

Il me disait les mots que je voulais entendre, mais… je suis une pragmatique dans l'âme. Je n'allais pas me leurrer et me faire croire qu'Ethan et moi avions une chance de tenir la distance. Il avait beau dire, je savais que je ne lui suffirais pas éternellement dans de telles conditions. Je m'éviterais donc une montagne de souffrances à venir si je trouvais le courage de mettre un terme à tout ça maintenant. Je n'avais qu'à ignorer le désir qu'il éveillait en moi. Ignorer le fait que le regarder faisait battre mon cœur et bouillonner ma peau. Ignorer le sentiment enivrant qu'un garçon que je croyais inaccessible veuille de moi pour de bon.

Mais j'en fus incapable. Ni ma raison ni ma volonté ne surent me persuader de repousser Ethan. Il ne serait peut-être pas à moi pour toujours, mais je pouvais l'avoir maintenant, et je m'en contenterais.

Sans lui répondre, je me blottis dans ses bras et levai le visage vers lui. Ses épaules se relâchèrent de soulagement et ses yeux brillèrent d'émotion. Il se pencha sur moi, et quand nos lèvres se soudèrent, toutes mes inquiétudes passèrent au second plan. Je me jurai de profiter au maximum du temps qui nous serait imparti, et me consolai en songeant que ce serait moins douloureux quand il me briserait le cœur parce que j'y serais préparée.

Je ne suis peut-être pas aussi pragmatique que je voudrais bien le croire, après tout…

10462

Composition
NORD COMPO

Achevé d'imprimer en Espagne (Barcelone)
par BLACK PRINT CPI
le 11 août 2013.

Dépôt légal août 2013.
EAN 9782290042427
OTP L21EGN000408N001

ÉDITIONS J'AI LU
87, quai Panhard-et-Levassor, 75013 Paris

Diffusion France et étranger : Flammarion